Spadające
gwiazdy

Sidney
SHELDON

Spadające
gwiazdy

Przekład
BOGUMIŁA NAWROT

AMBER

Korekta
Elżbieta Szelest

Projekt graficzny serii *Bestsellery do kieszeni*
Małgorzata Cebo-Foniok

Zdjęcia na okładce
© Zbigniew Foniok

Druk
ABEDIK S.A.

Tytuł oryginału
The Stars Shine Down

ISBN 978-83-241-4108-1

Warszawa 2011. Wydanie IV

Wydawnictwo AMBER Sp. z o.o.
02-952 Warszawa, ul. Wiertnicza 63
tel. 620 40 13, 620 81 62

www.wydawnictwoamber.pl

Mortonowi Janklowowi,
przyjacielowi na dobre i złe

Gwiazdy spoglądają
Na nas z wysoka,
Jak krzątamy się, zaaferowani,
i płaczą nad nami.

Monet Nodlehs

Część I

Rozdział 1

Boeing 727 unosił się w morzu cumulusów. Prądy powietrzne miotały samolotem jak lekkim, srebrnym piórkiem. W głośniku rozległ się zaniepokojony głos pilota.

– Miss Cameron, czy zapięła pani pasy bezpieczeństwa?

Nie otrzymał odpowiedzi.

– Miss Cameron... Miss Cameron...

Ocknęła się z głębokiej zadumy.

– Słucham.

Przez chwilę powróciła myślami do szczęśliwszych czasów, szczęśliwszych miejsc.

– Dobrze się pani czuje? Wkrótce powinniśmy mieć tę burzę za sobą.

– Czuję się świetnie, Rogerze.

Może będziemy mieli szczęście i się rozbijemy, przemknęło jej przez głowę.

Byłoby to najlepsze wyjście z sytuacji. Nie wiadomo, gdzie i kiedy coś zaczęło się psuć.

To przeznaczenie, myślała Lara. Nikt jeszcze nie wygrał z przeznaczeniem.

W ciągu ostatniego roku życie wymknęło jej się spod kontroli. Mogła utracić wszystko, co osiągnęła.

Przynajmniej nic więcej nie pójdzie źle, pomyślała ironicznie. Bo nic mi już nie zostało.

Otworzyły się drzwi kabiny i pojawił się w nich pilot. Przystanął na moment, podziwiając swoją pasażerkę. Była piękną kobietą o nieskazitelnej cerze i inteligentnych szarych oczach. Lśniące czarne włosy upięła w koronę. Kiedy wystartowali z Reno, przebrała się: włożyła białą, wieczorową suknię bez rękawów, od Scassiego, podkreślającą smukłą, pełną powabu figurę, oraz naszyjnik z brylantów i rubinów.

Jakim cudem potrafi zachować taki kamienny spokój w sytuacji, gdy zawalił się cały jej świat? – dziwił się pilot.

Od miesiąca bezlitośnie atakowała ją prasa.

– Czy działa radiotelefon, Rogerze?

– Niestety nie, Miss Cameron. Z powodu burzy występują liczne zakłócenia. Przykro mi, ale na La Guardię przybędziemy z godzinnym opóźnieniem.

Spóźnię się na swoje przyjęcie urodzinowe, uświadomiła sobie Lara. Kogo tam nie będzie! Zaproszono dwieście osób, a wśród nich wiceprezydenta Stanów Zjednoczonych, gubernatora stanu Nowy Jork, burmistrza, wiele znakomitości z Hollywood, sławnych sportowców i finansistów z kilku państw.

Osobiście zaakceptowała listę gości.

Ujrzała w myślach wielką salę balową w Cameron Plaza, gdzie miało się odbyć przyjęcie. Rozświetlone kryształowe żyrandole mienią się wszystkimi barwami tęczy. Przygotowano dwieście miejsc. Na dwudziestu stołach nakrytych obrusami z najdelikatniejszych materii pyszni się cieniutka porcelana, szkło, srebrne sztućce oraz kwietne kompozycje z białych orchidei i frezji.

Na obu końcach olbrzymiego holu recepcyjnego będą serwowane napoje. W środku sali, na długim bufecie, wokół wyrzeźbionego w lodzie łabędzia stoją półmiski z czarnym kawiorem, wędzonym łososiem, krewetkami, homarami i krabami. W wiaderkach mrozi się szampan, a w kuchni czeka dziesięciopiętrowy tort urodzinowy. Kelnerzy, barmani i portierzy są już zapewne na swoich miejscach.

Na podwyższeniu zasiądzie orkiestra, by przez całą noc przygrywać do tańca gościom Lary świętującym jej czterdzieste urodziny. Wszystko przemyślała w najdrobniejszych szczegółach.

Sama ustaliła menu. Na początek pasztet z gęsich wątróbek, potem zupa-krem z grzybów i grzanki, filety z ryby, wreszcie danie główne: jagnię z rozmarynem i ziemniaki douphine, fasolka szparagowa i surówka z mniszka w oleju z orzechów laskowych. Następnie sery i owoce, a na zakończenie – tort urodzinowy i kawa.

Zapowiada się wytworne przyjęcie. Stanie przed gośćmi z wysoko uniesionym czołem, jakby nic się nie zmieniło. Jest przecież Larą Cameron.

Kiedy jej prywatny odrzutowiec wylądował wreszcie na La Guardii, była półtorej godziny spóźniona.

– Rogerze, jeszcze dziś w nocy wracamy do Reno – zwróciła się do pilota.

– Będę na panią czekał, Miss Cameron.

Limuzyna z kierowcą stała na podjeździe.

– Zaczynałem się już o panią niepokoić.

– Trafiliśmy na złą pogodę, Max. Jedź do Plaza najszybciej, jak tylko można.

– Tak jest, proszę pani.

Lara sięgnęła po słuchawkę i wykręciła numer do Jerry'ego Townsenda. To on czuwał nad przygotowaniami do przyjęcia. Chciała się upewnić, czy dobrze zajęto się jej gośćmi. Numer nie odpowiadał.

Prawdopodobnie jest w sali balowej – pomyślała.

– Pośpiesz się, Max.

– Tak jest, Miss Cameron.

Na widok olbrzymiego hotelu Cameron Plaza zawsze doznawała uczucia satysfakcji, ale dziś nie miała czasu, by cieszyć się z tego, co stworzyła. Przecież w wielkiej sali balowej już na nią czekają.

Popchnęła drzwi obrotowe i ruszyła śpiesznym krokiem przez okazały hol. Carlos, wicedyrektor, podbiegł do niej.

– Miss Cameron…

– Nie teraz – powiedziała Lara, nie zwalniając kroku. Dotarła do zamkniętych drzwi wielkiej sali balowej i zatrzymała się, by głęboko zaczerpnąć powietrza.

Jestem gotowa na spotkanie z nimi, uznała.

Uśmiechnęła się, energicznie pchnęła drzwi i zastygła oniemiała. W sali panowały kompletne ciemności. Czyżby przygotowali jakąś niespodziankę? Sięgnęła do kontaktu znajdującego się tuż obok – olbrzymią salę zalała fala światła. Pomieszczenie było puste. Ani jednej osoby. Lara stała oszołomiona.

Cóż, u diaska, mogło się stać z dwiema setkami gości? Zostali zaproszeni na ósmą. Teraz dochodziła dziesiąta. Jakim cudem mogło się nagle ulotnić tyle osób? Było w tym coś niesamowitego. Rozejrzała się po wielkiej, pustej sali i wstrząsnął nią dreszcz. W ubiegłym roku na jej przyjęciu urodzinowym ta sama sala wypełniona była przyjaciółmi, rozbrzmiewała dźwiękami muzyki i salwami śmiechu. Nigdy nie zapomni tamtego dnia...

Rozdział 2

Rok temu rozkład zajęć Lary Cameron na ten dzień nie wyróżniał się niczym szczególnym.

10 września 1991

5.00 – gimnastyka pod okiem trenera
7.00 – udział w programie *Good Morning, America*
8.45 – spotkanie z japońskimi bankierami
9.30 – Jerry Townsend
10.30 – komisja wykonawcza ds. planowania
11.00 – faksy, telefony, poczta

11.30 – spotkanie z budowniczymi
12.30 – spotkanie z „S&L"
13.00 – lunch – wywiad z dziennikarzem „Fortune" – Hugh Thompsonem
14.30 – bankierzy z Metropolitan Union
16.00 – Miejski Wydział Planowania
17.00 – spotkanie z burmistrzem w Gracie Mansion
18.15 – spotkanie z architektami
18.30 – Wydział Gospodarki Mieszkaniowej
19.30 – koktajl z grupą inwestorów z Dallas
20.00 – przyjęcie urodzinowe w Wielkiej Sali Balowej Cameron Plaza

Ubrana w kostium gimnastyczny niecierpliwie czekała na przybycie Kena, pod okiem którego co rano ćwiczyła.

– Spóźniłeś się.

– Przepraszam, Miss Cameron. Nie zadzwonił budzik i...

– Czeka mnie pracowity dzień. Zaczynajmy.

– Tak jest.

Przez pół godziny robili ćwiczenia rozluźniające mięśnie, potem przyszła kolej na aerobik.

Ma figurę dwudziestolatki, myślał Ken. Chciałbym się z nią przespać.

Lubił tu przychodzić każdego ranka, by choć na nią popatrzeć, być blisko niej. Ludzie bez przerwy wypytywali go, jaka jest Lara Cameron. Odpowiadał: „Pierwsza klasa".

Lary nie męczyły codzienne, rutynowe zajęcia, ale dziś od świtu całkowicie pochłonęła ją jedna sprawa.

Po zakończeniu sesji gimnastycznej Ken powiedział:

– Będę panią oglądał w programie *Good Morning, America*.

– Słucham? – Zupełnie wyleciało jej to z głowy. Zaprzątnięta była spotkaniem z japońskimi bankierami.

– Do zobaczenia jutro, Miss Cameron.

– Tylko się znów nie spóźnij, Ken.

Lara wzięła prysznic, przebrała się, a potem na tarasie swego apartamentu zjadła grejpfruta, zupę mleczną i wypiła filiżankę zielonej herbaty. Po śniadaniu poszła do gabinetu i zadzwoniła po sekretarkę.

– Rozmowy telefoniczne przeprowadzę z biura – oznajmiła. – O siódmej muszę być w studiu ABC. Dopilnuj, by Max na czas podstawił wóz.

Występ w programie *Good Morning, America* wypadł dobrze. Wywiad przeprowadzała Joan Lunden, która jak zawsze była bardzo miła.

– Kiedy poprzednim razem gościliśmy panią przed naszymi kamerami – powiedziała Joan Lunden – dopiero co rozpoczęły się roboty ziemne przy budowie najwyższego drapacza chmur na świecie. Było to cztery lata temu.

Lara skinęła głową.

– Zgadza się. Ukończymy Cameron Towers w przyszłym roku.

– Co czuje młoda i piękna kobieta, gdy osiągnie aż tyle? Dla wielu przedstawicielek naszej płci stała się pani ideałem.

– Bardzo mi pani pochlebia – odparła Lara z uśmiechem. – Nie mam czasu, by myśleć o sobie w takich kategoriach. Jestem zbyt zajęta.

– Jest pani jedną z czołowych postaci zajmujących się inwestycjami budowlanymi, które tradycyjnie uważa się za domenę mężczyzn. W jaki sposób pani działa? Na przykład, czym się pani kieruje, podejmując decyzję, gdzie wznieść nowy budynek?

– To nie ja wybieram miejsce – sprostowała Lara – tylko miejsce wybiera mnie. Kiedy przejeżdżam samochodem obok wolnej parceli, wcale nie widzę pustego placu, lecz wspaniały biurowiec albo piękny budynek mieszkalny pełen ludzi żyjących wygodnie w miłym otoczeniu. Snuję marzenia.

– A potem je pani realizuje. Do naszej rozmowy powrócimy po reklamie.

Japońscy bankierzy mieli przyjść za piętnaście dziewiąta. Przylecieli z Tokio poprzedniego wieczoru i Lara wyznaczyła spotkanie o tak wczesnej porze, żeby wciąż odczuwali skutki dwunastogodzinnego lotu i zmiany stref czasu. Kiedy zaprotestowali, oświadczyła im:

– Bardzo mi przykro, ale to jedyny wolny termin, jakim dysponuję. Natychmiast po naszym spotkaniu udaję się do Ameryki Południowej.

Zgodzili się niechętnie. Było ich czterech, wszyscy grzeczni, z umysłami wyostrzonymi jak samurajskie miecze. W poprzednim dziesięcioleciu środowisko finansistów nie doceniało Japończyków. Teraz nie popełniano już tego błędu.

Spotkanie odbywało się w Cameron Center przy Avenue of the Americas. Delegacja przybyła, by omówić kwestię ewentualnego zainwestowania stu milionów dolarów w nowy kompleks hotelowy wznoszony przez Larę. Gości zaprowadzono do przestronnej sali konferencyjnej. Każdy z przybyłych przyniósł prezent. Lara podziękowała i również obdarowała ich upominkami. Poleciła swojej sekretarce, aby prezenty owinięto w gładki papier, najlepiej szary lub brązowy. Biel dla Japończyków jest symbolem śmierci, a kolorowe opakowanie było absolutnie nie do przyjęcia.

Sekretarka Lary, Tricia, przyniosła dla gości herbatę, swojej szefowej zaś podała kawę. Japończycy przez grzeczność nie zaprotestowali, choć woleli kawę. Kiedy opróżnili swoje filiżanki, Lara zadbała, by napełniono je ponownie.

Do pokoju wszedł Howard Keller, prawa ręka Lary. Był szczupłym mężczyzną po pięćdziesiątce o rudawoblond włosach i bladej cerze. Miał na sobie przymięty garnitur i wyglądał, jakby dopiero wstał z łóżka. Lara dokonała prezentacji, po czym Keller rozdał wszystkim opis projektu inwestycji.

– Jak panowie widzą – powiedziała Lara – mamy już pierwsze zobowiązanie hipoteczne. Kompleks będzie się składał z siedmiuset dwudziestu pokoi gościnnych, około trzech tysięcy metrów kwadratowych powierzchni recepcyjnej i garażu na tysiąc samochodów...

Lara wprost tryskała energią. Japońscy bankierzy studiowali projekt inwestycji, walcząc z ogarniającą ich sennością.

Spotkanie zakończyło się po niespełna dwóch godzinach całkowitym sukcesem. Lara już dawno temu odkryła, że łatwiej ubić interes wart sto milionów dolarów, niż uzyskać pożyczkę w wysokości pięćdziesięciu tysięcy.

Po wyjściu japońskiej delegacji spotkała się z Jerrym Townsendem. Ten wysoki, energiczny mężczyzna – spec od reklamy z Hollywood – stał na czele biura prasowego Cameron Enterprises.

– Twój dzisiejszy występ w *Good Morning, America* był świetny. Odebrałem mnóstwo telefonów.

– A co z „Forbesem"?

– Wszystko załatwione. W przyszłym tygodniu w „People" będzie na okładce twoje zdjęcie. Widziałaś artykuł na swój temat w „New Yorkerze"? Prawda, że znakomity?

Lara podeszła do biurka.

– Owszem, niezły.

– Wywiad dla „Fortune" uzgodniłem na dzisiejsze popołudnie.

– Zmieniłam godzinę.

Spojrzał zdumiony.

– Dlaczego?

– Zaprosiłam ich przedstawiciela na lunch.

– By go nieco zmiękczyć?

Nacisnęła guzik interkomu.

– Kathy, przyjdź tu, proszę.

– Tak jest, Miss Cameron – rozległo się w pokoju. Lara Cameron uniosła wzrok.

– To wszystko, Jerry. Chcę, byś z całym swoim zespołem skoncentrował się na Cameron Towers.

– Już rozpoczęliśmy...

– To wszystko za mało. Chcę, by trąbiły o tym wszystkie gazety i czasopisma. Na litość boską, przecież to będzie najwyższy drapacz chmur na świecie! Chcę, żeby mówili o nim wszyscy. Chcę, by ludzie błagali o prawo wynajęcia tam apartamentu lub sklepu, zanim jeszcze oddamy budynek do użytku.

Jerry Townsend wstał.

– Dobra.

Do pokoju weszła Kathy, asystentka Lary. Była atrakcyjną, schludnie ubraną Murzynką po trzydziestce.

– Dowiedziałaś się, co lubi jeść?

– To prawdziwy smakosz. Preferuje kuchnię francuską. Zadzwoniłam do Le Cirque i poprosiłam Siria, by dostarczył lunch na dwie osoby.

– Świetnie. Zjemy w mojej jadalni.

– Czy wie pani, ile czasu zajmie wywiad? O wpół do trzeciej ma pani spotkanie na mieście z bankowcami z Metropolitan.

– Przesuń je na trzecią i poproś, by przyjechali tutaj.

Kathy zrobiła odpowiednią notatkę.

– Czy ma pani teraz czas, by zapoznać się z pozostawionymi dla pani wiadomościami?

– Tak.

– Fundacja na rzecz Dzieci prosi, by dwudziestego ósmego była pani ich gościem honorowym.

– Nie mogę. Powiedz im, że czuję się niezwykle zaszczycona tą propozycją, i wyślij czek.

– We wtorek ma pani spotkanie w Tulsa z…

– Odwołaj je.

– Organizacja Kobiet Manhattanu zaprosiła panią na lunch na przyszły piątek.

– Nie pójdę. Jeśli chcą pieniędzy, wyślij im czek.

– Towarzystwo Walki z Analfabetyzmem proponuje, by czwartego października wygłosiła pani podczas wydawanego przez nich lunchu mowę.

– Sprawdź, czy jestem wolna w tym terminie.

– Ma pani wystąpić także jako gość honorowy podczas zbiórki funduszy na leczenie dystrofii mięśniowej, ale w tym czasie będzie pani akurat w San Francisco.

– Wyślij im czek.

– W następną sobotę Srbowie wydają przyjęcie.

– Postaram się przyjść – powiedziała Lara. Kristian i Deborah Srbowie byli jej dobrymi przyjaciółmi i bardzo ich lubiła.

– Kathy, kiedy na mnie patrzysz, ile widzisz osób?

– Słucham?

– Przyjrzyj mi się uważnie.

Kathy spojrzała na nią.

– Widzę tylko panią, Miss Cameron.

– No właśnie. Jestem jedna. Więc jak mogę się dziś spotkać z bankierami z Metropolitan o wpół do trzeciej, z Miejskim Wydziałem Planowania o czwartej, potem o piątej z burmistrzem, z architektami o wpół do szóstej, z Wydziałem Gospodarki Mieszkaniowej o wpół do siódmej, o siódmej trzydzieści pojawić się na koktajlu, a o ósmej na własnym przyjęciu urodzinowym? Kiedy następnym razem będziesz ustała terminarz moich spotkań, spróbuj posłużyć się głową.

– Przepraszam. Sama pani chciała, żebym…

– Przede wszystkim chcę, byś myślała. Nie potrzebuję wokół siebie głupców. Przesuń spotkanie z architektami i Wydziałem Gospodarki Mieszkaniowej na inny termin.

– Tak jest – odparła sztywno Kathy.

– A jak tam twoje dziecko?

Pytaniem tym kompletnie zaskoczyła swoją asystentkę.

– David? Dziękuję, dobrze.

– Musi być już z niego duży chłopak.

– Niedługo skończy dwa lata.

– Czy zastanawiałaś się już nad wyborem szkoły dla niego?

– Nie. Jeszcze chyba za wcześnie na…

– Mylisz się. Jeśli chcesz, by twoje dziecko chodziło do porządnej nowojorskiej szkoły, musisz zacząć działać, zanim się urodzi.

Lara zapisała sobie coś w notesie.

– Znam dyrektora w Dalton. Poproszę, by wciągnięto Davida na listę przyszłych uczniów.

– Bardzo pani dziękuję.

Lara nawet nie podniosła wzroku.

– To wszystko.

– Tak jest, proszę pani.

Kathy wyszła z gabinetu, zastanawiając się, czy kochać swą szefową, czy też jej nienawidzić. Kiedy Kathy przyszła pracować do Cameron Enterprises, zaraz na początku ostrzegano ją przed Larą Cameron. „Żelazny Motyl to kawał wiedźmy – mówiono. – Kolejne sekretarki nie obliczają okresu swego zatrudnienia u niej, posługując się kalendarzem – używają do tego celu stopera. Zje cię żywcem".

Kathy pamiętała swoją pierwszą rozmowę z Larą Cameron. Widziała jej zdjęcia w licznych czasopismach, ale na żadnym z nich nie była tak piękna jak w rzeczywistości.

Lara Cameron przejrzała życiorys Kathy, po czym uniosła głowę i powiedziała:

– Usiądź, Kathy.

Miała ochrypły, wibrujący głos. Bijąca z niej energia wprost przytłaczała.

– Niezły życiorys.

– Dziękuję.

– Ile w nim prawdy?

– Słucham?

– Większość życiorysów, które trafiają na moje biurko, to sama fikcja. Czy jesteś dobra w tym, co robisz?

– Jestem bardzo dobra, Miss Cameron.

– Dwie moje sekretarki właśnie zrezygnowały z pracy. Wszystko tu toczy się niczym lawina. Czy potrafisz sobie dać radę z nawałem pracy?

– Wydaje mi się, że tak.

– Nie obchodzi mnie, co ci się wydaje. Potrafisz czy nie?

W tym momencie Kathy straciła pewność, czy rzeczywiście pragnie tu pracować.

– Potrafię.

– Dobrze. Zatrudnię cię na tydzień, na próbę. Musisz podpisać zobowiązanie, że nigdy nie będziesz

19

z nikim rozmawiała o mnie ani o swojej pracy w Cameron Enterprises. To znaczy żadnych wywiadów, żadnych książek, nic. Wszystko, co się tu dzieje, jest poufne.

– Rozumiem.

– Świetnie.

I tak się to wszystko pięć lat temu zaczęło. W tym czasie Kathy nauczyła się kochać i podziwiać swoją szefową, nienawidzić jej i nią gardzić. Początkowo mąż Kathy pytał:

– Jaka jest naprawdę ta legendarna Miss Cameron?

Trudno było na to odpowiedzieć.

– Jest niezwykła – mówiła Kathy. – Przede wszystkim niesłychanie piękna. Poza tym nie spotkałam jeszcze nikogo równie pracowitego jak ona. Bóg jeden wie, kiedy sypia. To perfekcjonistka, więc gnębi wszystkich wokół siebie. Jest na swój sposób genialna.

Jej mąż uśmiechnął się z pobłażaniem.

– Jednym słowem – to prawdziwa kobieta.

Kathy spojrzała na niego i powiedziała z poważną miną:

– Nie wiem, jaka jest naprawdę, ale czasem się jej boję.

– Daj spokój, moja droga, chyba przesadzasz.

– Nie. Mam wrażenie, że gdyby ktoś stanął Larze Cameron na drodze... byłaby zdolna do morderstwa.

Po przeczytaniu faksów i załatwieniu telefonów Lara zadzwoniła do Charliego Huntera, ambitnego młodzieńca z działu księgowości.

– Charlie, przyjdź do mnie.

– Tak jest, Miss Cameron.

Po minucie już był w jej gabinecie.

– Słucham, Miss Cameron?

– Dziś rano przeczytałam wywiad, jakiego udzieliłeś dla „New York Timesa" – stwierdziła Lara.

Rozpromienił się.

– Jeszcze go nie widziałem. Jak się pani podobał?

– Mówiłeś o Cameron Enterprises i o naszych niektórych problemach.

Zmarszczył brwi.

– No cóż, ten dziennikarz prawdopodobnie prze-kręcił moje…

– Jesteś zwolniony.

– Co? Dlaczego? Ja tylko…

– Kiedy cię zatrudniłam, podpisałeś zobowiązanie, że nie będziesz udzielał żadnych wywiadów. Jeszcze dziś rano masz się stąd wynieść.

– Ależ… nie może pani tego zrobić. Kto przejmie moje obowiązki?

– Już o tym pomyślałam – odparła Lara.

Dziennikarz z „Fortune", Hugh Thompson, był mężczyzną o wyglądzie intelektualisty. Patrzył przeni-kliwie swymi brązowymi oczami zza okularów w czar-nej rogowej oprawce.

– To był wspaniały lunch – powiedział. – Wszystkie moje ulubione potrawy. Dziękuję.

– Cieszę się, że panu smakowały.

– Naprawdę nie musiała sobie pani dla mnie za-dawać aż tyle trudu.

– To żaden kłopot – odparła z uśmiechem. – Mój ojciec zawsze powtarzał, że droga do serca mężczyzny wiedzie przez żołądek.

– A pani chciała przed wywiadem zdobyć sobie moje serce?

Lara uśmiechnęła się znowu.

– Zgadł pan.

– Jak poważne kłopoty przeżywa naprawdę pani firma?

– Nie rozumiem pańskiego pytania – odrzekła z udanym zdumieniem. Z jej twarzy zniknął uśmiech.

– Proszę dać spokój. Czegoś takiego nie da się utrzymać w tajemnicy. Chodzą słuchy, że niektórym pani przedsięwzięciom grozi bankructwo z uwagi na konieczność wypłaty odsetek od pani tandetnych obli-gacji. Dokonywała pani spekulacji finansowych na dużą skalę i teraz, kiedy zapanowała bessa, firma Cameron Enterprises stanęła przed poważnymi problemami.

– A więc to takie krążą o mnie plotki? Zapewniam pana, panie Thompson, że lepiej nie dawać im wiary. Prześlę do redakcji kopię mojego sprawozdania finansowego, by poznał pan prawdziwy obraz sytuacji. Co pan na to?

– Zgoda. Podczas ceremonii otwarcia nowego hotelu nie zauważyłem pani męża.

Lara westchnęła.

– Philip bardzo chciał w niej uczestniczyć, ale niestety odbywał właśnie tournée koncertowe.

– Jakieś trzy lata temu byłem na jego recitalu. To niezrównany pianista. Jesteście państwo małżeństwem już rok, prawda?

– Tak, i był to najlepszy rok w moim życiu. Jestem bardzo szczęśliwą kobietą. Dużo podróżuję, podobnie jak Philip, ale nawet z dala od męża zawsze, gdziekolwiek bym była, mogę słuchać jego płyt.

Thompson uśmiechnął się ironicznie.

– A on wszędzie, gdziekolwiek by był, może oglądać pani budynki.

– Pochlebia mi pan.

– Przecież to prawda. Buduje pani w całym naszym pięknym kraju. Do pani należą domy mieszkalne, biurowce, sieć hoteli… Jak pani tego dokonała?

– Za pomocą czarów.

– Jest pani niezwykle zagadkową postacią.

– Czyżby? Dlaczego?

– Obecnie jest pani odnoszącym prawdopodobnie największe sukcesy przedsiębiorcą budowlanym w Nowym Jorku. Pani nazwisko widnieje na połowie gmachów w mieście. Wznosi pani teraz najwyższy drapacz chmur na świecie. Konkurenci nazywają panią Żelaznym Motylem. Odniosła pani sukces w dziedzinie, która tradycyjnie jest domeną mężczyzn.

– Czy nie daje to panu spokoju, panie Thompson?

– Nie. Nie daje mi spokoju to, że nie potrafię pani rozgryźć. Kiedy dwóm osobom zadaję pytanie na pani temat, otrzymuję trzy różne opinie. Wszyscy przyznają, że jest pani niezwykle utalentowaną kobietą interesu. Chciałem powiedzieć... nie powinęła się pani noga i odniosła pani sukces. Wiem, że ekipy budowlane to zazwyczaj bandy nieokrzesanych, upartych facetów. Jak kobieta taka jak pani daje sobie z nimi radę?

Uśmiechnęła się.

– Po prostu nie ma drugiej takiej kobiety jak ja. A mówiąc poważnie, zatrudniam najlepszych specjalistów i dobrze im płacę.

To zbyt proste, pomyślał Thompson. Zbyt proste. Ukrywa przede mną prawdę.

Postanowił zmienić temat rozmowy.

– Wszystkie czasopisma opisywały pani sukcesy. Chciałbym, żeby mój wywiad dotykał spraw bardziej osobistych. Bardzo mało mówi się o pani przeszłości.

– Jestem bardzo dumna ze swojej przeszłości.

– Świetnie. W takim razie porozmawiajmy o niej. Jak zaczęła się pani przygoda z budownictwem?

Lara uśmiechnęła się i widać było, że jest to szczery uśmiech. W tej chwili przypominała małą dziewczynkę.

– To geny.

Wskazała na wiszący za nią portret. Przedstawiał przystojnego mężczyznę z grzywą srebrnych włosów.

– Oto mój ojciec, James Hugh Cameron – odezwała się cicho. – To jemu zawdzięczam swój sukces. Jestem jedynaczką. Moja matka umarła, kiedy byłam jeszcze bardzo mała, i wychowywał mnie ojciec. Panie Thompson, dawno temu moja rodzina opuściła Szkocję i osiedliła się w Glace Bay.

– W Glace Bay?

– To wioska rybacka w północno-wschodniej części Cape Breton, nad brzegiem Atlantyku. Została tak nazwana przez pierwszych francuskich odkrywców tych terenów. A znaczy to „lodowa zatoka". Jeszcze kawy?

– Nie, dziękuję.

– Mój dziadek miał w Szkocji sporo ziemi, a mój ojciec dokupił jeszcze więcej. Był bardzo bogatym człowiekiem. Wciąż jesteśmy właścicielami zamku w pobliżu Loch Morlich. Kiedy miałam osiem lat, jeździłam na własnym koniu, sukienki kupowano mi w Londynie, mieszkaliśmy w przestronnym domu z mnóstwem służby. Żyłam jak królewna z bajki.

W jej głosie przebijały echa dawnych wspomnień.

– W zimie chodziliśmy na ślizgawkę i obserwowaliśmy grających w hokeja, latem pływaliśmy w jeziorze Big Glace Bay. Organizowano również tańce w Forum i Ogrodach Weneckich.

Dziennikarz pracowicie notował.

– Mój ojciec wznosił budynki w Edmonton, Calgary i Ontario. Inwestycje budowlane i obrót nieruchomościami – to było dla niego jak najbardziej pasjonująca gra. Dość wcześnie nauczył mnie jej tajników. Ja również pokochałam tę grę.

Mówiła z pasją.

– Musi pan coś zrozumieć, panie Thompson. To, co robię, nie ma nic wspólnego z pieniędzmi, cegłami czy stalą, potrzebnymi do wzniesienia budynku. Liczą się ludzie. Mam możliwość stworzenia dla nich wygodnych miejsc pracy lub mieszkań, gdzie mogą razem ze swoimi rodzinami wieść przyzwoite życie. To było zawsze najważniejsze dla mojego ojca i stało się również najważniejsze dla mnie.

Hugh Thompson uniósł głowę.

– Czy pamięta pani swoje pierwsze przedsięwzięcie budowlane?

Lara odchyliła się na oparcie.

– Oczywiście. Dawno temu ojciec spytał mnie, co bym chciała dostać w prezencie na osiemnaste urodziny. Do Glace Bay ściągało akurat wtedy mnóstwo nowych osadników i miasto pękało w szwach. Czułam, że potrzebne są nowe mieszkania. Powiedziałam ojcu, że chciałabym wybudować mały dom mieszkalny. Dał mi na to pieniądze, ale dwa lata później mogłam mu je zwrócić. By wznieść kolejny dom, wzięłam kredyt z banku. Zanim ukończyłam dwadzieścia jeden lat, byłam właścicielką trzech budynków przynoszących niezłe dochody.

– Ojciec musiał być z pani bardzo dumny.

Na jej twarzy pojawił się ciepły uśmiech.

– To prawda. Dał mi na imię Lara. To stare szkockie imię, wywodzące się z łaciny. Znaczy tyle, co znany, sławny. Kiedy byłam jeszcze małą dziewczynką, ojciec powtarzał mi, że pewnego dnia stanę się sławna. – Jej uśmiech zniknął. – Zmarł na atak serca w stosunkowo młodym wieku. – Zamilkła na moment. – Każdego roku jeżdżę do Szkocji na jego grób. Po śmierci ojca było mi bardzo trudno dalej mieszkać w naszym domu w Glace Bay. Postanowiłam przenieść się do Chicago. Przyszedł mi do głowy pomysł wybudowania przytulnych, komfortowych hoteli i namówiłam miejscowy bank, by sfinansował to przedsięwzięcie. Mój pomysł okazał się strzałem w dziesiątkę. – Wzruszyła ramionami. – Reszta, jak to się mówi, to już historia. Sądzę, że psycholog powiedziałby, że nie stworzyłam swojego imperium tylko dla siebie. Jest to swego rodzaju hołd złożony ojcu. James Cameron był najwspanialszym człowiekiem, jakiego znałam.

– Musiała go pani bardzo kochać.

– To prawda. I on mnie też ogromnie kochał. – Uśmiechnęła się ciepło. – Słyszałam, że w dniu moich urodzin ojciec postawił wszystkim mieszkańcom Glace Bay drinka.

– Czyli wszystko zaczęło się w Glace Bay – zauważył Thompson.

– Tak – powiedziała cicho Lara. – Wszystko zaczęło się w Glace Bay, prawie czterdzieści lat temu…

Rozdział 3

Glace Bay, Nowa Szkocja
10 września 1952

Noc, kiedy przyszły na świat jego dzieci, James Cameron spędził w burdelu, pijany w sztok. Leżał w łóżku z bliźniaczkami ze Skandynawii, kiedy w drzwi pokoju załomotała Kirstie, burdelmama.

– James! – krzyknęła, pchnęła drzwi i weszła do środka.

– Ty stara wiedźmo! – wydarł się oburzony Cameron. – Czy nawet tutaj człowiek nie może mieć odrobiny spokoju?!

– Przepraszam, James, że ci przeszkodziłam w zażywaniu rozkoszy. Ale chodzi o twoją żonę.

– Pieprzę swoją żonę! – wrzasnął Cameron.

– Zgadza się – odparowała Kirstie. – Bo właśnie zaczęła rodzić.

– No to co? Niech sobie rodzi. Przecież po to Bóg stworzył kobiety, no nie?

– Przed chwilą dzwonił lekarz. Rozpaczliwie próbuje cię znaleźć. Z twoją żoną jest bardzo źle. Lepiej idź do domu.

James Cameron usiadł, a następnie zsunął się na brzeg łóżka, rozglądając się przekrwionymi oczami i próbując oprzytomnieć.

– Przeklęta baba. Nigdy nie da mi spokoju. – Uniósł wzrok na Kirstie. – Dobra, dobra, już idę. – Spojrzał na nagie dziewczyny w łóżku. – Ale za te nie zapłacę.

– Nie martw się teraz o drobiazgi, tylko wracaj do domu. A wy chodźcie ze mną – zwróciła się do dziewcząt.

James Cameron był niegdyś przystojnym mężczyzną. Teraz na jego twarzy widać było ślady popełnionych grzechów. Choć miał dopiero trzydzieści lat, wyglądał na pięćdziesiąt. Zarządzał jednym z pensjonatów należących do miejscowego bankiera Seana MacAllistera. Przez ostatnie pięć lat James Cameron i jego żona Peggy dzielili się obowiązkami: Peggy prała i gotowała dla ponad dwudziestu gości pensjonatu, a James pił. Co piątek zbierał też opłaty za czynsz z czterech innych pensjonatów w Glace Bay należących do MacAllistera. Stanowiło to dodatkowy pretekst, jeśli w ogóle takowego potrzebował, by zniknąć z domu i się uchlać.

James Cameron był zgorzkniałym mężczyzną, który upajał się swoimi niepowodzeniami. Okazał się nieudacznikiem, ale był święcie przekonany, że inni są przyczyną jego porażek. Z czasem zaczął nawet znajdować przyjemność w chlubieniu się swoimi klęskami. Dzięki temu czuł się jak męczennik. Jego rodzice wyemigrowali ze Szkocji do Glace Bay, kiedy chłopiec miał zaledwie rok. Cały ich dobytek mieścił się w kilku węzełkach. Wiecznie zmagali się z losem, by jakoś przeżyć. Kiedy James skończył czternaście lat, ojciec wysłał go do pracy w kopalni węgla. Dwa lata później, w wyniku wypadku w kopalni, James doznał lekkiego urazu kręgosłupa i z miejsca rzucił robotę. W następnym roku jego rodzice zginęli w katastrofie kolejowej. Właśnie wtedy James Cameron doszedł do wniosku, że to nie on winien jest swoim niepowodzeniom – po prostu nie sprzyjał mu los. Miał jednak dwa wielkie atuty. Był niezwykle przystojny i, jeśli tylko chciał, potrafił być czarujący. Podczas pewnego weekendu spotkał w Sydney, mieście niedaleko Glace Bay, Peggy Maxwell, młodą, wrażliwą amerykańską dziewczynę, która razem z rodzicami przyjechała tu na wakacje. Nie odznaczała się zbytnią urodą, ale Maxwellowie byli bogaci, a James Cameron klepał biedę. Zawrócił Peggy Maxwell w głowie i dziewczyna, nie zważając na przestrogi rodziców, wyszła za niego.

– Daję Peggy w posagu pięć tysięcy dolarów – powiedział teść Jamesowi. – Dzięki tym pieniądzom będziesz miał szansę jakoś w życiu wystartować. Możesz je zainwestować w nieruchomości, w ciągu pięciu lat ich wartość się podwoi. Pomogę ci.

Ale Jamesowi nie uśmiechało się czekać pięć lat. Nie pytając nikogo o radę, zainwestował całą kwotę w ryzykanckie przedsięwzięcie naftowe kumpla. Dwa miesiące później firma zbankrutowała. Jego teść, wściekły, odmówił mu dalszego wsparcia finansowego.

– Jesteś głupcem, James, a ja nie zamierzam trwonić pieniędzy.

Małżeństwo, które miało być dla Jamesa Camerona zbawieniem, okazało się pułapką, bo miał teraz na utrzymaniu żonę i żadnego źródła dochodu.

Wtedy przyszedł mu z pomocą Sean MacAllister – miejscowy bankier. Był krępym, żeby nie powiedzieć otyłym, mężczyzną po pięćdziesiątce, wiecznie nadętym, z lubością nosił kamizelki ozdobione ciężkim, złotym łańcuszkiem od zegarka. Przyjechał do Glace Bay dwadzieścia lat temu i natychmiast dostrzegł dla siebie szansę. Do miasteczka ze wszystkich stron ściągali górnicy i drwale, lecz mieli tu kłopoty ze znalezieniem odpowiedniego mieszkania. MacAllister mógł sfinansować budowę domów, ale wpadł na lepszy pomysł. Doszedł do wniosku, że bardziej opłacalne będą pensjonaty. W ciągu dwóch lat wybudował ich pięć, a do tego jeszcze hotel. Nigdy nie było w nich wolnych miejsc.

Znalezienie administratorów nie należało do łatwych zadań, gdyż pracę mieli nielekką. Musieli dbać o to, by wszystkie pokoje były wynajęte, nadzorować kuchnię, roznosić posiłki i pilnować, aby pomieszczenia utrzymywano w jakiej takiej czystości. Sean MacAllister nie należał do ludzi rozrzutnych, więc nie płacił zbyt wiele. Administrator jednego z pensjonatów właśnie porzucił pracę i MacAllister pomyślał, że James Cameron mógłby być odpowiednim kandydatem na to miejsce. Cameron od czasu do czasu pożyczał w banku niewielkie kwoty i akurat zalegał ze spłatą. MacAllister posłał po niego.

– Mam dla ciebie pracę – oświadczył Jamesowi.

– Naprawdę?

– Jesteś szczęściarzem. Właśnie zwolniła się wspaniała posada.

– Chodzi o pracę w banku, prawda? – spytał James Cameron. Idea zatrudnienia w banku bardzo go pociągała. Tam, gdzie jest dużo pieniędzy, zawsze istnieje możliwość, że nieco grosza przyklei się do palców.

– Nie, nie w banku – oświadczył MacAllister. – James, jesteś bardzo przystojnym młodzieńcem i myślę, że umiesz postępować z ludźmi. Chciałbym, abyś pokierował moim pensjonatem przy Cablehead Avenue.

– Pensjonatem? – W głosie młodego człowieka brzmiała pogarda.

– Potrzebny ci jakiś dach nad głową – zwrócił mu uwagę MacAllister. – Dostaniesz za darmo pokój i utrzymanie, a do tego niewielką pensję.

– To znaczy ile?

– Będę dla ciebie wspaniałomyślny, James. Zapłacę ci dwadzieścia pięć dolarów tygodniowo.

– Dwadzieścia pięć dolarów?

– Decydujesz się czy nie? Na to miejsce czeka mnóstwo chętnych.

James Cameron nie miał innego wyjścia.

– Zgoda.

– Dobrze. Co piątek będziesz też zbierał pieniądze za czynsz w pozostałych pensjonatach i przynosił mi je w soboty.

Kiedy James Cameron podzielił się tą nowiną z Peggy, była ciężko przerażona.

– James, przecież nic nie wiemy o prowadzeniu pensjonatu.

– Nauczymy się. Podzielimy się obowiązkami.

Uwierzyła mu.

– Masz rację. Damy sobie radę.

I na swój sposób sobie poradzili.

W ciągu następnych lat James Cameron kilka razy miał okazję otrzymania lepszej pracy, która dawałaby mu więcej pieniędzy i zapewniła większy szacunek u ludzi, ale zbyt rozsmakował się w swych niepowodzeniach, by cokolwiek zmieniać w życiu.

– Po co sobie zawracać głowę? – powtarzał. – Kiedy los sprzysięgnie się przeciwko człowiekowi, na nic się nie zdadzą wszelkie próby.

Teraz, w tę wrześniową noc, myślał sobie: Nie mogę się nawet spokojnie zabawić z dziwkami. Diabli nadali taką żonę. Kiedy opuścił przybytek pani Kirstie, owiał go przejmujący jesienny wiatr.

Lepiej wzmocnić się przed czekającymi mnie kłopotami, postanowił James Cameron i wstąpił do gospody Ancient Mariner.

Pół godziny później ruszył do pensjonatu w New Aberdeen, najuboższej dzielnicy Glace Bay.

Kiedy w końcu dotarł na miejsce, czekało na niego niecierpliwie kilku gości pensjonatu.

– Lekarz jest u Peggy – poinformował go jeden z mężczyzn. – Lepiej się pośpiesz, stary.

James chwiejnym krokiem wszedł do malutkiej, ponurej sypialni, którą zajmował razem z żoną. Z przylegającego pokoju dobiegło go kwilenie noworodka. Peggy leżała nieruchomo na łóżku, a nad nią pochylał się doktor Patric Duncan. Kiedy usłyszał wchodzącego Jamesa, odwrócił się w jego stronę.

– Co się tu dzieje? – spytał James.

Doktor wyprostował się i z niesmakiem spojrzał na Jamesa.

– Powinieneś był przysłać swoją żonę do mnie – powiedział.

– I trwonić niepotrzebnie pieniądze? Przecież była tylko w ciąży. Wielka mi rzecz!

– Peggy nie żyje. Robiłem, co mogłem. Urodziła bliźnięta. Chłopca nie udało mi się utrzymać przy życiu.

– Jezuniu drogi! – zaskomlał płaczliwie James Cameron. – Wszystko przez ten mój pech.

– Słucham?

– To przeznaczenie. Całe życie prześladuje mnie zły los. Teraz odebrał mi dziecko. Nie wiem...

Do pokoju weszła pielęgniarka. Na ręku trzymała owinięte w koc niemowlę.

– Oto pańska córka, panie Cameron.

– Córka? A na diabła mi córka? – zabełkotał niewyraźnie.

– Wzbudzasz we mnie odrazę – oświadczył doktor Duncan.

Pielęgniarka odwróciła się do Jamesa.

– Zostanę do jutra i pokażę panu, jak pielęgnować małą.

Spojrzał na drobną, pomarszczoną istotkę owiniętą w koc. Może ona też umrze, pomyślał z nadzieją.

Przez pierwsze trzy tygodnie nikt nie wiedział, czy dziecko przeżyje. Karmiła je mamka. W końcu nadszedł dzień, kiedy doktor mógł oświadczyć:

– Twoja córka będzie żyła.

Spojrzał na Jamesa Camerona i mruknął pod nosem:

– Niech Bóg zlituje się nad tym biednym dzieckiem.

– Panie Cameron, musi pan ją ochrzcić – powiedziała mamka.

– Obojętne mi, jak się będzie nazywała. Sama wybierz dla niej imię.

– Może Lara? To takie piękne...

– A rób sobie, jak chcesz.

I tak dziewczynka otrzymała na chrzcie imię Lara.

Lara nie miała nikogo, kto by o nią dbał lub zajmował się jej wychowaniem. W pensjonacie mieszkali ludzie zbyt pochłonięci własnymi sprawami i nie zwracali uwagi na dziecko. Jedyną kobietą w domu była Berta, potężna Szwedka, zatrudniona do gotowania i sprzątania.

James Cameron stanowczo nie chciał mieć nic wspólnego ze swoją córką. Przeklęty los, pozwalając jej przeżyć, jeszcze raz sobie z niego zakpił. Całe noce przesiadywał nad butelką whisky.

– Przez tę dziewuchę umarła moja żona i syn – narzekał.

– Nie powinieneś tak mówić, Jamesie.

– Dlaczego? Przecież to prawda. Mój syn wyrósłby na dzielnego mężczyznę. Byłby mądry i bogaty, a kiedyś zaopiekowałby się swoim starym ojcem.

Mieszkańcy pensjonatu w milczeniu słuchali tego ględzenia.

James Cameron kilkakrotnie próbował nawiązać kontakt z Maxwellem, swoim teściem, łudząc się nadzieją, że ten weźmie dziecko, ale dziadek dziewczynki przepadł jak kamień w wodę.

Ten stary głupiec pewnie już dawno nie żyje, pomyślał Cameron. Takie już mam parszywe szczęście.

Glace Bay było miastem pełnym przejezdnych, wiecznie wynajmujących, to znów opuszczających pokoje w pensjonatach. Przybywali z Francji, Chin i Ukrainy. Przyjeżdżali tu Włosi, Irlandczycy i Grecy; stolarze, krawcy, hydraulicy i szewcy. Gnieździli się w dzielnicy nadmorskiej, na Main Street, Bell Street, North Street i Water Street. Pracowali w kopalniach, przy wyrębie lasów lub na kutrach rybackich. Glace Bay było miastem granicznym, prymitywnym i surowym. Klimat panował tu obrzydliwy. Srogie zimy, z opadami śniegu, ciągnęły się aż do kwietnia. Lód, który długo pokrywał wody zatoki, sprawiał, że nawet kwiecień i maj były chłodne i wietrzne. Od lipca zaś do października padały deszcze.

W mieście było osiemnaście pensjonatów, w niektórych gnieździło się nawet po siedemdziesięciu dwóch gości. W pensjonacie administrowanym przez Jamesa Camerona mieszkało dwudziestu czterech mężczyzn, głównie Szkotów.

Lara spragniona była miłości. Nie miała zabawek ani lalek, którym mogłaby okazywać czułość, ani żadnych towarzyszy zabaw. Nie miała nikogo poza swym ojcem. Robiła dla niego małe, dziecinne prezenty, czyniąc rozpaczliwe próby sprawienia mu przyjemności, ale on albo ignorował jej dary, albo je wyśmiewał.

Kiedy Lara miała pięć lat, podsłuchała rozmowę swego ojca z jednym z mieszkańców pensjonatu.

– Umarło nie to dziecko, które powinno. To mój syn powinien był przeżyć.

Tej nocy Lara długo płakała, nim w końcu zmorzył ją sen. Tak bardzo kochała swego ojca. I tak go nienawidziła.

W wieku sześciu lat Lara przypominała postacie z portretów Keane'a – miała bladą, szczupłą twarz i ogromne oczy. Tamtego roku do pensjonatu wprowadził się nowy gość. Nazywał się Mungo McSween i był potężnym chłopiskiem. Z miejsca poczuł sympatię do małej dziewczynki.

– Jak ci na imię, dziewuszko?

– Lara.

– Aha. To śliczne imię dla takiej ładnej panienki jak ty. Chodzisz do szkoły?

– Do szkoły? Nie.

– A dlaczego nie?

– Nie wiem.

– W takim razie musimy się dowiedzieć – postanowił i poszedł poszukać Jamesa Camerona.

– Podobno twoja córka nie chodzi do szkoły.

– A po co jej szkoła? Przecież to tylko dziewczyna. Nie musi się uczyć.

– Mylisz się, człowieku. Powinna mieć jakieś wykształcenie. Należy jej dać szansę w życiu.

– Wykluczone – odparł James. – Szkoda zachodu.

Ale McSween nalegał i w końcu, dla świętego spokoju, James Cameron ustąpił. Przynajmniej przez kilka godzin dziennie nie będzie mu się bachor naprzykrzał.

Lara była przerażona perspektywą pójścia do szkoły. Całe swoje krótkie życie spędziła w otoczeniu dorosłych i nie miała prawie żadnych kontaktów z rówieśnikami.

W najbliższy poniedziałek Berta zaprowadziła ją do szkoły podstawowej St. Anne. Larę skierowano do gabinetu dyrektorki.

– Oto Lara Cameron.

Dyrektorka, pani Cummings, siwowłosa wdowa w średnim wieku, miała troje własnych dzieci. Przyjrzała się uważnie stojącej przed nią, nędznie ubranej dziewczynce.

– Lara. Jakie śliczne imię – powiedziała z uśmiechem. – Ile masz lat, moje dziecko?

– Sześć. – Dziewczynka z trudem hamowała łzy.

Ta mała jest przerażona, pomyślała pani Cummings.

– Laro, bardzo się cieszymy, że będziesz chodziła do naszej szkoły. Będziesz tu miło spędzała czas i dużo się nauczysz.

– Ale ja nie mogę tu zostać – zaprotestowała Lara.

– Nie? A dlaczego?

– Bo mój tatuś będzie za mną tęsknił. – Postanowiła za wszelką cenę się nie rozpłakać.

– Spędzisz z nami tylko kilka godzin dziennie.

Lara pozwoliła się zaprowadzić do klasy pełnej dzieci. Posadzono ją w ostatnim rzędzie.

Panna Terkel, nauczycielka, zajęta była pisaniem liter na tablicy.

– A jak auto – powiedziała. – B jak but. Czy ktoś zna wyraz na C?

Uniosła się czyjaś drobna rączka.

– Cukierek.

– Bardzo dobrze! A na literę D?

– Dom.

– A na E?

– Elementarz.

– Na F?

– Fajka.

– Wspaniale. Czy ktoś zna wyraz, rozpoczynający się na literę G?

– Gówno! – wykrzyknęła Lara.

Była najmłodszą uczennicą w klasie, ale panna Terkel wielokrotnie odnosiła wrażenie, że Lara jest najstarsza. Biła z niej jakaś niepokojąca dojrzałość.

– To dorosła osoba w ciele dziecka, która czeka, kiedy urośnie – powiedziała kiedyś do pani Cummings.

Pierwszego dnia podczas przerwy śniadaniowej wszystkie dzieci wyciągnęły kolorowe pojemniczki, w których miały jabłka, ciasteczka i owinięte w pergamin kanapki.

W domu nikt nie pomyślał, by dla Lary przygotować coś do jedzenia.

– Gdzie masz drugie śniadanie, Laro? – spytała panna Terkel.

– Nie jestem głodna – odpowiedziała nadąsana Lara. – Najadłam się rano.

Większość dziewczynek miała na sobie ładne, czyste spódniczki i bluzeczki. Lara wyrosła już z kilku swoich wypłowiałych sukienek z materiału w kratkę i wyświechtanych bluzek. Poszła więc do ojca i powiedziała:
– Potrzebuję nowej sukienki do szkoły.
– Jeszcze czego? Myślisz, że znajduję pieniądze na ulicy? Idź i załatw sobie coś w ośrodku Armii Zbawienia.
– Tato, przecież nie mogę żebrać.
Ojciec uderzył ją w twarz.

Dzieci w szkole znały gry, o których Lara nigdy nawet nie słyszała. Dziewczynki miały lalki i rozmaite inne zabawki. Były nawet gotowe bawić się nimi wspólnie z Larą, ale ona nie chciała, gdyż bolała ją świadomość, że nie ma niczego na własność. Pobyt w szkole uzmysłowił dziewczynce jeszcze coś. W ciągu następnych kilku lat poznała inny świat. W tym świecie dzieci miały oboje rodziców, którzy obsypywali je prezentami, urządzali dla nich przyjęcia urodzinowe, kochali je, przytulali i całowali. Po raz pierwszy zaczęła sobie zdawać sprawę z tego, jak ubogie jest jej życie. Samotność stała się jeszcze dotkliwsza.

Pensjonat to była zupełnie inna szkoła. Przypominał świat w miniaturze. Lara nauczyła się odróżniać, skąd pochodzą goście, na podstawie brzmienia ich nazwisk. Mac oznaczało Szkota... Hoder i Pyke przybywali z Nowej Fundlandii... Chiasson i Aucoin z Francji... Dudasz i Kosik z Polski. Wśród mieszkańców pensjonatu byli drwale, rybacy, górnicy i rzemieślnicy. Rano zbierali się w wielkiej jadalni na śniadanie, a wieczorami na kolację. Larę fascynowały ich rozmowy. Wydawało się, że każda grupa używa własnego, tajemniczego języka.

Na terenie Nowej Szkocji było tysiące drwali. Ci, którzy mieszkali w pensjonacie, pachnieli trocinami i paloną korą, a rozmawiali o jakichś tajemniczych rzeczach, jak struganie, zrzynanie i obciosywanie.

– W tym sezonie powinniśmy uzyskać prawie dwieście milionów stóp kwadratowych – oznajmił kiedyś przy kolacji jeden z nich.

– Jak stopa może być kwadratowa? – spytała Lara.
Rozległ się głośny śmiech.

– Dziecino, stopa kwadratowa to miara drewna.
Oznacza kawałek grubości cala, a długości i szerokości jednej stopy. Kiedy dorośniesz i wyjdziesz za mąż,
i jeśli postanowicie sobie wybudować pięcioizbowy,
drewniany dom, będziecie potrzebowali dwanaście tysięcy stóp kwadratowych.

– Nie chcę wyjść za mąż – oświadczyła z mocą Lara.

Rybacy stanowili odrębną grupę. Wracali do pensjonatu przesiąknięci zapachem morza i rozprawiali
o nowej, eksperymentalnej hodowli ostryg w jeziorze
Bras d'Or albo przechwalali się, ile to złowili dorszy,
śledzi czy makreli.

Ale najbardziej ze wszystkich fascynowali Larę
górnicy. Na Cape Breton było trzy i pół tysiąca górników. Pracowali w kopalniach w Lingan, Prince i Phalen.
Ich nazwy wydawały się Larze niezwykłe. Szczególnie
podobały jej się takie, jak Jubileusz, Ostatnia Szansa,
Czarny Diament, Szczęśliwa Dama.

Była zauroczona rozmowami górników o pracy.

– Słyszałem, że Mike ma jakieś problemy?

– Zgadza się. Biedaczysko jechał na przodek na
cycku. Pech chciał, że wagonik wypadł z szyn i zmiażdżył mu nogę. A sztygar sukinsyn jeszcze powiedział,
że to wina Mike'a, bo nie zeskoczył na czas. Za karę
zgasił mu lampę.

Lara siedziała zbita z tropu.

– Co to znaczy?

– To znaczy, że Mike jechał do pracy na przodek
specjalną kolejką, która kursuje wzdłuż sztolni – wyjaśnił jeden z górników. – Wagonik wyskoczył z torów
i uderzył go w nogę.

– I zgasił mu lampę? – spytała Lara.

– Zgasić lampę to znaczy wylać z roboty – odparł,
śmiejąc się, górnik.

W wieku piętnastu lat Lara rozpoczęła naukę w liceum St. Michael. Była niezgrabna i chuda, miała długie, cienkie nogi i czarne proste włosy. Jej mądre szare oczy były wciąż zbyt duże w stosunku do bladej, szczupłej twarzy. Nikt nie wiedział, co z niej wyrośnie. Mogła równie dobrze przeistoczyć się w piękną pannę, jak i w brzydulę.

Dla Jamesa Camerona jego córka była brzydulą.

– Najlepiej, jeśli poślubisz pierwszego frajera, który poprosi cię o rękę – mówił jej. – Z taką urodą nie ma co kaprysić.

Lara stała bez słowa.

– Tylko uprzedź tego nieszczęśnika, by nie spodziewał się żadnego posagu.

Do pokoju wszedł Mungo McSween i, nie kryjąc złości, przysłuchiwał się słowom Jamesa Camerona.

– To wszystko, moja panno – powiedział Cameron. – Wracaj do kuchni.

Lara wybiegła z pokoju.

– Dlaczego jesteś wobec swojej córki taki okrutny? – spytał McSween.

James Cameron spojrzał na niego zamglonym wzrokiem.

– Nie twój interes.

– Jesteś pijany.

– Tak. No i co z tego? Jedyne, co się liczy na tym świecie, to baby i whisky, czyż nie?

McSween poszedł do kuchni. Lara właśnie zmywała naczynia, z trudem powstrzymując łzy. McSween objął ją ramieniem.

– Nie przejmuj się, dziewuszko – powiedział. – On wcale tak nie myśli.

– Nienawidzi mnie.

– To nieprawda.

– Nigdy nie obdarzył mnie jednym miłym słowem. Nigdy, przenigdy!

McSween nie znalazł na to żadnej odpowiedzi.

Latem w Glace Bay pojawiali się turyści. Pięknie ubrani, zjeżdżali tu swoimi drogimi autami, robili zakupy na Castle Street, jadali w Cedar House i U Jaspera, chodzili na plaże Ingonish, na Cape Smoky i płynęli na wyspy Bird. Byli istotami lepszego rodzaju, pochodzili z innego świata. Lara zazdrościła im i kiedy pod koniec lata opuszczali Glace Bay, pragnęła wyjechać razem z nimi. Ale jak mogła to zrobić?

Czasem słuchała opowieści o dziadku Maxwellu.

– Ten stary drań nie chciał się zgodzić, bym poślubił jego najdroższą córeczkę – skarżył się James Cameron każdemu, kto go chciał słuchać. – Był bogaty do obrzydliwości, ale myślisz, że coś mi dał? Ani centa. Ale i tak dobrze traktowałem moją Peggy...

Lara marzyła, że pewnego dnia dziadek pojawi się, by ją zabrać do wspaniałych miast, które znała z lektury: do Londynu, Rzymu i Paryża.

I będę miała śliczne stroje. Całe stosy sukien i setki par butów, myślała.

Ale mijały miesiące i lata, a jej dziadek nie dawał żadnego znaku życia. W końcu Lara pogodziła się z tym, że nigdy go nie ujrzy. Skazana była na spędzenie całego życia w Glace Bay.

Rozdział 4

Młodzież z Glace Bay miała do wyboru tysiące sposobów spędzania wolnego czasu: organizowano mecze piłki nożnej i hokeja na lodzie, można było zagrać w kręgle lub wybrać się na ślizgawkę, a latem iść popływać lub na ryby. Po szkole młodzi spotykali się najczęściej w Carl's Drug Store. W mieście były dwa kina, a w Ogrodach Weneckich organizowano tańce.

Lara nie mogła korzystać z tych rozrywek, gdyż każdego ranka wstawała o piątej, by pomóc Bercie przygotować śniadanie dla mieszkańców pensjonatu i przed pójściem do szkoły posłać łóżka. Po południu śpieszyła do domu, aby zdążyć przygotować kolację. Pomagała wydawać jedzenie, a po kolacji sprzątała ze stołów, zmywała i wycierała naczynia.

W pensjonacie podawano kilka popularnych szkockich potraw: howtowdie, hairst bree, cabbieclaw i skirlie. Do ulubionych dań należał kruchy placek z bakaliami przygotowywany z ćwierć kilograma mąki.

Rozmowy Szkotów przy kolacji sprawiały, że szkockie góry stawały przed oczami Lary jak żywe. Opowieści o ojczyźnie przodków nadawały życiu Lary sens. Z zapartym tchem słuchała historii o zapadlisku Glen More, na obszarze którego znajdowało się Loch Ness i Linnhe, oraz o niegościnnych wyspach.

W salonie stało rozstrojone pianino i czasem wieczorem, po kolacji, mieszkańcy pensjonatu zbierali się wokół niego i śpiewali ludowe piosenki: *Annie Laurie*, i *Comin' through the Rye*, i *The Hills of Home*, i *The Bonnie Banks O'Loch Lomond*.

Raz do roku w mieście urządzano festyn i wtedy wszyscy Szkoci z dumą wkładali swoje kraciaste spódniczki i maszerowali ulicami przy akompaniamencie piskliwych kobz.

– Dlaczego mężczyźni noszą spódniczki? – spytała Lara Mungo McSweena.

Zmarszczył brwi.

– To nie jest spódniczka, dziewuszko. To kilt. Nasi przodkowie wymyślili go bardzo dawno temu. W górach chronił mężczyznę przed zimnem, a jednocześnie zostawiał mu swobodę ruchów, tak że mógł biec przez wrzosowiska i torfowiska, by uciec przed wrogiem. A nocą, kiedy trzeba się było przespać pod gołym niebem, kilt, dzięki swej długości, mógł służyć jednocześnie za posłanie i okrycie.

Nazwy szkockich miejscowości były dźwięczne jak poezja. Najczęściej wymieniano Breadalbane, Glenfinnan i Kilbride, Kilninver i Kilmichael. Lara zaintrygowana ich brzmieniem dopytywała o znaczenie. „Kil" pochodziło od określenia cel średniowiecznych mnichów, „inver" lub „aber" w nazwie wskazywało, że wioska leżała przy ujściu strumienia, „strath" – w dolinie, „bad" – w lasku.

Każdego wieczoru przy kolacji wybuchały zacięte kłótnie. Szkoci sprzeczali się o wszystko. Należeli do potomków dumnych członków klanów i żarliwie bronili swojej historii.

– W rodzie Bruce'a pełno było tchórzy. Płaszczyli się przed Anglikami jak skamlące psy.

– Ian, jak zwykle nie wiesz, co mówisz. Przecież to właśnie Bruce przeciwstawił się Anglikom, a Stuarci płaszczyli się przed najeźdźcami z południa.

– Och, gadasz bzdury, a twój klan od wieków słynie z głupców.

Kłótnia stawała się bardziej zacieła.

– Wiesz, co potrzebne było Szkocji? Więcej powinno być takich wodzów, jak Ryszard II. To był dopiero wielki człowiek. Słyszałeś, że spłodził dwadzieścioro jeden dzieci?

– Tak, a połowa z nich to były bękarty!

W ten sposób dochodziło do kolejnej awantury.

Larze trudno było uwierzyć, że sprzeczają się o wypadki, które miały miejsce ponad sześć wieków temu.

Mungo McSween wyjaśnił Larze kiedyś:

– Nie przejmuj się tym, dziewuszko. Szkot zdolny jest wywołać bójkę w pustym domu.

Jeden wiersz Waltera Scotta szczególnie rozpalił wyobraźnię Lary.

Z zachodu do nas przybył młody Lochinvar,
Na rączym rumaku, szybszym niżli wiatr.
Nie miał prócz miecza żadnej innej broni.
Nie miał oprócz siebie w nikim też ostoi.
W miłości wierny, mężny, gdy z wrogiem się starł,
Wzorem cnót wszelkich był młody Lochinvar.

Następnie przepiękny poemat opowiadał, jak to Lochinvar ryzykował własne życie, by uratować swą ukochaną, którą zmuszono do poślubienia innego.

W miłości wierny, mężny, gdy z wrogiem się starł,
Nikt nie był tak dzielny, jak młody Lochinvar*.

Nadejdzie taki dzień, marzyła Lara, kiedy pojawi się piękny Lochinvar i mnie stąd zabierze.

Pewnego razu Lara, pracując w kuchni, przeglądała jednocześnie jakieś czasopismo. Zaparło jej dech w piersi, gdy ujrzała zdjęcie mężczyzny w eleganckim białym fraku. Był wysoki, przystojny, jasnowłosy. Miał niebieskie oczy i ciepły uśmiech. Przypominał w każdym calu księcia.

Oto, jak wygląda mój Lochinvar, pomyślała Lara. Żyje gdzieś i mnie szuka. Przybędzie i wyrwie mnie stąd. Będę akurat zmywała naczynia, a on stanie z tyłu, obejmie mnie i szepnie: „Czy pozwoli pani sobie pomóc?" A ja się odwrócę, spojrzę mu w oczy i spytam: „Czy potrafi pan wycierać naczynia?"

– Czy co potrafię?! – rozległ się głos Berty.

Lara odwróciła się gwałtownie i ujrzała za sobą Bertę. Nie zdawała sobie sprawy z tego, że mówiła na głos.

– Nie, nic – odpowiedziała, czerwieniąc się po uszy.

Larę najbardziej fascynowały opowieści o słynnych rugach. Znała te historie na pamięć, ale ciągle chciała ich słuchać od nowa.

– Opowiedz mi wszystko jeszcze raz – mówiła i Mungo McSween ochoczo spełniał jej prośbę.

– Zaczęło się to w 1792 roku, który nazwano Bliadhna nan Co-a-rach – Rokiem Owcy. Właściciele ziemscy ze Szkocji doszli do wniosku, że ziemia przyniesie im większe dochody, jeśli zaczną hodować owce, niż kiedy jest uprawiana przez dzierżawców. Sprowadzili więc na te obszary stada owiec. Kiedy przekonali się,

---

* Walter Scott *Marmion*.

że zwierzęta są w stanie przetrwać chłodne zimy, rozpoczęło się rugowanie chłopów z ziemi.

Zewsząd słychać było lament: *Mo thruaighe ort a thir, tha'n caoraich mhor a'teachd!* – Biada ci, ziemio, nadciągają owce. Początkowo sprowadzono ich setkę, potem tysiąc, w końcu dziesiątki tysięcy. Przypominało to krwawy najazd.

Panowie oczami duszy widzieli już nieprzebrane bogactwa, ale najpierw musieli się pozbyć dzierżawców uprawiających spłachetki ziemi, którzy, Bóg świadkiem, niewiele posiadali. Mieszkali w kurnych chatach. Ale panowie zmusili ich do opuszczenia tych nędznych siedzib.

– W jaki sposób? – spytała dziewczynka, z przerażenia szeroko otwierając oczy.

– Oddziały wojska otrzymały rozkaz zaatakowania wiosek i wyrzucenia opornych. Żołnierze pojawiali się w osadach i dawali mieszkańcom sześć godzin na zabranie dobytku i opuszczenie domów. Zbiory musieli pozostawić. Następnie żołnierze podpalali ich domostwa. Ponad ćwierć miliona mężczyzn, kobiet i dzieci zmuszono do porzucenia swych siedzib i przeniesienia się na wybrzeże. Trwało to ponad sześćdziesiąt lat.

– Ale jakim sposobem mogli tych ludzi wypędzić z ich własnej ziemi?

– Widzisz, ta ziemia nie należała do nich. Panowie pozwalali im uprawiać pół hektara czy hektar, ale ta ziemia nigdy nie była ich własnością. Płacili czynsz w plonach lub robociźnie za możliwość uprawy ziemi i hodowli paru sztuk trzody.

– A co się działo, kiedy ludzie nie zgadzali się na opuszczenie ziemi? – spytała Lara, wstrzymując oddech.

– Starzy ludzie, którzy w porę nie wynieśli się ze swych domów, ginęli w płomieniach. Rząd okazał się bezwzględny. Och, to były straszne czasy. Ludzie nie mieli co jeść. Wybuchła epidemia cholery, inne choroby też szerzyły się lotem błyskawicy.

– To okropne – szepnęła Lara.

– Tak, moja dziecinko. Ludzie żywili się ziemniakami, chlebem i owsianką, kiedy udało im się zdobyć nieco ziarna. Ale była jedna rzecz, której nikt nie mógł zabrać mieszkańcom gór – ich duma. Walczyli zawzięcie. Przez wiele dni, kiedy wygasły już łuny pożarów, bezdomni ludzie kryli się w dolinach, próbując ratować ze zgliszcz, co się tylko dało. Aby uchronić się przed nocnymi deszczami, rozciągali nad głowami płótna. Mój prapradziadek i praprababka cierpieli te wszystkie niedole. To część naszych dziejów, która odcisnęła się w naszych duszach.

Lara oczami wyobraźni widziała tysiące zdesperowanych straceńców, pozbawionych dobytku całego życia, oszołomionych tym, co ich spotkało. Słyszała płacz żałobników i krzyki przerażonych dzieci.

– Co się w końcu z nimi stało? – spytała.

– Wyruszyli do dalekich krajów na pokładzie statków, które okazały się niebezpiecznymi pułapkami. Stłoczeni pasażerowie umierali na febrę i dyzenterię. Czasami statek natrafiał na sztorm, który powodował wielotygodniowe opóźnienia w podróży, i ludziom wyczerpywały się zapasy żywności. Tylko najsilniejszym udało się dotrwać tej chwili, gdy statki przybijały do brzegów Kanady. Ale kiedy już wylądowali, otrzymywali coś, czego nie mieli nigdy przedtem.

– Własną ziemię – wtrąciła Lara.

– Właśnie, dziecinko.

Kiedyś, postanowiła, ja też będę miała ziemię na własność i nikt na całym świecie mi jej nie odbierze.

Pewnego wieczoru, a było to na początku lipca, James Cameron, zabawiając się z jedną z dziwek w burdelu Kirstie, niespodziewanie doznał ataku serca. Był pijany jak bela i gdy w pewnym momencie zwalił się na dziewczynę, pomyślała, że po prostu usnął.

– O nie, jak możesz! Czekają na mnie kolejni klienci. Obudź się, James! No, wstawaj!

Z trudem chwytał powietrze, trzymając się za serce.

– Na litość boską – jęknął – sprowadź lekarza.

Przewieziono go karetką do małego szpitala przy Quarry Street. Doktor Duncan posłał po Larę. Pojawiła się w szpitalu z bijącym sercem. Duncan czekał na nią.

– Co się stało? – spytała zaniepokojona. – Czy mój ojciec umarł?

– Nie, Laro, ale niestety miał atak serca.

– Czy... czy będzie żył?

– Nie wiem. Robimy wszystko, co w naszej mocy, by go ratować.

– Czy mogę go zobaczyć?

– Moje dziecko, przyjdź lepiej jutro rano.

Wróciła do domu otępiała ze zgrozy.

Boże, nie pozwól mu umrzeć. Przecież mam tylko jego jednego, myślała przerażona.

W pensjonacie czekała na nią Berta.

– Co się stało?

Lara opowiedziała jej wszystko.

– O mój Boże! – wykrzyknęła Berta. – Że też musiało się to stać właśnie w piątek.

– Jak to?

– W piątek twój ojciec zbierał pieniądze za czynsz. Znając Seana MacAllistera, obawiam się, że wykorzysta to jako pretekst, by wyrzucić nas na ulicę.

Już dawniej James Cameron, kiedy był zbyt pijany, by zebrać pieniądze w innych pensjonatach należących do Seana MacAllistera, zlecał to zadanie Larze. Oddawała pieniądze ojcu, a on następnego dnia zanosił je bankierowi.

– I co my teraz poczniemy? – biadoliła Berta.

Lara wiedziała, co należy zrobić.

– Nie martw się – pocieszyła ją. – Zajmę się tym.

Tego wieczoru podczas kolacji Lara oświadczyła:

– Panowie, czy mogę was poprosić o chwilę uwagi? – Zapanowała cisza. Wszyscy zwrócili na nią wzrok. – Mój ojciec jest... jest trochę niedysponowany. Został przewieziony do szpitala na obserwację. Do jego powrotu ja będę zbierała pieniądze za czynsz. Po kolacji oczekuję panów w salonie.

– Nic mu nie będzie? – spytał jeden z mieszkańców pensjonatu.

– Z całą pewnością nie – powiedziała Lara, siląc się na uśmiech. – To nic poważnego.

Po kolacji mężczyźni przyszli do salonu i wręczyli Larze należność za cały tydzień.

– Mam nadzieję, że twój ojciec wkrótce wydobrzeje, moje dziecko...

– Jeśli mógłbym w jakiś sposób pomóc, proszę powiedzieć tylko słówko...

– Dzielna z ciebie dziewczyna...

– A co będzie z pozostałymi pensjonatami? – spytała Berta. – Do obowiązków twojego ojca należało również zbieranie pieniędzy w pozostałych czterech domach.

– Wiem – odparła Lara. – Idź pozmywaj naczynia, a ja zajmę się ściąganiem opłat.

Berta spojrzała na nią niepewnie.

– Życzę ci powodzenia.

Wszystko poszło łatwiej, niż sobie Lara wyobrażała. Większość gości współczuła jej i bez oporów wpłaciła należność za czynsz, pragnąc w ten sposób pomóc dziewczynie.

Nazajutrz z samego rana Lara wzięła koperty z pieniędzmi i udała się na spotkanie z Seanem MacAllisterem. Kiedy weszła do jego gabinetu, bankier siedział za swoim biurkiem.

– Sekretarka powiedziała mi, że chcesz się ze mną widzieć.

– Tak, proszę pana.

MacAllister przyjrzał się uważnie stojącej przed nim kościstej, zaniedbanej dziewczynie.

– Jesteś córką Jamesa Camerona, prawda?

– Tak, proszę pana.

– Sarah?

– Lara.

– Przykro mi z powodu twego ojca – powiedział MacAllister, ale w jego głosie nie było współczucia. – Teraz, kiedy twój ojciec jest chory i nie może wykonywać

45

swoich obowiązków, muszę oczywiście przedsięwziąć jakieś kroki. Zamierzam...

– Chwileczkę, proszę pana! – przerwała mu Lara. – Ojciec poprosił mnie, bym go zastąpiła.

– Ciebie?

– Tak, proszę pana.

– Obawiam się, że nie...

Położyła na biurku koperty.

– Oto czynsz za ten tydzień.

MacAllister spojrzał na nią, nie kryjąc zdumienia.

– Od wszystkich?

Skinęła głową.

– I sama zebrałaś pieniądze?

– Tak, proszę pana. I będę to robiła co piątek, póki tatuś nie poczuje się lepiej.

– Rozumiem. – Otworzył koperty i skrupulatnie przeliczył banknoty. Lara obserwowała, jak wpisuje kwotę do wielkiej zielonej księgi.

Już od jakiegoś czasu MacAllister zamierzał zwolnić Jamesa Camerona z uwagi na jego pijaństwo i niezrównoważony charakter. Oto nadarzyła się wspaniała okazja, by wyrzucić całą rodzinę.

Był pewien, że stojącej przed nim młodej dziewczynie nie uda się zastąpić ojca w jego obowiązkach, ale jednocześnie zdawał sobie sprawę z tego, jak zareagują mieszkańcy miasta na wiadomość o tym, że wyrzucił Jamesa Camerona i jego córkę na bruk. Podjął decyzję.

– Przyjmę cię na próbę na jeden miesiąc – powiedział. – Zobaczymy, czy dasz sobie radę.

– Dziękuję, panie MacAllister. Bardzo panu dziękuję.

– Zaczekaj. – Wręczył Larze dwadzieścia pięć dolarów. – Oto twoja zapłata.

Lara wzięła pieniądze do ręki i poczuła smak wolności. Po raz pierwszy w życiu otrzymała wynagrodzenie za swoją pracę.

Prosto z banku pobiegła do szpitala. Doktor Duncan właśnie wychodził z pokoju jej ojca. Nagle Larę ogarnęła panika.

– Chyba nie...?

– Nie... nie... nic mu nie będzie, Laro. – Zawahał się. – Mówiąc, że nic mu nie będzie, mam na myśli to, że nie umrze... przynajmniej nie teraz... ale przez kilka tygodni musi pozostać w łóżku. Ktoś będzie się musiał nim opiekować.

– Ja się nim zaopiekuję – oświadczyła Lara.

Spojrzał na nią i powiedział cicho:

– Moja droga, twój ojciec nawet nie wie, jaki z niego szczęściarz.

– Czy mogę się z nim teraz zobaczyć?

– Tak.

Weszła do pokoju ojca i stanęła, przypatrując mu się uważnie. James Cameron leżał na łóżku blady i bezbronny. Nagle wydał jej się bardzo stary. Larę ogarnęła fala czułości. Wreszcie miała okazję zrobić dla swego ojca coś, by mógł ją docenić i pokochać. Zbliżyła się do łóżka.

– Tatusiu...

Uniósł wzrok i wymamrotał:

– A cóż ty tu, u diabła, robisz? W pensjonacie czeka na ciebie robota.

Lara znieruchomiała.

– Wiem, tatusiu. Chciałam ci tylko powiedzieć, że widziałam się z panem MacAllisterem. Powiedziałam mu, że będę zbierała pieniądze, póki nie poczujesz się lepiej i...

– Będziesz zbierała pieniądze? Ty? Nie rozśmieszaj mnie. – Wstrząsnął nim gwałtowny spazm. Po chwili przemówił słabym głosem: – To przeznaczenie – jęknął. – Wyrzucą mnie na ulicę.

Nawet nie pomyślał, co się stanie z nią. Lara stała dłuższą chwilę, przypatrując mu się, a potem odwróciła się i wyszła.

Trzy dni później Jamesa Camerona wypisano ze szpitala.

– Przez kilka najbliższych tygodni nie wolno panu opuszczać łóżka – powiedział mu doktor Duncan. – Za tydzień, dwa przyjdę sprawdzić pański stan.

– Nie mogę leżeć w łóżku – zaprotestował Cameron. – Jestem człowiekiem pracy. Mam masę roboty.

Lekarz spojrzał na niego i odezwał się spokojnym tonem:

– Może pan wybierać: albo zostanie pan w łóżku i będzie pan żył, albo pan wstanie i umrze.

Początkowo mieszkańcy pensjonatów MacAllistera byli zachwyceni widokiem młodej, niewinnej dziewczyny zbierającej pieniądze za czynsz. Lecz kiedy urok nowości zbladł, znajdowali tysiące wymówek:

– Chorowałem w tym tygodniu i musiałem zapłacić za lekarza...

– Syn przysyła mi pieniądze co tydzień, ale poczta się spóźniła...

– Musiałem kupić narzędzia...

– W przyszłym tygodniu na pewno ci zapłacę...

Ale młoda dziewczyna walczyła o własne życie. Wysłuchiwała grzecznie ich tłumaczeń i mówiła:

– Bardzo mi przykro, ale pan MacAllister powiedział, że pieniądze chce dostać dzisiaj i jeżeli nie możecie zapłacić, musicie natychmiast się wyprowadzić.

I jakoś wszystkim udawało się wysupłać należność.

Lara była nieugięta.

– Łatwiej było się dogadać z twoim ojcem – poskarżył się jeden z mieszkańców pensjonatu. – Zawsze był gotów poczekać kilka dni.

Lecz w głębi duszy podziwiali upór młodej dziewczyny.

Jeśli Lara myślała, że choroba jej ojca przybliży go do niej, gorzko się rozczarowała. Starała się odgadywać wszystkie jego życzenia, ale im bardziej była troskliwa, tym on stawał się bardziej opryskliwy.

Codziennie przynosiła mu świeże kwiaty i drobne prezenty.

– Na litość boską! – wykrzykiwał. – Przestań mi się tu kręcić. Nie masz już nic innego do roboty?

– Myślałam, że może chcesz…

– Wynoś się! – Odwrócił się twarzą do ściany.

Nienawidzę go, pomyślała Lara. Nienawidzę.

Pod koniec miesiąca, kiedy Lara weszła do gabinetu Seana MacAllistera z pieniędzmi za czynsz, bankier przeliczył je i powiedział:

– Muszę przyznać, młoda damo, że sprawiłaś mi wielką niespodziankę. Radzisz sobie lepiej od swego ojca.

Słowa te sprawiły jej ogromną radość.

– Dziękuję.

– Prawdę mówiąc, to pierwszy miesiąc, kiedy wszyscy wpłacili całą należność w terminie.

– Czyli że możemy z ojcem dalej mieszkać w pensjonacie? – skwapliwie spytała Lara.

MacAllister przyglądał się jej przez chwilę.

– Myślę, że tak. Musisz bardzo kochać swego ojca.

– Do zobaczenia w następną sobotę, panie Mac-Allister.

Rozdział 5

W wieku siedemnastu lat chuda, kanciasta dziewczynka przemieniła się w kobietę. Urodę odziedziczyła po swoich szkockich przodkach: miała jasną cerę, łukowato wygięte brwi, szare błyszczące oczy, kruczoczarne włosy, a z postaci emanowała jakaś melancholia, odbicie tragicznych losów jej ludu. Trudno było oderwać wzrok od Lary Cameron.

Większość mieszkańców pensjonatów żyła samotnie, nie licząc chwil, które spędzali w towarzystwie panienek od madame Kirstie lub z innych domów schadzek, toteż urodziwa, młoda dziewczyna stała się obiektem ich zainteresowania. Co rusz dopadali ją w kuchni albo kiedy sprzątała pokoje i mówili:

– Laro, czemu nie chcesz być dla mnie miła? Mógłbym wiele dla ciebie zrobić.

Albo:

– Nie masz chłopca, prawda? Pozwól, że ci uświadomię, co to znaczy mężczyzna.

Albo:

– Nie chciałabyś pojechać do Kansas City? Wyjeżdżam w przyszłym tygodniu i z chęcią cię z sobą zabiorę.

Któregoś dnia Lara, wysłuchawszy podobnych propozycji od kilku mieszkańców pensjonatu, weszła do pokoiku, gdzie leżał jej bezradny ojciec, i powiedziała:

– Myliłeś się, ojcze. Wszyscy mężczyźni chcą, bym z nimi poszła do łóżka.

Po czym zostawiła go wpatrzonego w drzwi, za którymi zniknęła.

Pewnego wiosennego ranka James Cameron umarł i Lara pochowała go na cmentarzu Greenwood w dzielnicy Passiondale. Oprócz niej na pogrzebie była tylko Berta. Żadna z nich nie uroniła ani jednej łzy.

W pensjonacie pojawił się nowy gość, siedemdziesięciokilkuletni Amerykanin Bill Rogers, gruby i łysy, ale sympatyczny, a przy tym niezwykle gadatliwy. Po kolacji lubił porozmawiać sobie z Larą.

– Jesteś za ładna, by spędzić całe życie w takiej dziurze – mawiał. – Powinnaś jechać do Chicago albo Nowego Jorku. Najwyższy czas.

– Pewnego dnia pojadę – odpowiadała Lara.

– Przed tobą całe życie. Czy wiesz już, czego chcesz dokonać?

– Chcę mieć wiele rzeczy.

– Ach tak, piękne stroje i...

– Nie. Ziemię. Chcę mieć ziemię. Mój ojciec nigdy niczego nie posiadał. Przez całe życie zdany był na cudzą łaskę.

Twarz Billa Rogersa rozpromieniła się nagle.

– Zajmowałem się kiedyś nieruchomościami.

– Naprawdę?

– Byłem właścicielem domów na całym środkowym Zachodzie. Kiedyś należała do mnie nawet sieć hoteli – powiedział tonem pełnym zadumy.

– I co się stało?

Wzruszył ramionami.

– Zrobiłem się zanadto chciwy. Wszystko straciłem. Ale co użyłem, to moje.

Od tej pory niemal co wieczór rozmawiali o nieruchomościach oraz inwestycjach budowlanych.

– Naczelną zasadą przy inwestowaniu jest PIL – wyjaśnił jej Rogers. – Zapamiętaj sobie to dobrze.

– Co to znaczy PIL?

– Pieniądze innych ludzi. Wiesz, co sprawia, że inwestycje budowlane są takim świetnym interesem? To, że władze zezwalają na odliczanie sobie odsetek i amortyzacji, podczas gdy w rzeczywistości wartość twojego majątku rośnie. Najważniejsze są trzy rzeczy: lokalizacja, lokalizacja i jeszcze raz lokalizacja. Piękny dom w malowniczej okolicy to strata czasu i pieniędzy. Bogactwo przyniesie ci brzydki budynek w centrum miasta.

Rogers mówił o hipotekach, refinansowaniu i wykorzystywaniu pożyczek bankowych. Lara słuchała, uczyła się i zapamiętywała. Była jak gąbka, chciwie chłonęła najdrobniejsze informacje.

– Wiesz, w Glace Bay istnieje olbrzymi głód mieszkań. To może być dla kogoś ogromna szansa. Gdybym miał dwadzieścia lat mniej... – te słowa Rogersa rozpaliły jej wyobraźnię.

Od tej chwili patrzyła na Glace Bay innymi oczami, wyobrażając sobie na pustych działkach biurowce i domy mieszkalne. Było to bardzo podniecające, a zarazem frustrujące. Miała marzenia, ale brakowało jej pieniędzy, by je zrealizować.

– Pamiętaj! Pieniądze innych ludzi – powtórzył na odjezdnym Bill Rogers. – Powodzenia, mała.

Tydzień później do pensjonatu wprowadził się Charles Cohn. Był to drobny mężczyzna po sześćdziesiątce, schludny, starannie ostrzyżony i dobrze ubrany. Razem z innymi zasiadł do kolacji, ale niewiele jadł. Wydawał się zamknięty w swoim własnym, małym świecie.

Obserwował Larę, jak krząta się uśmiechnięta, ani słowem nie skarżąc się na swój los.

– Jak długo zamierza się pan u nas zatrzymać? – spytała Cohna.

– Jeszcze nie wiem. Może tydzień, może miesiąc, może dłużej…

Charles Cohn stanowił dla Lary zagadkę. Zupełnie nie pasował do pozostałych mieszkańców pensjonatu. Próbowała sobie wyobrazić, czym się zajmuje. Z całą pewnością nie był górnikiem ani rybakiem, nie wyglądał również na kupca. Sprawiał wrażenie lepiej wykształconego niż pozostali goście. Powiedział, że próbował wynająć pokój w jedynym hotelu w mieście, ale nie było wolnych miejsc. Lara zauważyła, że prawie nic nie je.

– Jeśli można prosić o jakiś owoc – mówił przepraszająco – albo nieco warzyw…

– Czy jest pan na jakiejś specjalnej diecie? – spytała.

– W pewnym sensie. Jem tylko koszerne potrawy, a obawiam się, że w Glace Bay są one nieosiągalne.

Nazajutrz, kiedy Charles Cohn zasiadł do kolacji, Lara postawiła przed nim talerz z kotletami jagnięcymi. Spojrzał na nią zdumiony.

– Najmocniej przepraszam, ale nie mogę tego zjeść – tłumaczył. – Wyjaśniłem przecież, że…

– Zgadza się. To koszerne mięso – odparła z uśmiechem.

– Jakim cudem…

– Znalazłam w Sydney targ z koszernym mięsem. Kupiłam je od tamtejszego szocheta. Smacznego. W cenę pańskiego pokoju wliczone są dwa posiłki dziennie. Jutro przyrządzę stek.

Od tej pory Cohn starał się rozmawiać z Larą, kiedy tylko dziewczyna miała wolną chwilkę. Jej inteligencja i niezależny duch wywarły na nim duże wrażenie.

Pewnego razu Charles Cohn zwierzył się Larze, co robi w Glace Bay.

– Należę do kierownictwa Continental Supplies. – Była to znana w całym kraju sieć sklepów. – Przyjechałem, by wybrać lokalizację pod nasz nowy supermarket.

– Och, to musi być pasjonujące – powiedziała Lara.

Wiedziałam, że przyjechał do Glace Bay w ważnych interesach, pomyślała.

– Zamierzacie wznieść nowy budynek?

– Nie. Szukamy kogoś, kto wybudowałby odpowiedni obiekt, a my potem wynajmiemy go od tego kogoś.

O trzeciej nad ranem Lara obudziła się z głębokiego snu i usiadła na łóżku. Serce waliło jej jak młotem. Czyżby to był tylko sen? Nie. Umysł jej pracował gorączkowo. Była zbyt podniecona, by ponownie usnąć.

Kiedy Charles Cohn wyszedł ze swojego pokoju na śniadanie, Lara już na niego czekała.

– Panie Cohn... Znam jedno wspaniałe miejsce – wyrzuciła z siebie jednym tchem.

Patrzył na nią zaskoczony.

– Słucham?

– Miejsce, w którym mógłby stanąć nowy supermarket.

– Tak? Gdzie?

Lara uchyliła się od odpowiedzi.

– Proszę mi najpierw pozwolić zadać jedno pytanie. Gdybym była właścicielką działki, która by panu odpowiadała, i wzniosłabym na niej budynek, wydzierżawiłby go pan ode mnie na pięć lat?

– To dosyć hipotetyczna sytuacja, prawda?

– Wydzierżawiłby pan? – nalegała Lara.

– Laro, a cóż ty wiesz o budowaniu?

– Nie zbuduję go sama – odparła. – Wynajmę architekta i solidną firmę budowlaną.

Charles Cohn przyjrzał się jej uważnie.

– Rozumiem. A gdzie znajduje się ten wspaniały kawałek ziemi?

– Pokażę go panu – obiecała Lara. – Proszę mi wierzyć, że się panu spodoba. To wymarzone miejsce.

Po śniadaniu Lara poszła z Charlesem Cohnem do centrum miasta. Na rogu Main Street i Commercial, w samym środku Glace Bay, rozciągał się pusty plac. Cohn już dwa dni temu zwrócił na niego uwagę.

– Oto lokalizacja, o której panu mówiłam – powiedziała Lara.

Cohn stał, udając, że ocenia parcelę.

– Masz *ahf* – nosa. To wyśmienity punkt.

Przeprowadził już dyskretny wywiad i dowiedział się, że plac należy do niejakiego Seana MacAllistera, bankiera. Cohn miał znaleźć odpowiedni teren i skłonić kogoś, by wzniósł budynek, a następnie wydzierżawić obiekt. Dla firmy obojętne było, kto zbuduje sklep, byleby tylko odpowiadał ich wymaganiom.

Cohn przyglądał się uważnie Larze.

Jest za młoda, pomyślał. To głupi pomysł. A jednak... „Znalazłam w Sydney targ z koszernym mięsem... Jutro przyrządzę panu stek". Miała w sobie tyle *rachmones* – współczucia.

– Jeśli kupię tę działkę i wzniosę na niej budynek, odpowiadający waszym wymaganiom, czy wydzierżawicie go ode mnie na pięć lat? – spytała Lara podnieconym głosem.

Zawahał się, a potem powiedział wolno:

– Nie, Laro. Podpiszemy z tobą umowę na dziesięć lat.

Tego popołudnia Lara poszła na spotkanie z Seanem MacAllisterem. Na jej widok podniósł wzrok, nie kryjąc zdumienia.

– Jesteś parę dni wcześniej, Laro. Przecież dopiero środa.

– Wiem. Przyszłam pana o coś poprosić, panie MacAllister.

Sean MacAllister siedział, przyglądając się jej.

Wyrosła na śliczną dziewczynę. Właściwie nie dziewczynę, a kobietę – ocenił. Pod bawełnianą bluzeczką mógł dostrzec zarys jej piersi.

– Usiądź, moja droga. Co mogę dla ciebie zrobić?

Lara była zbyt podekscytowana, by usiąść.

– Chciałabym uzyskać kredyt.

Kompletnie go zaskoczyła.

– Słucham?

– Chciałabym pożyczyć od pana pieniądze.

Uśmiechnął się pobłażliwie.

– Dlaczego nie. Jeśli chcesz sobie kupić nową sukienkę, z przyjemnością wypłacę ci zaliczkowo...

– Chciałabym pożyczyć dwieście tysięcy dolarów.

Uśmiech zniknął z twarzy MacAllistera.

– Czy to jakiś żart?

– Nie, proszę pana. – Lara pochyliła się i powiedziała z przejęciem. – Chciałabym kupić parcelę i wybudować na niej dom. Mam poważnego kontrahenta, który jest gotów podpisać ze mną umowę o dzierżawę na dziesięć lat. Stanowiłaby gwarancję na kredyt na zakup ziemi i wzniesienie budynku.

MacAllister przyglądał się jej uważnie, zmarszczywszy brwi.

– Czy omawiałaś już tę sprawę z właścicielem działki?

– Właśnie to robię – odparła.

Potrzebował trochę czasu, by w pełni do niego dotarło znaczenie jej słów.

– Chwileczkę. Chcesz powiedzieć, że ta działka należy do mnie?

– Tak. To parcela na rogu Main Street i Commercial.

– Przyszłaś, by pożyczyć ode mnie pieniądze na zakup ziemi, która należy do mnie?

– Ta działka nie jest warta więcej niż dwadzieścia tysięcy dolarów. Sprawdziłam to. Proponuję panu trzydzieści tysięcy. Zarobi pan dziesięć tysięcy na ziemi, nie licząc odsetek od dwustu tysięcy dolarów, które mi pan pożyczy na budowę.

MacAllister pokręcił głową.

– Prosisz mnie o kredyt w wysokości dwustu tysięcy dolarów, nie dając żadnego zabezpieczenia. To wykluczone.

Lara pochyliła się nad nim.

55

– Ma pan zabezpieczenie. Wejdzie pan na hipotekę nieruchomości. Nie może pan stracić.

MacAllister siedział, przyglądając się uważnie dziewczynie i rozważając jej propozycję. Uśmiechnął się.

– Wiesz co – powiedział w końcu – nie brakuje ci tupetu. Ale nigdy nie uda mi się uzyskać zgody rady nadzorczej na taką pożyczkę.

– W pana banku nie ma rady nadzorczej – oświadczyła.

Uśmiechnął się szeroko.

– To prawda.

Lara pochyliła się tak, że jej piersi dotknęły skraju biurka.

– Jeśli zgodzi się pan, panie MacAllister, obiecuję, że nigdy pan tego nie pożałuje.

Nie mógł oderwać oczu od jej piersi.

– Wiesz, jesteś zupełnie inna niż twój ojciec.

– Wiem, proszę pana.

– Załóżmy teoretycznie, że jestem zainteresowany tą transakcją – ostrożnie zaczął MacAllister. – Kim jest ten twój dzierżawca?

– Nazywa się Charles Cohn. Należy do kierownictwa Continental Supplies.

– Tej sieci sklepów?

– Tak.

Nagle MacAllister bardzo zainteresował się sprawą.

– Chcą mieć tu duży sklep, by zaopatrywać górników i drwali w narzędzia – ciągnęła Lara.

MacAllister natychmiast wyczuł świetną okazję.

– Gdzie spotkałaś tego człowieka? – spytał od niechcenia.

– Zatrzymał się w pensjonacie.

– Rozumiem. Laro, pozwól mi się zastanowić nad tą propozycją. Powrócimy do niej jutro.

Lara niemal drżała z podniecenia.

– Dziękuję, panie MacAllister. Nie pożałuje pan.

Uśmiechnął się chytrze.

– Myślę, że nie.

Jeszcze tego samego popołudnia Sean MacAllister przyszedł do pensjonatu, by spotkać się z Charlesem Cohnem.

– Wpadłem jedynie, by powitać pana w Glace Bay – powiedział MacAllister. – Nazywam się Sean MacAllister i jestem właścicielem miejscowego banku. Właśnie się dowiedziałem, że zawitał pan do naszego miasta. Ale nie powinien pan mieszkać w moim pensjonacie, lecz w hotelu. Będzie pan tam miał większe wygody.

– Nie było miejsc – wyjaśnił Cohn.

– Tylko dlatego, że nie wiedzieliśmy, kim pan jest.

Cohn uśmiechnął się uprzejmie.

– A cóż to ze mnie za persona?

Sean MacAllister uśmiechnął się znacząco.

– Nie musimy się bawić w kotka i myszkę, panie Cohn. W takiej mieścinie jak nasza wieści szybko się rozchodzą. O ile się orientuję, jest pan zainteresowany wydzierżawieniem budynku, który ma być wzniesiony na działce, będącej moją własnością.

– O jakiej działce pan mówi?

– Tej na rogu Main i Commercial. To wspaniały punkt, prawda? Myślę, że bez trudu dobijemy targu.

– Mam już umowę z kim innym.

– Z Larą? Ładny z niej podlotek, prawda? Może wstąpi pan do mojego banku, by sporządzić kontrakt?

– Obawiam się, że mnie pan nie zrozumiał, panie MacAllister. Powiedziałem, że już zawarłem umowę.

– A mnie się wydaje, że to pan nic nie rozumie, panie Cohn. Ta ziemia nie należy do Lary, tylko do mnie.

– Zdaje się, że chce ją od pana kupić, prawda?

– Tak, ale nigdzie nie jest powiedziane, że muszę ją sprzedać właśnie jej.

– A ja nie muszę skorzystać z tej lokalizacji. Oglądałem trzy inne działki, które nie są wcale gorsze od pańskiej. Dziękuję, że pan wpadł.

Sean MacAllister przyglądał mu się przez dłuższą chwilę.

– Mówi... mówi pan poważnie?

– Jak najbardziej. Nigdy nie robię nieczystych interesów i nigdy nie łamię danego słowa.

– Ale przecież Lara nie ma pojęcia o budownictwie. Ona...

– Zamierza znaleźć ludzi, którzy się na tym znają. Oczywiście, budynek będzie musiał zostać zaakceptowany przez naszą firmę.

Bankier zamyślił się głęboko.

– Czy dobrze rozumiem, że Continental Supplies gotowe są podpisać umowę najmu na dziesięć lat?

– Zgadza się.

– Rozumiem. Cóż, w tej sytuacji... proszę mi dać czas do namysłu.

Kiedy Lara wróciła do pensjonatu, Charles Cohn opowiedział jej o swej rozmowie z bankierem.

Lara była wyraźnie wzburzona.

– Czy to znaczy, że pan MacAllister chciał za moimi plecami...

– Niepotrzebnie się denerwujesz – uspokoił ją Cohn. – Zawrze transakcję z tobą.

– Jest pan tego pewien?

– To bankier. Jego jedynym celem jest zarabianie pieniędzy.

– A pan? Dlaczego pan tyle dla mnie robi? – spytała.

Sam sobie zadawał to pytanie.

Bo jesteś jeszcze taka młoda, pomyślał. Bo nie pasujesz do tego miasta. Bo chciałbym mieć taką córkę jak ty.

Ale nie powiedział jej tego.

– Niczego nie ryzykuję, Laro. Znalazłem kilka innych lokalizacji, które są równie dobre. Jeśli uda ci się kupić tę działkę, z radością podpiszę umowę z tobą. Mojej firmie jest obojętne, z kim zawieram transakcję. Jeśli uzyskasz kredyt i zaakceptuję wybrane przez ciebie przedsiębiorstwo budowlane, podpiszę kontrakt z tobą.

Larę ogarnęła fala uniesienia.

– Nie wiem... nie wiem, jak panu dziękować. Pójdę się spotkać z panem MacAllisterem i...

– Na twoim miejscu nie robiłbym tego – poradził jej Cohn. – Niech on przyjdzie do ciebie.

Spojrzała na niego zaniepokojona.

– A co będzie, jeśli nie zechce...

Cohn uśmiechnął się, pewny swego.

– Zechce.

Wręczył jej tekst umowy.

– Oto umowa najmu na dziesięć lat. Będzie prawomocna, jeśli budynek spełni wszystkie nasze wymagania. – Podał jej komplet planów. – A to dokumentacja obiektu.

Lara spędziła całą noc na zapoznawaniu się z rysunkami i zaleceniami.

Następnego ranka zadzwonił Sean MacAllister.

– Laro, czy mogłabyś wstąpić na chwilę do mojego biura?

Serce waliło jej jak młotem.

– Będę za piętnaście minut.

Czekał na nią.

– Zastanawiałem się nad naszą wczorajszą rozmową – powiedział MacAllister. – Zanim coś postanowię, muszę otrzymać kopię umowy pana Cohna na dziesięcioletnią dzierżawę.

– Już ją mam – odparła. Otworzyła torebkę i wyciągnęła kontrakt.

Sean MacAllister przestudiował go uważnie.

– Wygląda na to, że wszystko w porządku.

– Czy to znaczy, że pan się zgadza? – spytała, wstrzymując oddech.

MacAllister pokręcił głową.

– Nie.

– Myślałam, że...

Zaczął bębnić palcami w blat biurka.

– Mówiąc szczerze, Laro, wcale mi się nie śpieszy ze sprzedażą tej działki. Im dłużej ją zatrzymam, tym większej nabierze wartości.

Spojrzała na niego z niedowierzaniem.

– Ale przecież powiedział pan...

– Twoja prośba jest dość nietypowa. Brak ci doświadczenia. Musiałbym mieć jakiś szczególny powód, by udzielić ci tej pożyczki.

– Nie rozu… jaki szczególny powód?

– Nazwijmy to… małą premią. Powiedz mi, Laro, czy miałaś kiedyś chłopca?

Kompletnie zaskoczył ją tym pytaniem.

– Nie. – Czuła, jak transakcja wymyka jej się z rąk. – A co to ma wspólnego z…

MacAllister pochylił się ku niej.

– Laro, będę z tobą szczery. Uważam, że jesteś bardzo atrakcyjną dziewczyną. Chcę, byś poszła ze mną do łóżka. *Quid pro quo*. Co się tłumaczy…

– Wiem, jak się tłumaczy – odparła z nieprzeniknionym wyrazem twarzy.

– Spójrz na to z innej strony. Masz szansę wybicia się, prawda? Zdobycia czegoś na własność, zostania kimś. Udowodnienia przed samą sobą, że jesteś inna niż twój ojciec.

Umysł Lary pracował gorączkowo.

– Laro, prawdopodobnie nigdy nie trafi ci się druga taka okazja. Jeśli chcesz, dam ci trochę czasu do namysłu i…

– Nie – odezwała się głucho. – Mogę panu dać odpowiedź teraz. – Przycisnęła ręce do ciała, by powstrzymać drżenie. Cała jej przyszłość, całe życie, zależało od tego, co za chwilę powie. – Pójdę z panem do łóżka.

MacAllister wstał uśmiechnięty i wyciągając swoje grube ręce, zrobił krok w jej kierunku.

– Nie teraz – powiedziała. – Dopiero jak zobaczę kontrakt.

Następnego dnia Sean MacAllister wręczył Larze umowę na pożyczkę.

– To bardzo prosty kontrakt, moja droga. Udzielam ci kredytu w wysokości dwustu tysięcy dolarów na osiem procent. – Podał jej pióro. – Wystarczy tylko twój podpis na ostatniej stronie.

– Jeśli można, chciałabym to najpierw przeczytać – oświadczyła i spojrzała na zegarek. – Teraz niestety nie mam czasu. Czy mogę wziąć umowę ze sobą? Przyniosę ją jutro.

Sean MacAllister wzruszył ramionami.

– Proszę bardzo. – Zniżył głos. – A co się tyczy naszej randki, w następną sobotę muszę jechać do Halifaksu. Pomyślałem sobie, że moglibyśmy się tam wybrać razem.

Spojrzała na jego obleśny uśmiech i poczuła mdłości.

– Dobrze – szepnęła.

– Świetnie. Podpisz umowę i przynieś mi ją. – Zastanowił się przez moment. – Będziesz potrzebowała dobrej firmy budowlanej. Czy słyszałaś o Nova Scotia Construction Company?

Twarz Lary rozpromieniła się nagle.

– Tak. Znam ich kierownika, Buzza Steele'a.

Kierował budową paru największych obiektów w Glace Bay.

– To dobrze. To świetna firma. Polecam ci ją.

– Porozmawiam jutro z Buzzem.

Wieczorem Lara pokazała projekt kontraktu Charlesowi Cohnowi. Nie odważyła mu się powiedzieć o prywatnej umowie, którą zawarła z MacAllisterem. Zbyt się jej wstydziła. Cohn przeczytał uważnie kontrakt, a kiedy skończył, oddał go Larze.

– Radziłbym ci go nie podpisywać.

Była skonsternowana.

– Dlaczego?

– Jest tu klauzula, zgodnie z którą budynek musi być ukończony do trzydziestego pierwszego grudnia. W przeciwnym razie tytuł własności przechodzi na bank. Innymi słowy, dom będzie należał do MacAllistera, a moja firma automatycznie stanie się jego najemcą. Stracisz prawo do budynku, ale nadal będziesz zobowiązana do spłaty kredytu wraz z odsetkami. Poproś go, by to zmienił.

W uszach Lary wciąż brzmiały słowa MacAllistera: „Wcale mi się nie śpieszy ze sprzedażą tej działki. Im dłużej ją zatrzymam, tym większej nabierze wartości".

Pokręciła głową.

– Nie zgodzi się na to.

– W takim razie podejmujesz duże ryzyko, Laro. Możesz zostać z pustymi rękami i długiem w wysokości dwustu tysięcy plus odsetki.

– Ale jeśli zakończę budynek na czas…

– To bardzo istotne „jeśli". Kiedy się wznosi dom, jest się na łasce wielu ludzi. Zdziwisz się, ile rzeczy może pójść nie po twojej myśli.

– W Sydney działa bardzo dobre przedsiębiorstwo budowlane. Wznieśli w okolicy wiele domów. Znam ich kierownika. Jeśli powie, że zdoła zakończyć budowę w tym terminie, zgodzę się na warunki MacAllistera.

Ten płomienny zapał, bijący z głosu Lary, położył kres wszelkim wątpliwościom Cohna.

– Dobrze – powiedział w końcu. – Porozmawiaj z nim.

Odnalazła Buzza Steele'a na rusztowaniu cztero-piętrowego domu, który jego ekipa wznosiła właśnie w Sydney. Steele był siwym, czterdziestokilkuletnim mężczyzną o ogorzałej twarzy. Ciepło powitał Larę.

– Cóż za miła niespodzianka – ucieszył się. – To dziwne, że takiej ślicznotce jak ty pozwalają opuszczać Glace Bay.

– Wymknęłam się ukradkiem – odparła. – Mam dla pana robotę, panie Steele.

– Naprawdę? Cóż będziemy budować – domek dla lalek?

– Nie. – Wyciągnęła plany, które otrzymała od Charlesa Cohna. – Oto projekt budynku.

Buzz Steele przyjrzał im się uważnie, po czym zdumiony uniósł głowę.

– To całkiem poważna inwestycja. A cóż ty masz z tym wspólnego?

– Doprowadziłam do zawarcia transakcji – dumnie oświadczyła Lara. – Będę właścicielką tego budynku.

Steele gwizdnął cichutko.

– No, no, nieźle sobie poradziłaś.

– Ale są dwa haczyki.

– Jakie?

– Budynek musi zostać ukończony do trzydziestego pierwszego grudnia, w przeciwnym razie przejdzie na własność banku, a poza tym nie może kosztować więcej niż sto siedemdziesiąt tysięcy dolarów. Czy to realne?

Steele ponownie spojrzał na plany. Lara obserwowała go, jak kalkulował sobie coś w myślach.

– Sądzę, że tak – powiedział w końcu.

Całą siłą woli powstrzymała się od wydania głośnego okrzyku radości.

– W takim razie umowa stoi.

Uścisnęli sobie ręce.

– Jesteś najpiękniejszą szefową, dla jakiej kiedykolwiek pracowałem – oświadczył Buzz Steele.

– Dziękuję. Kiedy możecie przystąpić do pracy?

– Jutro przyjadę do Glace Bay, by obejrzeć parcelę. Wybuduję ci dom, z którego będziesz naprawdę dumna.

Po rozstaniu ze Steele'em Lara czuła się tak, jakby wyrosły jej skrzydła u ramion.

Wróciła do Glace Bay i podzieliła się najświeższymi nowinami z Charlesem Cohnem.

– Laro, jesteś pewna, że to firma godna zaufania?

– Oczywiście – potwierdziła. – Budują tutaj i w Sydney, i w Halifaksie, i w...

Jej entuzjazm był zaraźliwy.

– W takim razie wygląda na to, że ubiliśmy interes.

Lara uśmiechnęła się promiennie, ale po chwili przypomniała sobie umowę z Seanem MacAllisterem i spoważniała.

„W następną sobotę muszę jechać do Halifaksu. Pomyślałem sobie, że moglibyśmy się tam wybrać razem".

Do soboty pozostały tylko dwa dni.

Nazajutrz Lara podpisała umowę. Sean MacAllister obserwował, niezwykle z siebie zadowolony, jak dziewczyna opuszcza jego biuro. Nie miał najmniejszego zamiaru dopuścić do tego, by została właścicielką budynku. Niemal roześmiał się w głos na myśl o tym, jaka jest naiwna. Pożyczy jej pieniądze, ale w rzeczywistości będzie to wyglądało tak, jakby je pożyczył samemu sobie. Wyobraził ją sobie w łóżku i poczuł ogarniające go podniecenie.

Lara była w Halifaksie tylko dwa razy. W porównaniu z Glace Bay było to kipiące życiem miasto, pełne przechodniów i aut, z mnóstwem sklepów zapełnionych towarami. Sean MacAllister zawiózł Larę do motelu na przedmieściu. Zatrzymał się na parkingu i klepnął ją w kolano.

– Zaczekaj tutaj, moja mała, a ja pójdę nas zameldować.

Siedziała i czekała, czując ogarniającą ją panikę.

Sprzedaję się, pomyślała. Jak dziwka. Ale to jedyne, co mam, a on przynajmniej myśli, że jestem warta dwieście tysięcy dolarów. Mój ojciec nigdy w życiu nie widział takiej sumy pieniędzy. Był zawsze zbyt…

Drzwiczki samochodu otworzyły się i ukazał się w nich uśmiechnięty MacAllister.

– Wszystko w porządku. Chodźmy.

Nagle Lara poczuła, że ma trudności z oddychaniem. Serce tak jej waliło, że bała się, iż za chwilę wyskoczy jej z piersi.

To chyba atak serca, pomyślała.

– Laro… – patrzył na nią dziwnym wzrokiem. – Nic ci nie jest?

Chyba umieram. Zaraz zabiorą mnie do szpitala. Umrę jako dziewica – myśli goniły jedna drugą.

– Nie, nie – wyszeptała.

Wolno wysiadła z samochodu i poszła za MacAllisterem do ponurego domku z łóżkiem, dwoma krzesłami, poobijaną toaletką i malutką łazienką.

Wydawało jej się, że to jakiś koszmarny sen.

– A więc to twój pierwszy raz, tak? – spytał Mac-Allister.

Pomyślała o chłopcach w szkole, którzy zaczepiali ją, całowali i próbowali wsuwać ręce między uda.

– Tak – przyznała.

– No, nie ma się czego bać. Miłość to najbardziej naturalna rzecz na świecie.

Lara przyglądała się, jak MacAllister się rozbiera. Był tłusty i obleśny.

– No, na co czekasz? – spytał.

Wolno zdjęła bluzkę, spódnicę i trzewiki. Została w samym staniku i majteczkach.

MacAllister spojrzał na nią.

– Jesteś piękna, wiesz o tym?

Poczuła dotyk jego twardego członka. Mac Allister pocałował Larę w usta. Ogarnął ją wstręt.

– Rozbieraj się do naga – polecił niecierpliwie. Podszedł do łóżka i ściągnął kalesony. Lara zobaczyła jego nabrzmiały, czerwony penis.

Niemożliwe, by się zmieścił we mnie, pomyślała. Przecież on mnie tym rozerwie.

– Pośpiesz się.

Wolno zdjęła stanik i zsunęła majtki.

– Mój Boże – westchnął. – Jesteś wspaniała. Chodź no tu.

Usiadła na łóżku. MacAllister mocno ścisnął jej piersi, aż krzyknęła z bólu.

– O, spodobało ci się, co? Najwyższa pora, byś miała swojego chłopa. – Popchnął ją mocno, aż upadła na wznak, a potem rozsunął jej nogi.

Nagle Larę ogarnęła panika.

– Jestem nieprzygotowana – powiedziała. – Mogę... mogę zajść w ciążę.

– Nie martw się – uspokoił ją MacAllister. – Nie wejdę w ciebie.

W chwilę potem Lara poczuła w sobie MacAllistera. Przeszył ją ostry ból.

– Zaczekaj! – krzyknęła. – Nie...

Ale MacAllister nie był w stanie dłużej nad sobą panować. Wbił się w nią, sprawiając przejmujący ból. Napierał coraz mocniej na jej ciało. Zasłoniła sobie usta ręką, by powstrzymać się od krzyku.

Za chwilę będzie po wszystkim, pomyślała, i zostanę właścicielką domu. A potem wzniosę następny. I jeszcze jeden...

Ból stał się nie do zniesienia.

– Ruszże tyłkiem – wrzasnął MacAllister. – Nie leż jak kłoda. No, dalej!

Spróbowała się poruszyć, ale okazało się to niemożliwe. Za bardzo ją bolało.

Nagle MacAllister jęknął i Lara poczuła, jak gwałtowny spazm szarpnął całym jego ciałem. Po chwili wydał westchnienie ulgi i znieruchomiał.

Była przerażona.

– Powiedziałeś, że nie...

Oparł się na łokciach i wyznał z rozbrajającą szczerością:

– Moja mała, jesteś taka śliczna, że zwyczajnie nie mogłem się opanować. Ale nie martw się tym. Znam lekarza, który zaopiekuje się tobą, gdyby się okazało, że jesteś w ciąży.

Odwróciła twarz, by nie widział jej miny. Obolała i zakrwawiona, powłócząc nogami, przeszła do łazienki.

Wzięła prysznic, rozkoszując się ciepłą wodą.

Już po wszystkim, pomyślała. Zrobiłam, co chciał. Ale jestem właścicielką działki. Będę bogata.

Teraz się ubierze i wróci do Glace Bay, by przystąpić do budowy.

Kiedy wyszła z łazienki, Sean MacAllister powiedział:

– Było tak dobrze, że musimy to powtórzyć.

Rozdział 6

Charles Cohn obejrzał pięć domów wzniesionych przez Nova Scotia Construction Company.

– To pierwszorzędna firma – powiedział Larze. – Nie powinnaś mieć z nią żadnych kłopotów.

Potem Lara, Charles Cohn i Buzz Steele pojechali obejrzeć działkę.

– Jest idealna – oświadczył Buzz Steele. – Ma cztery i pół tysiąca metrów kwadratowych. W sam raz, by wznieść na niej budynek o powierzchni dwudziestu tysięcy metrów kwadratowych – dokładnie taki, jaki chcecie.

– Czy ukończycie roboty do trzydziestego pierwszego grudnia? – spytał Charles Cohn. Za wszelką cenę chciał ochronić Larę przed problemami.

– Nawet wcześniej – odparł Steele. – Mogę obiecać, że skończymy je na Gwiazdkę.

Lara była rozpromieniona.

– Kiedy możecie zacząć?

– Sprowadzę tu swoją ekipę w połowie przyszłego tygodnia.

Obserwowanie, jak rośnie nowy dom, było najbardziej ekscytującym przeżyciem, jakiego Lara kiedykolwiek doświadczyła. Zaglądała na plac budowy codziennie.

– Chcę się wszystkiego nauczyć – tłumaczyła Charlesowi Cohnowi. – To dopiero początek. Zamierzam wznieść setki domów.

Cohn zastanawiał się, czy Lara zdawała sobie sprawę z tego, w co się pakuje.

Pierwszymi ludźmi, którzy pojawili się na placu budowy, byli geodeci. Ustalili prawne granice działki i w jej rogach umieścili tyczki pomalowane odblaskową farbą, żeby były lepiej widoczne. Pomiary geodezyjne ukończono w ciągu dwóch dni i następnego ranka na plac budowy wjechał potężny spychacz gąsienicowy.

Lara już tam była.

– Co macie zamiar teraz robić? – spytała Buzza Steele'a.

– Zniwelujemy teren.

Lara spojrzała na niego.

– Co to znaczy?

– Usuniemy pnie drzew i wyrównamy z grubsza działkę.

Potem na placu budowy pojawiła się koparka. Miała zrobić wykopy pod fundamenty oraz rowy kanalizacyjne.

Na tym etapie prac wszyscy mieszkańcy pensjonatu wiedzieli już o całym przedsięwzięciu. Stało się ono głównym tematem rozmów podczas posiłków. Wszyscy dopingowali Larę.

– Co się dzisiaj działo na placu budowy? – pytali.

Powoli stawała się ekspertem.

– Rano ułożyli w ziemi przewody. Od jutra przystąpią do robienia drewnianych szalunków i zbrojeń, a następnie zaczną wylewać beton. – Uśmiechnęła się szeroko. – Rozumiecie, co do was mówię?

Kiedy betonowe fundamenty zastygły, zaczęły zjeżdżać olbrzymie ciężarówki z drewnem, a ekipy cieśli przystąpiły do wznoszenia drewnianego szkieletu. Hałas był ogłuszający, ale jej wydawał się najpiękniejszą muzyką. Cały plac wypełniały odgłosy rytmicznych uderzeń młotków i wizg elektrycznych pił. Dwa tygodnie później postawiono ściany z regularnie rozmieszczonymi otworami okiennymi i drzwiowymi.

Przypadkowy przechodzień widział jedynie labirynt z drewna i stali, ale dla Lary miało to wszystko inny sens. Była świadkiem, jak jej marzenia przekształcają się w rzeczywistość. Każdego ranka i wieczora szła do miasta i przyglądała się postępowi robót.

To wszystko moje, myślała. To wszystko należy do mnie.

Po wyprawie z MacAllisterem do Halifaksu żyła w ciągłym strachu, że może być w ciąży. Na myśl o tym ogarniały ją mdłości. Kiedy w końcu dostała okres, poczuła olbrzymią ulgę.

Teraz jedynym przedmiotem mojej troski będzie ta inwestycja, myślała.

W dalszym ciągu zbierała pieniądze za czynsz dla Seana MacAllistera, bo przecież musiała gdzieś mieszkać, ale wizyty w jego biurze wymagały od niej mobilizacji wszystkich sił.

– Nieźle się zabawiliśmy w Halifaksie, prawda, moja mała? Może spróbujemy jeszcze raz?

– Jestem zajęta przy budowie – odpowiadała stanowczo.

Tempo prac wzrosło, gdy do akcji wkroczyli jednocześnie dekarze i cieśle; liczba ludzi, materiałów i ciężarówek wzrosła trzykrotnie.

Charles Cohn wyjechał z Glace Bay, ale raz w tygodniu dzwonił do Lary.

– Jak przebiegają prace? – spytał przy okazji ostatniego telefonu.

– Wspaniale! – powiedziała rozentuzjazmowana Lara.

– Czy wszystko postępuje zgodnie z harmonogramem?

– Wyprzedzamy harmonogram.

– To cudownie. Teraz mogę ci już powiedzieć, że nie wierzyłem, iż ci się uda.

– A mimo to dał mi pan szansę. Dziękuję panu, Charles.

– No cóż, „co kto winien, oddać powinien". Pamiętaj, że gdyby nie ty, umarłbym z głodu.

Od czasu do czasu na placu budowy pojawiał się również Sean MacAllister.

– Widzę, że wszystko idzie jak z płatka – zagadywał Larę.

– Tak – przyznawała dziewczyna.

MacAllister sprawiał wrażenie osoby szczerze tym uradowanej.

Pan Cohn pomylił się co do niego. Wcale nie próbuje mnie wykorzystać, pomyślała Lara.

Przez cały listopad roboty szły pełną parą. Wprawiono okna i drzwi, wzniesiono ścianki działowe. Można już było montować instalacje wewnętrzne.

W pierwszy poniedziałek grudnia tempo prac osłabło. Kiedy Lara pojawiła się rano na placu budowy, zastała tam tylko dwóch robotników, którzy się zbytnio nie przepracowywali.

– A gdzie reszta ludzi? – spytała.

– Zostali przesunięci na inną budowę – wyjaśnił jeden z mężczyzn. – Ale jutro tu wrócą.

Następnego dnia na placu budowy nie było żywego ducha.

Lara pojechała autobusem do Halifaksu, by zobaczyć się z Buzzem Steele'em.

– Co się dzieje? – spytała go. – Roboty zupełnie ustały.

– Nie ma powodu do zmartwień – zapewnił ją Steele. – Mamy drobne kłopoty z inną budową i musiałem chwilowo przerzucić tam moją ekipę.

– Kiedy wrócą do pracy u mnie?

– W następnym tygodniu. Zdążymy na czas.

– Buzz, wiesz, jakie to ma dla mnie znaczenie.

– Oczywiście, Laro.

– Jeśli budynek nie zostanie ukończony na czas, stracę go. Stracę wszystko.

– Nie martw się, mała. Nie dopuszczę do tego.

Rozstając się z Buzzem, czuła jednak lekki niepokój.

W następnym tygodniu robotnicy nie pojawili się na budowie. Lara znów pojechała do Halifaksu, by spotkać się ze Steele'em.

– Przykro mi – powiedziała sekretarka – ale pana Steele'a nie ma.

– Muszę się z nim koniecznie zobaczyć. Kiedy będzie w biurze?

– Wyjechał służbowo z miasta. Nie wiem, kiedy wróci.

Zaczęła ją ogarniać panika.

– To bardzo ważna sprawa – nie ustępowała. – Jego ekipa buduje dla mnie obiekt, który musi zostać ukończony w ciągu najbliższych trzech tygodni.

– Na pani miejscu nie denerwowałabym się, Miss Cameron. Jeśli pan Steele powiedział, że dotrzyma terminu, to na pewno skończy budowę na czas.

– Ale przecież tam się nic nie dzieje – krzyknęła. – Nikt nie pracuje.

– Może chce pani porozmawiać z Ericksenem, zastępcą pana Steele'a?

– Tak.

Ericksen był wielkim mężczyzną o potężnych barach, a przy tym niezwykle sympatycznym. Wzbudzał zaufanie.

– Znam powód pani wizyty – powiedział. – Buzz prosił, bym zapewnił panią, że nie ma powodu do obaw. Wstrzymaliśmy prace przy pani obiekcie ze względu na pewne problemy, które wyłoniły się na innych prowadzonych przez nas budowach. Do ukończenia pani inwestycji pozostały jeszcze trzy tygodnie.

– Ale jest jeszcze tyle do zrobienia…

– Proszę się nie denerwować. Nasza ekipa pojawi się u pani w poniedziałek z samego rana.

– Dziękuję – powiedziała uspokojona Lara. – Przepraszam, że zajęłam panu czas, ale trochę się niepokoję. Ten budynek bardzo wiele dla mnie znaczy.

– Rozumiem. – Ericksen uśmiechnął się szeroko. – Proszę wrócić do domu i się odprężyć. Pani inwestycja jest w dobrych rękach.

W poniedziałek rano na placu budowy nie pojawił się ani jeden robotnik. Lara zupełnie straciła głowę. Zadzwoniła do Charlesa Cohna.

– Ludzie Steele'a przestali u mnie pracować – powiedziała mu – i zupełnie nie mogę ustalić dlaczego. Steele składa mi obietnice, których potem nie dotrzymuje.

– Jak się nazywa ta firma? Nova Scotia Construction?

– Zgadza się.

– Czekaj na mój telefon.

Charles Cohn zadzwonił dwie godziny później.

– Kto ci polecił tę firmę budowlaną?

– Sean MacAllister powiedziała po chwili zastanowienia.

– No, to teraz wszystko jasne. Laro, to on jest jej właścicielem.

Larze zrobiło się słabo.

– I odwołał ludzi, by nie dopuścić do terminowego ukończenia prac...?

– Niestety, wszystko na to wskazuje.

– O mój Boże.

– To *nahash tzefa* – jadowity wąż.

Był zbyt dobrze wychowany, by przypomnieć, że ją ostrzegał. Powiedział jedynie:

– Może... może coś się jeszcze zmieni.

Podziwiał charakter i ambicję młodej dziewczyny, natomiast gardził Seanem MacAllisterem. Ale był bezradny. Nic nie mógł zrobić.

Przez całą noc nie zmrużyła oka, myśląc o tym, jakie popełniła szaleństwo. Dom, który zbudowała, przejdzie na własność Seana MacAllistera, a jej zostanie olbrzymi dług, który będzie spłacała do końca swego życia. Gdy pomyślała, w jaki sposób MacAllister może wyegzekwować od niej należności, wstrząsnął nią dreszcz.

Rano udała się do Seana MacAllistera.

– Dzień dobry, moja mała. Wyglądasz dziś prześlicznie.

Lara z miejsca przystąpiła do rzeczy.

– Konieczne jest przesunięcie terminu ukończenia prac. Budynek nie będzie gotowy przed trzydziestym pierwszym.

MacAllister zmarszczył brwi.

– Naprawdę? To bardzo niedobra wiadomość, Laro.

– Potrzebny mi jeszcze jeden miesiąc.

MacAllister westchnął.

– Obawiam się, że to niemożliwe. Wykluczone. Podpisałaś kontrakt.

– Ale...

– Przykro mi, Laro. Trzydziestego pierwszego prawo własności przechodzi na bank.

Kiedy mieszkańcy pensjonatu usłyszeli, co się stało, nie ukrywali swej wściekłości.

– A to sukinsyn! – zawołał jeden z nich. – Przecież nie może ci tego zrobić.

– Już to zrobił – odparła zrozpaczona Lara. – Wszystko skończone.

– Czy pozwolimy mu na to?

– O nie. Ile czasu ci zostało – trzy tygodnie?

Lara pokręciła głową.

– Mniej. Dwa i pół.

Mężczyzna odwrócił się do zebranych.

– Chodźmy rzucić okiem na ten budynek.

– Na co się to zda?

– Zobaczymy.

Niebawem pojawili się na placu budowy, uważnie oceniając zaawansowanie prac.

– Nie założyli instalacji wodociągowej – zauważył jeden z mężczyzn.

– Ani elektrycznej.

Stali, dygocąc od podmuchów mroźnego grudniowego wiatru, i dyskutowali nad tym, co jeszcze pozostało do zrobienia.

– Niezły cwaniak z tego twojego bankiera – zwrócił się do Lary jeden z nich. – Pozwolił na prawie całkowite ukończenie prac, by później, kiedy wygaśnie twój kontrakt, nie mieć już za dużo roboty. – Odwrócił się do swoich towarzyszy. – Uważam, że dom można wykończyć w ciągu dwóch i pół tygodnia.

Przytaknęli mu jednogłośnie.

– Niczego nie rozumiecie. Nikt się nie pojawi, by go dokończyć.

– Słuchaj, dziewczyno, u ciebie w pensjonacie mieszkają i hydraulicy, i stolarze, i elektrycy. Mamy w mieście mnóstwo kumpli, którzy potrafią zrobić resztę.

– Nie mam pieniędzy, by wam zapłacić – powiedziała Lara. – A pan MacAllister nie da mi

– Potraktuj to jako nasz prezent gwiazdkowy dla ciebie.

Wprost trudno było uwierzyć w to, co nastąpiło potem. Po całym Glace Bay lotem błyskawicy rozeszła się wieść o tym, co spotkało Larę. Robotnicy z innych placów budów przychodzili, by rzucić okiem na jej niedokończony dom. Połowa z nich pojawiła się, bo lubiła Larę, a reszta – ponieważ mieli na pieńku z Seanem MacAllisterem i nienawidzili go.

– Załatwimy tego bydlaka – oświadczyli.

Wpadali po pracy, by pomóc przy wykończeniu budynku, i zostawali do północy, przychodzili w soboty i niedziele. Cały plac znów zaczął rozbrzmiewać odgłosami młotów i pił. Wypełniały powietrze radosnym zgiełkiem. Zakończenie prac przed pierwotnie wyznaczonym terminem potraktowali jako swego rodzaju wyzwanie. Wkrótce na placu zaroiło się od cieśli, elektryków i hydraulików, a wszyscy palili się wprost do roboty. Kiedy Sean MacAllister dowiedział się, co się dzieje, pośpieszył na plac budowy.

Stanął oszołomiony.

– Co to ma znaczyć? – spytał. – Przecież to nie są moi robotnicy.

– Ale moi – odrzekła wyzywająco Lara. – W kontrakcie nie jest powiedziane, że nie mogę korzystać z własnej ekipy.

– Przecież… – bąknął niewyraźnie MacAllister. – Niech no się tylko okaże, że coś jest wykonane niezgodnie z projektem…

– Nie ma obawy – zapewniła go.

Dzień przed Nowym Rokiem budynek został ukończony. Odcinał się wyraźnie na tle nieba, masywny i solidny. Lara nigdy jeszcze nie widziała czegoś równie pięknego. Przyglądała się domowi oszołomiona.

– Jest twój – odezwał się jeden z robotników z dumą w głosie. – Czy jakoś to uczcimy?

Tej nocy chyba całe Glace Bay świętowało fakt ukończenia pierwszej inwestycji Lary Cameron.

A to był dopiero początek.

Nic nie mogło powstrzymać Lary przed dalszym działaniem. Miała głowę pełną pomysłów.

– Twoi nowi pracownicy w Glace Bay będą musieli gdzieś mieszkać – przypomniała Charlesowi Cohnowi. – Chcę wybudować dla nich domy. Czy jesteś tym zainteresowany?

– Nawet bardzo – przyznał.

Lara pojechała na spotkanie z bankierem z Sydney i wzięła kredyt w takiej wysokości, że mogła sfinansować nowy projekt.

Po ukończeniu budowy osiedla powiedziała Charlesowi Cohnowi:

– Charles, wiesz, czego potrzeba temu miastu? Pensjonatów dla turystów, którzy przyjeżdżają tu latem na ryby. Znam jedno wspaniałe miejsce w pobliżu zatoki, gdzie mogę wznieść...

Charles Cohn stał się jej nieoficjalnym doradcą finansowym. W ciągu następnych trzech lat Lara wybudowała biurowiec, kilka domków letniskowych i centrum handlowe. Banki z Sydney i Halifaksu ochoczo udzielały jej kredytów.

Dwa lata później Lara sprzedała swoje nieruchomości i otrzymała czek potwierdzony na trzy miliony dolarów. Miała dwadzieścia jeden lat.

Następnego dnia pożegnała Glace Bay i wyruszyła do Chicago.

Rozdział 7

Chicago okazało się niezwykłym miejscem. Największym miastem, jakie Lara dotychczas widziała, był Halifax, ale w porównaniu z metropolią ze środkowego Wschodu przypominał wioskę. Chicago było hałaśliwym, kipiącym życiem miastem, w którym wszyscy wydawali się gdzieś śpieszyć w bardzo ważnych sprawach.

Lara zamieszkała w hotelu Stevens. Wystarczyło jej jedno spojrzenie na elegancko ubraną kobietę przechodzącą przez hol, by uzmysłowić sobie, jak nieodpowiednio wygląda jej własna garderoba.

To było dobre w Glace Bay, ale nie w Chicago, pomyślała.

Następnego ranka przystąpiła do akcji. W magazynach mody Kane'a i Ultimo kupiła suknie, u Josepha zaopatrzyła się w buty, na Saks Fifth Avenue i w Marshall Field's nabyła bieliznę, u Hoeffera zaś dobrała odpowiednią biżuterię, wreszcie u Ware'a sprawiła sobie futro z norek. Za każdym razem, gdy coś kupowała, słyszała swego ojca:

„Myślisz, że znajduję pieniądze na ulicy? Idź i załatw sobie coś w ośrodku Armii Zbawienia".

Kiedy Larze minął szał zakupów, garderoba w jej apartamencie hotelowym wypełniona była szykownymi kreacjami.

Przestudiowała w książce telefonicznej dział „Pośrednicy w handlu nieruchomościami". Wybrała firmę, która umieściła największe ogłoszenie – Parker i S-ka. Wykręciła numer i poprosiła o rozmowę z panem Parkerem.

– Czy można wiedzieć, kto dzwoni?

– Lara Cameron.

Po chwili w słuchawce rozległ się męski głos:

– Tu Bruce Parker. Czym mogę pani służyć?

– Szukam odpowiedniego miejsca na nowy, elegancki hotel – powiedziała.

Głos po drugiej stronie słuchawki stał się cieplejszy.

– No cóż, trafiła pani do ekspertów, pani Cameron.

– Panno Cameron.

– Przepraszam. Czy interesuje panią jakaś konkretna dzielnica?

– Nie. Mówiąc szczerze, nie znam Chicago.

– Nic nie szkodzi. Możemy pani przedstawić kilka interesujących propozycji. Chciałbym się zorientować, jakiego typu mają to być oferty, czy mogę zatem wiedzieć, jaką kwotą pani dysponuje?

– Trzema milionami dolarów – z dumą oświadczyła Lara.

Nastąpiła długa chwila ciszy.

– Trzema milionami dolarów?

– Tak.

– I zamierza pani wybudować nowy hotel?

– Tak.

Znów chwila ciszy.

– Czy interesuje panią wybudowanie lub nabycie czegoś na obrzeżach centrum, panno Cameron?

– Ależ skąd – odparła. – Myślę o czymś zupełnie innym. Chcę wybudować wytworny hotel w eleganckiej dzielnicy, który...

– Dysponując trzema milionami dolarów? – Parker stłumił śmiech. – Obawiam się, że nie będziemy mogli pani pomóc.

– Dziękuję – powiedziała Lara i odłożyła słuchawkę. Najwidoczniej zadzwoniła do niewłaściwej agencji.

Znów zajrzała do książki telefonicznej i wykonała parę kolejnych telefonów. Po kilku godzinach musiała spojrzeć prawdzie w oczy. Nikt nie był zainteresowany znalezieniem pierwszorzędnego punktu pod budowę wytwornego hotelu osobie dysponującej trzema milionami dolarów. Przedstawiano jej różne propozycje, ale wszystkie ograniczały się właściwie do jednego: tani hotelik na obrzeżach miasta.

Nigdy, pomyślała. Prędzej wrócę do Glace Bay.

Od miesięcy przymierzała się do budowy hotelu i w jej wyobraźni istniał on już naprawdę – piękny, pełen życia, trójwymiarowy. Chciała stworzyć hotel, który stanie się dla swoich gości prawdziwym domem. Przeważałyby w nim apartamenty, każdy składający się z saloniku, biblioteki i dwóch sypialni. We wszystkich pomieszczeniach miały być kominki, wygodne kanapy, fotele i fortepian. Przez całą długość każdego apartamentu biegłby taras. W łazience powinna być wanna z biczami wodnymi, a w salonie nie może zabraknąć minibarku. Dokładnie wiedziała, czego chce. Tylko jak to zrealizować?

Lara udała się do punktu usług poligraficznych przy Lake Street.

– Proszę o wykonanie stu wizytówek.

– Proszę bardzo. Jaki tekst życzy sobie pani na nich umieścić?

– „Panna Lara Cameron", a na dole: „Przedsiębiorca budowlany".

– Będą gotowe za dwa dni.

– Chciałabym je mieć jeszcze dziś.

Następnym etapem było zapoznanie się z miastem.

Lara przeszła całe Michigan Avenue, State Street i La Salle, przespacerowała się po Lake Shore Drive i Parku Lincolna, nie omijając ogrodu zoologicznego, pola golfowego i jeziorka. Odwiedziła Merchandise Mart i Kroch-Brentano, kupiła książki o Chicago. Poczytała o sławnych ludziach, którzy się tu osiedlili: Carlu Sandburgu, Franku Lloydzie Wrighcie, Louisie Sullivanie, Saulu Bellowie. Zapoznała się z dziejami pionierskich, chicagowskich rodzin: Johna Bairda i Gaylorda Donnelleya, Marshala Fielda i Pottera Palmera, a także rodu Walgreenów. Pojechała też obejrzeć ich domy na Lake Shore Drive oraz olbrzymie posiadłości w podmiejskim Lake Forest. Udała się do South Side i na widok tamtejszych mieszkańców: Szwedów, Polaków, Irlandczyków, Litwinów poczuła się jak w domu. Przypomniało jej się Glace Bay.

Znów zaczęła przemierzać ulice, zwracając uwagę na budynki z tablicami: „Na sprzedaż" i odwiedzając wymienionych na nich agentów.

– Jaka jest cena tego budynku?
– Osiemdziesiąt milionów dolarów...
– Sześćdziesiąt milionów dolarów...
– Sto milionów dolarów...

Jej trzy miliony stawały się coraz mniej znaczące. Lara siedziała w swoim pokoju hotelowym, rozważając możliwe warianty działania. Może albo wybudować hotelik w podrzędnej dzielnicy miasta albo wrócić do domu. Żadna z tych ewentualności jej nie pociągała.

Za bardzo się zaangażowałam, by się teraz poddać, pomyślała.

Następnego ranka udała się do banku przy La Salle i podeszła do siedzącego za kontuarem urzędnika.

– Chciałabym rozmawiać z wiceprezesem. Wręczyła urzędnikowi swoją wizytówkę.

Pięć minut później siedziała już w gabinecie Toma Petersona. Był to mężczyzna w średnim wieku. Miał nerwowy tik.

Obejrzał jej wizytówkę i spytał:

– Czym mogę pani służyć, panno Cameron?
– Planuję budowę hotelu w Chicago. Potrzebny mi kredyt.

Uśmiechnął się jowialnie.

– Od tego właśnie jesteśmy. Jakiego rodzaju hotel zamierza pani wybudować?
– Wytworny hotel w eleganckiej dzielnicy.
– Brzmi interesująco.
– Muszę panu powiedzieć – uprzedziła Lara – że dysponuję tylko trzema milionami dolarów i...
– Nie szkodzi. – Uśmiechnął się znowu.

Poczuła dreszcz podniecenia.

– Naprawdę?
– Trzy miliony dolarów to bardzo dużo pieniędzy, jeśli się wie, co z nimi zrobić. – Spojrzał na zegarek. – Jestem

teraz umówiony na spotkanie, może więc poszlibyśmy razem na kolację i bliżej porozmawiali o tym projekcie?

– Oczywiście – zgodziła się. – Z największą przyjemnością.

– Gdzie się pani zatrzymała?

– W Palmer House.

– Przyjadę po panią o ósmej, dobrze?

Lara wstała.

– Bardzo panu dziękuję. Trudno mi wprost wyrazić, jak bardzo mnie pan podniósł na duchu. Mówiąc szczerze, zaczynałam już tracić nadzieję.

– Zupełnie niepotrzebnie – powiedział. – Znalazła się pani w odpowiednich rękach.

O ósmej Tom Peterson przyjechał po Larę do hotelu i zabrał ją na kolację do Henriciego. Kiedy już zajęli miejsca, oświadczył:

– Wiesz, cieszę się, że zwróciłaś się właśnie do mnie. Możemy dla siebie dużo nawzajem zrobić.

– My?

– Tak. W tym mieście kręci się wiele kociaków, ale żaden nie ma takiego ślicznego tyłeczka, jak ty. Możesz otworzyć luksusowy burdel i świadczyć usługi bogatym...

Lara skamieniała.

– Słucham?

– Jeśli zebrałabyś kilka dziewcząt, moglibyśmy...

Wybiegła z restauracji.

Nazajutrz odwiedziła trzy kolejne banki. Kiedy przedstawiła swój projekt dyrektorowi pierwszego z nich, oświadczył:

– Dam pani najlepszą radę, jaką pani kiedykolwiek otrzymała: proszę o tym zapomnieć. Inwestycje budowlane to zabawa dla mężczyzn. Nie ma tam miejsca dla kobiet.

– A dlaczegóż to? – spytała Lara bezbarwnym głosem.

– Bo musiałaby pani stawić czoło bandzie pozbawionych skrupułów łobuzów. Zjedzą panią żywcem.

- Jakoś w Glace Bay mnie nie zjedli - odparła.
Pochylił się.
- Zdradzę pani pewien sekret. Chicago to nie Glace Bay.

- Z największą przyjemnością będziemy służyli pani pomocą - powiedział jej dyrektor kolejnego banku. - Oczywiście to, co sobie pani wymyśliła, absolutnie nie wchodzi w grę. Mam następującą propozycję: proszę nam powierzyć swoje pieniądze, a my zainwestujemy je...
Zanim zdołał skończyć zdanie, opuściła pokój.

W trzecim banku zaprowadzono Larę do gabinetu Boba Vance'a, siwowłosego, sprawiającego sympatyczne wrażenie pana, który wyglądał dokładnie tak, jak powinien się prezentować prezes banku. Oprócz niego w gabinecie był trzydziestokilkuletni mężczyzna, blady, szczupły, o płowych włosach. Miał na sobie wymięty garnitur i zupełnie nie pasował do tego miejsca.

- Panna Cameron, oto Howard Keller, jeden z naszych wiceprezesów.

- Miło mi pana poznać.

- Czym możemy pani służyć? - spytał Bob Vance.

- Chciałabym wybudować w Chicago hotel - powiedziała Lara - i szukam źródła finansowania.

Bob Vance uśmiechnął się miło.

- Trafiła pani pod właściwy adres. Czy upatrzyła sobie już pani lokalizację?

- Wiem z grubsza, gdzie chciałabym go wznieść. W pobliżu Loop, niezbyt daleko od Michigan Avenue...

- Wyśmienicie.

Opowiedziała mu o swym pomyśle eleganckiego hotelu.

- To bardzo interesujący plan - oświadczył Vance. - A jakimi środkami pani dysponuje?

- Mam trzy miliony dolarów. Resztę chcę pożyczyć.

Zapadła cisza.

- Obawiam się, że nie będziemy mogli pani pomóc. Problem polega na tym, że ma pani wielkie pomysły, ale bardzo niewiele pieniędzy. Ale gdyby zainteresowana była pani zainwestowaniem ich w...

– Dziękuję, ale nie – przerwała mu. – Cóż, dziękuję za poświęcony mi czas i żegnam panów. – Odwróciła się i wściekła opuściła biuro. W Glace Bay trzy miliony dolarów to była fortuna. Tutaj ludzie uważali, że to nic.

Kiedy była już na ulicy, usłyszała za sobą czyjś głos:

– Panno Cameron!

Odwróciła się i ujrzała Howarda Kellera.

– Tak?

– Chciałbym z panią porozmawiać – powiedział. – Może wstąpimy gdzieś na kawę?

Lara zesztywniała.

Czy w Chicago mieszkają sami maniacy seksualni? – pomyślała.

– Zaraz za rogiem jest przyjemna kawiarenka.

Wzruszyła ramionami.

– Dobrze.

Kiedy złożyli zamówienie, Howard Keller oświadczył:

– Jeśli pani pozwoli, chciałbym pani udzielić kilku rad.

Lara przyjrzała mu się uważnie.

– Proszę bardzo.

– Po pierwsze, źle się pani do tego wszystkiego zabiera.

– Uważa pan, że mój pomysł jest niedobry? – spytała go chłodno.

– Wprost przeciwnie. Myślę, że idea budowy ekskluzywnego hotelu jest wyśmienita.

Zdumiała się.

– W takim razie dlaczego...?

– W Chicago przydałby się tego typu hotel, ale według mnie nie powinna go pani budować.

– Jak to?

– Proponowałbym zamiast tego wyszukać stary hotel w dobrym punkcie i go przebudować. W mieście jest mnóstwo zrujnowanych hoteli, które można całkiem tanio kupić. Pani trzy miliony dolarów wystarczą na pierwszą ratę. Resztę – na remont i stworzenie wymarzonego hotelu – mogłaby pani pożyczyć z banku.

Lara siedziała, rozważając jego słowa. Miał rację. Takie podejście było znacznie lepsze.

– Następna sprawa. Żaden bank nie będzie zainteresowany sfinansowaniem podobnej inwestycji, jeśli nie pojawi się pani z godnym zaufania architektem i wykonawcą. Chcą mieć pełny obraz.

Pomyślała o Buzzie Steele'u.

– Rozumiem. Czy zna pan dobrego architekta i wykonawcę?

Howard Keller uśmiechnął się uprzejmie.

– Nawet kilku.

– Dziękuję za pańskie rady – powiedziała Lara. – Jeśli znajdę odpowiedni obiekt, czy mogę przyjść do pana, by jeszcze raz porozmawiać o swoim projekcie?

– Kiedy tylko pani zechce. Życzę powodzenia.

Czekała na coś w rodzaju „Może dalsze szczegóły omówimy u mnie?" Ale Howard Keller zapytał jedynie:

– Czy ma pani ochotę na jeszcze jedną kawę, panno Cameron?

Lara znów zaczęła przemierzać ulice, ale tym razem szukała czegoś zupełnie innego. Parę przecznic od Michigan Avenue, na Delaware, znalazła przedwojenny, zrujnowany hotel. Napis głosił: „Cong Essi Nal Hotel". Już chciała pójść dalej, lecz nagle zatrzymała się i przyjrzała uważniej siedmiopiętrowemu gmachowi o fasadzie z cegieł, tak brudnej, że trudno było powiedzieć, jaki miała pierwotnie kolor. Lara weszła do środka. Wewnątrz prezentował się jeszcze gorzej. Portier w dżinsach i rozciągniętym swetrze wypychał za drzwi jakiegoś pijaka. Samo pomieszczenie bardziej przypominało kasę biletową niż recepcję z prawdziwego zdarzenia. W głębi holu znajdowały się schody prowadzące do sal konferencyjnych, które teraz przerobiono na biura wynajmowane różnym firmom. Antresolę zajmowała agencja turystyczna, punkt przedsprzedaży biletów teatralnych i biuro pośrednictwa pracy.

Recepcjonista wrócił za kontuar.

– Chce pani wynająć pokój?

– Nie. Interesuje mnie, kto... – Przeszkodziła jej mocno umalowana dziewczyna w obcisłej spódnicy.

– Mike, daj mi klucz. – Obok niej stał starszy mężczyzna.

Recepcjonista wręczył jej klucz.

Obserwowała, jak kierują się do windy.

– Czym mogę pani służyć? – spytał recepcjonista.

– Interesuję się tym hotelem – powiedziała Lara. – Czy jest na sprzedaż?

– Myślę, że wszystko jest na sprzedaż. Czy pani ojciec działa w nieruchomościach?

– Nie – odparła. – Sama się tym zajmuję.

Spojrzał na nią, nie kryjąc zdumienia.

– Aha. No więc powinna pani porozmawiać z jednym z braci Diamond. Są właścicielami sieci tych bud.

– Gdzie ich mogę spotkać? – spytała.

Recepcjonista podał jej adres biura przy State Street.

– Czy mogę się tu trochę rozejrzeć?

Wzruszył ramionami.

– Proszę bardzo. – Roześmiał się. – Kto wie, może kiedyś zostanie pani moją szefową.

Za nic w świecie, pomyślała.

Obeszła cały hol, uważnie mu się przyglądając. Po obu stronach wejścia były stare marmurowe kolumny. Kierowana jakimś przeczuciem, uniosła róg brudnego, mocno wytartego dywanu. Pod nim ujrzała zmatowiałą, marmurową posadzkę. Poszła na antresolę. Brunatna tapeta odłaziła płatami od ścian. Naderwała kawałek. Pod nią był ten sam marmur. Lara poczuła narastające podniecenie. Poręcz schodów pomalowano na czarno. Odwróciła się, by sprawdzić, czy recepcjonista jej nie obserwuje, po czym wyciągnęła swój klucz z hotelu Stevens i zeskrobała trochę farby. Ujrzała to, czego się spodziewała: masywną poręcz z mosiądzu. Podeszła do wind, pomalowanych tą samą czarną farbą, zeskrobała jej nieco i znów ujrzała mosiądz.

Lara wróciła do recepcjonisty, starając się ukryć swoje podekscytowanie.

– Czy mogłabym obejrzeć jeden z pokoi?

Wzruszył ramionami.

– Nie moja sprawa. – Wręczył jej klucz. – Czterysta dziesięć.

– Dziękuję.

Wsiadła do powolnej, przestarzałej windy.

Przebuduję hotel, pomyślała. A w holu każę namalować fresk.

W myślach zaczęła już urządzać hotel po swojemu.

Pokój numer 410 prezentował się rozpaczliwie, ale od razu dostrzegła jego ukryte walory. Był zdumiewająco obszerny, choć z przestarzałym wyposażeniem i umeblowany bez gustu. Larze zaczęło szybciej bić serce.

Jest idealny, pomyślała.

Zeszła po schodach. Były stare i pachniały stęchlizną. Wytarte dywany przykrywały taki sam marmur co w holu.

Lara zwróciła klucz w recepcji.

– Czy zobaczyła pani to, co pani chciała?

– Tak – powiedziała. – Dziękuję panu.

Uśmiechnął się do niej.

– Naprawdę zamierza pani kupić tę ruderę?

– Tak – oświadczyła. – Naprawdę zamierzam kupić tę ruderę.

– Fajnie – odpowiedział.

Drzwi od windy otworzyły się i pojawiła się w nich młoda dziwka razem ze swym podstarzałym klientem. Wręczyła recepcjoniście klucz i pieniądze.

– Dziękuję, Mike.

– Życzę miłego dnia – krzyknął za nią Mike i zwrócił się do Lary. – Czy jeszcze tu pani wróci?

– O, tak – zapewniła go. – Wrócę niezawodnie.

Prosto z hotelu udała się do miejskiej hipoteki. Poprosiła o dokumenty nieruchomości, która ją interesowała. Po uiszczeniu dziesięciu dolarów opłaty wręczono jej akta hotelu Congressional. Pięć lat temu został sprzedany braciom Diamond za sześć milionów dolarów.

Biuro braci Diamond mieściło się w starym domu na rogu State Street. Larę powitała skośnooka recepcjonistka w obcisłej czerwonej spódnicy.

– Czym mogę pani służyć?

– Chciałabym się zobaczyć z panem Diamondem.

– A z którym?

– Obojętne.

– W takim razie skieruję panią do Johna.

Podniosła słuchawkę i powiedziała:

– John, jakaś pani chce się z tobą widzieć. – Słuchała przez moment, a potem spojrzała na Larę. – W jakiej sprawie?

– Chcę kupić jeden z jego hoteli.

– Mówi, że chce kupić jeden z twoich hoteli – dodała. – Dobrze. – Odłożyła słuchawkę. – Może pani wejść.

John Diamond był olbrzymim mężczyzną w średnim wieku. Miał bujną czuprynę i ogorzałą twarz człowieka, który kiedyś dużo grał w piłkę nożną. Ubrany był w koszulę z krótkim rękawem i palił wielkie cygaro. Kiedy Lara weszła do gabinetu, uniósł głowę.

– Sekretarka powiedziała mi, że chce pani kupić jeden z moich hoteli. – Przyglądał się jej przez moment. – Nie wygląda pani nawet na osobę, która jest już uprawniona do głosowania.

– Och, mam dosyć lat, by głosować – zapewniła go. – Mam również dosyć lat, by móc kupić jeden z pana hoteli.

– Tak? A który?

– Cong essi nal Hotel.

– Który?

– Tak głosił napis. Domyśliłam się, że to Congressional.

- A, tak.
- Czy jest na sprzedaż?

Pokręcił głową.

- Jezu, nie wiem. Przynosi nam niezły dochód. Nie jestem pewien, czy powinniśmy się go pozbyć.
- Musicie się go pozbyć – powiedziała.
- Co?
- Jest w fatalnym stanie. Najzwyczajniej się sypie.
- Tak? W takim razie dlaczego, u diabła, chce go pani kupić?
- Planuję jego remont. Oczywiście nie chcę mieć tam dotychczasowych lokatorów.
- To żaden problem. Wynajmujemy lokale na okresy tygodniowe.
- Ile pokoi ma ten hotel?
- Sto dwadzieścia pięć. Powierzchnia całkowita budynku wynosi dziesięć tysięcy metrów kwadratowych.

Zbyt dużo pokoi, pomyślała Lara. Ale jeśli połączę je, tworząc apartamenty, ostatecznie zostanie ich sześćdziesiąt–siedemdziesiąt pięć. Powinno się udać.

Nadszedł czas, by poruszyć kwestię ceny.

- Gdybym się zdecydowała na kupno, ile byście za niego chcieli?
- Gdybym się zdecydował na sprzedaż – powiedział Diamond – zażądałbym dziesięciu milionów dolarów: sześciu milionów gotówką z góry...

Potkręciła głową.

- Mogę dać...
- ...kropka. Żadnych dyskusji.

Lara siedziała, kalkulując w myślach koszt remontu. Wyniesie około ośmiuset dolarów za metr kwadratowy, czyli ogółem osiem milionów, do tego meble, instalacje i wyposażenie.

Liczyła gorączkowo. Była pewna, że na remont uzyskałaby kredyt bankowy. Problem polegał na tym, że potrzebowała sześć milionów gotówką, a miała tylko trzy. Diamond żądał za dużo, ale bardzo jej zależało na tym hotelu. Zależało jej bardziej niż na czymkolwiek do tej pory.

    – Proponuję panu interes – zaczęła.

    – Słucham – powiedział wyraźnie zainteresowany.

    – Zgadzam się na zaproponowaną cenę...

    – Zaczyna się dobrze.

    – I wpłacę trzy miliony dolarów gotówką.

    Pokręcił głową.

    – Wykluczone. Muszę dostać na rękę sześć milionów.

    – Dostanie je pan.

    – Tak? A skąd weźmie pani pozostałe trzy miliony?

    – Od pana.

    – Co takiego?

    – Da mi pan trzy miliony na drugi numer hipoteki...

    – Chce pani pożyczyć pieniądze ode mnie, żeby kupić mój hotel?

    Takie samo pytanie zadał jej kiedyś Sean MacAllister w Glace Bay.

    – Proszę na to spojrzeć od innej strony – rzekła. – W rzeczywistości pożyczy pan pieniądze sam od siebie. Pozostanie pan właścicielem budynku, póki go nie spłacę. W żaden sposób nie może pan na tym stracić.

    Zastanowił się chwilę, po czym uśmiechnął się szeroko.

    – Proszę pani, właśnie została pani właścicielką hotelu.

    Gabinet Howarda Kellera był małą klitką. Na drzwiach widniała tabliczka z jego nazwiskiem. Kiedy Lara weszła do środka, Keller sprawiał wrażenie bardziej wymiętego niż zwykle.

    – Tak szybko pani wróciła?

    – Powiedział pan, żebym przyszła, kiedy znajdę hotel. Znalazłam, więc jestem.

    Keller odchylił się na oparcie krzesła.

    – Proszę mi o nim opowiedzieć.

- Znalazłam stary hotel. Nazywa się Congressional. Znajduje się przy Delaware, parę przecznic od Michigan Avenue. Jest w opłakanym stanie. Chcę go kupić i zrobić z niego najlepszy hotel w Chicago.

- Proszę mi opowiedzieć o całej transakcji.

Zrelacjonowała mu wszystko.

Keller zamyślił się głęboko.

- Przedstawmy to Bobowi Vance'owi.

Bob Vance wysłuchał ich, robiąc sobie notatki.

- To może się powieść - odezwał się - ale... - spojrzał na Larę. - Miss Cameron, czy prowadziła pani kiedyś hotel?

Pomyślała o tych wszystkich latach spędzonych w pensjonacie w Glace Bay na słaniu łóżek, szorowaniu podłóg, praniu i zmywaniu, próbach pogodzenia i zadowolenia ludzi o odmiennych charakterach.

- Prowadziłam pensjonat dla górników i drwali. Hotel w porównaniu z tym to pestka.

- Chciałbym rzucić okiem na tę nieruchomość, Bob - odezwał się Howard Keller.

Entuzjazm Lary był zaraźliwy. Howard Keller obserwował ją podczas oglądania zrujnowanych pokoi i widział je oczami swej potencjalnej klientki.

- To będzie piękny apartament z sauną - mówiła podnieconym głosem. - Tutaj stanie kominek, a w tamtym rogu - fortepian. - Zaczęła przemierzać pokój wzdłuż i wszerz. - Kiedy do Chicago przyjeżdżają bogaci goście, zatrzymują się w najlepszych hotelach, ale wszystkie one oferują to samo - nieprzytulne, pozbawione charakteru pokoje. Kiedy zaproponujemy im coś takiego jak tutaj, nawet jeśli będą musieli zapłacić trochę więcej, nie mam wątpliwości, co wybiorą. To będzie prawdziwy dom z dala od domu.

- Jestem pod wrażeniem - powiedział Howard Keller.

Lara odwróciła się gwałtownie w jego stronę.

- Sądzi pan, że bank udzieli mi pożyczki?

- Przekonajmy się.

Pół godziny później Howard Keller odbył naradę z Vance'em.

– No i co o tym myślisz? – spytał go Vance.

– Uważam, że ona ma nosa. Podoba mi się jej pomysł na tego typu hotel.

– Mnie również. Jedynym problemem jest jej młody wiek i brak doświadczenia. To dość ryzykowne. – Następne pół godziny spędzili, omawiając koszty i ewentualne zyski, jakie mogłoby im przynieść przedsięwzięcie.

– Sądzę, że powinniśmy się zgodzić – podsumował dyskusję Keller. – Nie możemy na tym stracić. – Uśmiechnął się. – W najgorszym wypadku będziemy się mogli przeprowadzić do hotelu.

Howard Keller zadzwonił do Lary do Palmer House.

– Bank właśnie zaaprobował pani wniosek o kredyt.

Aż krzyknęła z przejęcia.

– Naprawdę? To cudownie! Och, dziękuję, bardzo dziękuję!

– Musimy jeszcze omówić kilka kwestii – ciągnął Keller. – Czy ma pani czas dziś wieczorem?

– Tak.

– Świetnie. Przyjadę po panią o wpół do ósmej i pójdziemy na obiad.

Pojechali na obiad do Imperial House. Lara była tak podekscytowana, że prawie nie tknęła jedzenia.

– Nie potrafię wprost panu opisać, jaka jestem przejęta – powiedziała. – To będzie najpiękniejszy hotel w całym Chicago.

– Spokojnie – ostrzegł ją Keller. – Przed panią jeszcze długa droga. – Zawahał się. – Czy mogę być z panią szczery, panno Cameron?

– Proszę mi mówić Lara.

– Laro, jesteś czarnym koniem. Nikt niczego tu o tobie nie wie.

– W Glace Bay...

– Ale to nie Glace Bay. Chicago to, że się tak wyrażę, zupełnie inna para kaloszy.

– W takim razie dlaczego bank się zgodził udzielić mi kredytu? – spytała Lara.

– Nie zrozum mnie źle. Nie jesteśmy organizacją dobroczynną. Najgorsze, co może nas spotkać, to to, że wyjdziemy na zero. Ale mam dziwne przeczucie. Wierzę w twoje powodzenie. Uważam, że zapowiada się hossa. Nie zamierzasz poprzestać na tym jednym hotelu, prawda?

– Oczywiście, że nie – odparła Lara.

– Właśnie tak myślałem. Chciałem powiedzieć, że kiedy udzielamy kredytu, zazwyczaj nie angażujemy się osobiście w projekt. Ale tym razem chętnie udzielę ci wszelkiej pomocy, jakiej tylko będziesz potrzebowała.

Mówiąc szczerze, Howarda Kellera nie tyle interesowała inwestycja, ile sama Lara. Pociągała go od chwili, gdy ją ujrzał po raz pierwszy. Urzekł go jej entuzjazm i determinacja. Była piękną kobietą. Pragnął wywrzeć na niej jak najlepsze wrażenie.

Może, pomyślał Keller, pewnego dnia powiem jej, jak mało brakowało, bym stał się sławny...

Rozdział 8

Rozgrywano mecz finałowy mistrzostw świata zawodowców i Wrigley Field – największy stadion w Chicago – wypełniało trzydzieści osiem tysięcy siedmiuset dziesięciu wydzierających się kibiców.

Rozpoczęła się pierwsza część ostatniej rundy spotkania między zespołami Cubs i Yankees. Mamy jeden do zera dla drużyny Cubs. Przy uderzeniu jest drużyna Yankees, która straciła już dwóch zawodników. Na pierwszej bazie rozstawiono Tony'ego

Kubka, na drugiej – Whiteya Forda, a na trzeciej – Yogi Berrę.

Kiedy na boisko wszedł Mickey Mantele, na trybunach rozległ się ryk. Mick miał w bieżącym sezonie trzydzieści i cztery dziesiąte procent wybitych piłek i zdobył w tym roku dla swojej drużyny czterdzieści dwa punkty.

Jack Brickhouse, komentator sportowy Wrigley Field, zapowiedział rozemocjonowanym głosem:

„Wygląda na to, że będzie zmiana rzucającego... Moe Drabovsky opuszcza boisko... Trener drużyny Cubs, Bob Scheffing, rozmawia z sędzią... zobaczmy, kto zmieni Drabovsky'ego... Howard Keller! Proszę państwa, Keller zbliża się do środka pola, witany gorącymi oklaskami publiczności! A więc ostateczny rezultat mistrzostw świata spoczywa w rękach tego młodego zawodnika. Czy uda mu się trzy razy tak rzucić piłkę, by nie przejął jej wielki Mickey Mantle? Za chwilę się przekonamy! Keller zajął swoją pozycję... spojrzał na zawodników, stojących na bazach... wziął głęboki oddech i rzucił piłkę... Mantle zamachnął się kijem... zrobił obrót i spudłował! Pierwsza piłka nieprzejęta!

Kibicie uciszyli się. Mantle przesunął się nieco do przodu, twarz ma zaciętą, kij podniósł do góry, gotów do przyjęcia kolejnej piłki. Howard Keller sprawdził pozycje zawodników w polu. Napięcie jest wprost niesamowite, ale Keller sprawia wrażenie opanowanego. Odwrócił się do łapacza, czekając na jego znak, i złożył się do następnego rzutu.

Kolejny rzut! To słynna podkręcona piłka Kellera... Mantle zamierza się kijem i nie trafia! Druga piłka nieprzejęta! Jeśli młodemu Kellerowi uda się trzy razy tak rzucić, by Mick nie odbił piłki, drużyna Cubs z Chicago zostanie zwycięzcą mistrzostw świata! Panie i panowie, obserwujemy pojedynek Dawida i Goliata! Młody Keller występuje w lidze zawodowej dopiero od roku, ale podczas tych dwunastu miesięcy zyskał sobie rozgłos godny pozazdroszczenia. Mickey Mantle to Goliat... czy

Keller, występujący w drużynie zawodowców pierwszy rok, zdoła go pokonać? Wszystko będzie zależało od następnego rzutu.

Keller znów sprawdził ustawienie zawodników... Następny rzut! I znów podkręcona piłka... Mantle cofa się krok do tyłu, ale piłka zmienia tor lotu nad samym środkiem pola... Trzecia piłka nieprzejęta – komentator zaczął wrzeszczeć do mikrofonu – Mantle obejrzał się! Panie i panowie, wielki Mick został pokonany! Młody Howard Keller pobił niezwyciężonego Mickeya Mantle'a! Koniec meczu – mistrzostwo zdobyła drużyna Cubs z Chicago! Kibice powstają z miejsc, szaleją z radości! Zawodnicy z drużyny Howarda Kellera podbiegli do swego kolegi. Unoszą go w górę i ruszają przez..."

– Howard, a cóż ty takiego robisz?
– Odrabiam lekcje, mamusiu. – Piętnastoletni Howard Keller z miną winowajcy wyłączył telewizor. Mecz i tak już się prawie skończył.

Bejsbol zawsze był jego wielką pasją. Wiedział, że pewnego dnia będzie występował w lidze zawodowej. W wieku sześciu lat grał w palanta przeciwko dzieciakom dwukrotnie od siebie starszym, kiedy miał dwanaście lat, został rzucającym w drużynie juniorów. Trenerowi chicagowskich Cubsów powiedziano o Howardzie, gdy ten miał piętnaście lat.

– Jeszcze nigdy nie widziałem równie utalentowanego chłopaka – oświadczył informator. – Ten dzieciak w niezwykły sposób podkręca piłkę, potrafi ją wyrzucać nieprawdopodobnie wysoko, a wprost niezrównanie symuluje szybkie piłki!

Trener był sceptyczny.

– No dobra. Popatrzę na jego grę – zgodził się niechętnie.

Wybrał się na następny mecz juniorów, w którym brał udział Howard Keller, i z miejsca zmienił zdanie. Po meczu odszukał chłopaka.

– Synu, co chcesz robić w życiu?

– Grać w bejsbol – odpowiedział Keller bez chwili wahania.

– Cieszę się, że to słyszę. Chcielibyśmy, żebyś podpisał kontrakt z naszą mniejszą ligą.

Howard nie mógł się doczekać chwili, kiedy podzieli się tą nowiną ze swoimi rodzicami.

Kellerowie byli przykładną rodziną. Co niedziela chodzili do kościoła i pilnowali, by ich syn też uczestniczył w nabożeństwach. Howard Keller senior sprzedawał maszyny do pisania i często przebywał poza domem. Ale kiedy nie podróżował, starał się jak najwięcej czasu spędzać ze swym synem. Howard był bardzo zżyty z obojgiem rodziców. Matka nigdy nie opuściła ani jednego meczu, w którym grał syn, głośno go dopingując. Howard dostał pierwszą rękawicę i strój do gry w bejsbol, kiedy miał sześć lat. Był fanatykiem bejsbolu. Znał przebieg meczów, które rozgrywane były jeszcze przed jego narodzinami. Znał wszystkie osiągnięcia rzucających – liczbę rzutów, zdobytych punktów, zwycięstw do zera. Wygrywał pieniądze, zakładając się ze swymi szkolnymi kolegami, że potrafi wymienić nazwiska wszystkich rzucających występujących w poszczególnych drużynach.

– Tysiąc dziewięćset czterdziesty dziewiąty.

– To łatwe – mówił Howard. – Newcombe, Roe, Hatten i Branca w drużynie Dodgers, Reynolds, Raschi, Byrne i Lopat w drużynie Yankees.

– Dobra – odezwał się wyzywająco jeden z członków jego zespołu, trzymając przed sobą Księgę rekordów Guinnessa. – To powiedz, kto wystąpił w największej liczbie spotkań z rzędu w całej historii ligi zawodowej?

Howard Keller nie zawahał się ani przez moment.

– Lou Gehring – dwa tysiące sto trzydzieści razy.

– Kto ma rekord zwycięstw do zera?

– Walter Johnson – sto trzynaście.

– Kto zdobył najwięcej punktów, zaliczając wszystkie bazy biegiem?

– Babe Ruth – siedemset czternaście.

Zaczęły krążyć wieści o niezwykłych możliwościach młodego zawodnika i trenerzy drużyn zawodowych przychodzili, by popatrzeć na fenomenalnego chłopaka grającego w mniejszej lidze chicagowskich Cubsów. Byli oszołomieni. Zanim jeszcze Keller ukończył siedemnaście lat, przeprowadzili z nim rozmowy trenerzy Cardinals z St. Louis, Orioles z Baltimore i Yankees z Nowego Jorku.

Ojciec Howarda był dumny ze swego syna.

– Odziedziczył to po mnie – przechwalał się. – Kiedy byłem młody, też grałem w bejsbol.

Podczas ostatnich wakacji w szkole średniej Howard Keller pracował w banku należącym do jednego ze sponsorów jego drużyny.

Howard chodził ze szkolną koleżanką Betty Quinlan. Dla wszystkich było oczywiste, że po studiach się pobiorą. Godzinami opowiadał jej o bejsbolu, a ponieważ dziewczynie zależało na Howardzie, więc cierpliwie go wysłuchiwała. Ubóstwiał anegdotki o swych ulubionych zawodnikach i kiedy tylko usłyszał jakąś nową historyjkę, zaraz powtarzał ją Betty.

– Casey Stengel powiedział: „Cały sekret rozgrywki polega na tym, by utrzymać pięciu facetów, którzy cię nienawidzą, z dala od pięciu, którzy są niezdecydowani".

– Ktoś spytał Yogi Berrę, która godzina, a ten na to: „Znaczy się w tej chwili?"

– Kiedy jeden zawodnik został trafiony w ramię przez rzuconą piłkę, jego kumpel z drużyny powiedział: „Nic mu się nie stało, tylko go trochę boli ręka – ma przecież jeszcze jedną".

Młody Keller wiedział, że wkrótce dołączy do panteonu wielkich zawodników. Ale bogowie mieli względem niego inne plany.

Kiedy pewnego dnia Keller wrócił ze szkoły do domu razem ze swym najlepszym kolegą, Jessem, również członkiem jego drużyny, czekały na niego dwa listy. W jednym proponowano mu stypendium w Princeton, a w drugim – w Harvardzie.

– Jezu, ale fajnie! – powiedział Jesse. – Moje gratulacje! – Mówił szczerze. Howard Keller był jego idolem.

– Które stypendium wybierzesz? – spytał ojciec.

– A czy w ogóle muszę iść na studia? – zastanawiał się Keller. – Już teraz przyjmą mnie do jednej z drużyn zawodowych.

– Jeszcze jest na to czas, synu – stanowczo oświadczyła jego matka. – Najpierw musisz zdobyć wykształcenie. Dzięki temu, kiedy już ci się znudzi bejsbol, będziesz mógł zająć się tym, czym zechcesz.

– Zgoda – powiedział Howard. – Wybieram Harvard. Betty chce studiować w Wellesley, to niedaleko od Harvardu.

Betty Quinlan ucieszyła się, kiedy powiedział jej o swojej decyzji.

– Będziemy mogli się spotykać podczas weekendów! – planowała.

– Zrobi się tu pusto bez ciebie – oświadczył jego kumpel Jesse.

W przeddzień wyjazdu Howarda Kellera na uniwersytet jego ojciec uciekł z sekretarką jednego ze swoich klientów.

Młody chłopak był oszołomiony.

– Jak ojciec mógł zrobić coś takiego?

Matka doznała szoku.

– Widocznie... widocznie zapragnął przeżyć przygodę – wyjąkała. – Twój... ojciec bardzo mnie kocha. Na pewno... wróci. Przekonasz się...

Następnego dnia matka otrzymała list od adwokata, który oficjalnie informował ją, że jego klient, Howard Keller senior, domaga się rozwodu, a ponieważ nie ma pieniędzy na alimenty, jest gotów zostawić swej byłej żonie ich mały domek.

Howard wziął matkę w ramiona.

– Nie martw się, mamo. Zostanę i zaopiekuję się tobą.

– Nie. Nie chcę, byś dla mnie rezygnował ze studiów. Od dnia twoich narodzin wspólnie z twoim ojcem postanowiliśmy, że pójdziesz na uczelnię. – Po chwili dodała cicho: – Porozmawiamy o tym rano. Jestem bardzo zmęczona.

Przez całą noc nie zmrużył oka, rozmyślając nad tym, jak ma postąpić. Mógł pójść na Harvard albo skorzystać z jednej z ofert wstąpienia do drużyny zawodowej. W obu wypadkach oznaczałoby to konieczność pozostawienia matki samej. Była to niełatwa decyzja.

Kiedy następnego ranka matka nie zeszła na śniadanie, chłopak udał się do jej sypialni. Siedziała na łóżku, niezdolna do uczynienia żadnego ruchu, z wykrzywioną jedną połową twarzy. Okazało się, że doznała wylewu.

Howard zatrudnił się na cały etat w banku, żeby zdobyć pieniądze na szpital i lekarzy. O czwartej kończył pracę i śpieszył do domu, by zająć się matką.

Był to niegroźny wylew i lekarze zapewniali, że z czasem jego matka zupełnie wyzdrowieje.

– Przeżyła ogromny wstrząs, ale wróci do zdrowia.

Do Howarda wciąż wydzwaniali trenerzy drużyn zawodowych, ale Keller wiedział, że nie może zostawić matki samej.

Wyjadę, kiedy poczuje się lepiej, powtarzał sobie.

Wciąż przybywały nowe rachunki za leczenie.

Początkowo dzwonił do Betty Quinlan raz w tygodniu, ale z biegiem czasu ich rozmowy stały się coraz rzadsze.

Stan matki nie ulegał poprawie. Howard zapytał lekarza:

– Kiedy matka wyzdrowieje?

– W takich przypadkach jak ten trudno cokolwiek powiedzieć. Jej stan może nie ulec poprawie jeszcze przez kilka miesięcy, a nawet lat. Przykro mi, że nie mogę powiedzieć nic bardziej konkretnego.

Minął rok, rozpoczął się następny, a Howard wciąż mieszkał z matką i pracował w banku. Pewnego dnia otrzymał list od Betty Quinlan, w którym informowała go, że zakochała się w innym chłopaku i wyrażała nadzieję, iż matka Howarda czuje się lepiej. Telefony od trenerów były coraz rzadsze i w końcu zupełnie ustały. Całe życie Kellera koncentrowało się na matce i opiece nad nią. Chodził do pracy, robił zakupy i gotował. Przestał myśleć o bejsbolu. I bez tego było mu ciężko.

Kiedy cztery lata później matka umarła, Kellera nie pociągał już bejsbol. Został bankowcem.

Bezpowrotnie stracił szanse zdobycia sławy.

Rozdział 9

Od czego zaczniemy? – spytała Lara Howarda Kellera podczas kolacji.

– Po pierwsze, spróbujemy pozyskać najlepszych fachowców, jakich nam się uda znaleźć. Na początek prawnika, specjalizującego się w przepisach o nieruchomościach: zlecimy mu przygotowanie kontraktu z braćmi Diamond. Potem wyszukamy najlepszego architekta. Mam już kogoś na oku. Następnie wynajmiemy najlepszą firmę budowlaną. Sporządziłem na własny użytek pewne szacunki. Koszty dodatkowe przedsięwzięcia wyniosą około trzystu tysięcy dolarów na pokój. Sam remont budynku pochłonie siedem milionów dolarów. Jeśli odpowiednio wszystko zaplanujemy, powinno nam się udać.

Architekt nazywał się Ted Tuttle i kiedy usłyszał, co Lara zamierza zrobić, uśmiechnął się szeroko i powiedział:

– Należy się pani największa pochwała. Czekałem, kiedy wreszcie ktoś wpadnie na taki pomysł.

Dziesięć dni później przedstawił jej rysunki. Było na nich wszystko to, co sobie wymarzyła.

– Obecnie hotel ma sto dwadzieścia pięć pokoi –
mówił architekt. – Jak pani widzi, zmniejszyłem tę liczbę
do siedemdziesięciu pięciu, tak jak sobie pani życzyła.
Projekt zakładał stworzenie pięćdziesięciu apartamentów i dwudziestu pięciu luksusowych pokoi.
– Idealnie! – wykrzyknęła Lara.
Pokazała plany Howardowi Kellerowi. Przyjął je
równie entuzjastycznie.
– Czas zabierać się do roboty. Ustaliłem datę spotkania z przedstawicielem generalnego wykonawcy.
Nazywa się Steve Rice.
Steve Rice należał do najbardziej wziętych specjalistów budowlanych w Chicago. Od razu się Larze
spodobał. Reprezentował typ ludzi hołdujących surowym
zasadom, rozsądnych i trzeźwo patrzących na życie.
– Howard Keller powiedział, że jest pan najlepszy – powitała go.
– I miał rację – odparł Rice. – Nasza dewiza brzmi:
„Budujemy dla potomnych".
– To wspaniałe hasło.
Rice uśmiechnął się uprzejmie.
– Właśnie je wymyśliłem.

Pierwszym krokiem było rozrysowanie każdego
elementu na poszczególne detale. Ich plany zostały przesłane do producentów konstrukcji stalowych i okien,
ekip murarzy i firm specjalizujących się w instalacjach
elektrycznych. Zwrócono się do ponad sześćdziesięciu
podwykonawców.
W dniu, kiedy ostatecznie dopięto sprawę kredytu,
Howard Keller wyszedł z banku wcześniej, by razem
z Larą uczcić to wydarzenie.
– Czy twój szef nie będzie kręcił nosem, że się
wcześniej urwałeś z pracy? – spytała.
– Nie – skłamał Keller. – To część moich obowiązków.
W rzeczywistości już dawno nic go tak nie porwało
jak przedsięwzięcie Lary. Bardzo lubił przebywać w jej

towarzystwie, rozmawiać i patrzeć na nią. Ciekaw był, jakie są poglądy Lary na małżeństwo.

– Dziś rano przeczytałam, że prawie ukończono budowę Sears Tower – powiedziała. – Ma sto dziewięć pięter i jest najwyższym budynkiem świata.

– Zgadza się – potwierdził Keller.

– Howardzie, pewnego dnia wybuduję jeszcze wyższy – oświadczyła z powagą.

Wierzył jej.

Poszli ze Steve'em Rice'em na lunch do Whitehall.

– Proszę mi powiedzieć, od czego zaczniecie – poprosiła Lara.

– Najpierw zdemontujemy całe wyposażenie budynku – wyjaśnił Rice. – Zachowamy marmur. Usuniemy wszystkie okna i instalacje w łazienkach. Wymienimy stare przewody elektryczne na nowe i zmodernizujemy instalację wodno-kanalizacyjną. Kiedy usuniemy wszystko, co niepotrzebne, przystąpimy do przebudowy hotelu według nowego projektu.

– Ilu ludzi zatrudnicie?

Rice roześmiał się wesoło.

– Cały tłum, panno Cameron. Brygady szklarzy, hydraulików, murarzy. Prace będą prowadzone piętrami, zaczynając od najwyższego.

– Ile to wszystko zajmie czasu?

– Całkowicie gotów będzie za jakieś osiemnaście miesięcy.

– Dam wam premię, jeśli zakończycie prace w ciągu roku – oświadczyła Lara.

– Wspaniale. Congressional powinien...

– Zmieniłam nazwę. Będzie się nazywał Cameron Palace. – Poczuła dreszcz, wymawiając te słowa. Było to niemal miłosne uniesienie. Jej nazwisko pojawi się na budynku i ujrzy je cały świat.

W pewien deszczowy wrześniowy dzień o szóstej rano przystąpiono do przebudowy hotelu. Lara, jak zwykle, pojawiła się pierwsza i patrzyła, jak robotnicy weszli do holu hotelowego i rozpoczęli prace rozbiórkowe.

Ku jej zdumieniu zjawił się również Howard Keller.

– Wcześnie dziś wstałeś – zauważyła.

– Nie mogłem spać – odparł Keller z uśmiechem. – Mam przeczucie, że to początek czegoś wielkiego.

Dwanaście miesięcy później urządzono pokaz dla przedstawicieli prasy i wielkich przedsiębiorstw.

Specjalista od architektury w chicagowskiej „Tribune" napisał:

„Chicago wreszcie otrzymało hotel, który w pełni zasługuje na nazwę »Dom z dala od domu«! Lara Cameron to osoba, której poczynania należy pilnie śledzić…"

Pod koniec pierwszego miesiąca funkcjonowania hotelu wszystkie pokoje zostały wynajęte i była długa lista oczekujących.

Howard Keller nie posiadał się z zachwytu.

– W tym tempie – powiedział – hotel spłaci się w ciągu niespełna dwunastu lat. Cudownie! Będziemy…

– Uważam, że to za długo – przerwała mu. – Podnoszę ceny. – Zauważyła minę Kellera i dodała: – Nie martw się. Będą płacili. Gdzie poza naszym hotelem mają dwa kominki, saunę i fortepian?

Dwa tygodnie po otwarciu Cameron Palace Lara spotkała się z Bobem Vance'em i Howardem Kellerem.

– Znalazłam nową, wspaniałą lokalizację pod hotel – oświadczyła. – Będzie podobny do Cameron Palace, tylko większy i bardziej luksusowy.

– Chciałbym rzucić na to okiem – powiedział Howard Keller z uśmiechem.

Miejsce nadawało się idealnie, ale był pewien szkopuł.

– Spóźniła się pani – oświadczył jej agent. – Dziś rano odwiedził mnie inny przedsiębiorca, Steve Murchinson, i złożył ofertę. Zamierza kupić tę parcelę.

– Ile panu zaproponował?

– Trzy miliony.

– Dam panu cztery. Proszę przygotować dokumenty.

Agent otworzył szeroko oczy ze zdumienia.

– Dobrze.

Następnego popołudnia Lara odebrała telefon.

– Lara Cameron?

– Tak.

– Mówi Steve Murchinson. Tym razem odpuszczę ci, ty dziwko, bo mam nadzieję, że nie wiesz, co robisz. Ale na przyszłość nie wchodź mi w drogę, bo może ci się stać krzywda.

I połączenie przerwano.

Był rok 1974 i na świecie miały miejsce doniosłe wydarzenia. Prezydent Nixon ustąpił ze swojego stanowiska, by uniknąć oskarżenia o naruszenie prawa, i do Białego Domu wprowadził się Gerald Ford. OPEC zniosło embargo na dostawy ropy, a Isabel Peron została prezydentem Argentyny. W Chicago Lara przystąpiła do budowy drugiego hotelu, Chicago Cameron Plaza, który został ukończony osiemnaście miesięcy później i okazał się jeszcze większym sukcesem niż Cameron Palace. Po tym nic już nie było w stanie powstrzymać Lary. Jak później pisano w magazynie „Forbes":

„Lara Cameron to prawdziwy fenomen. Jej działalność zmieniła nasze wyobrażenia o tym, jak powinien wyglądać hotel. Panna Cameron wkroczyła w tradycyjnie męską dziedzinę inwestycji budowlanych i dowiodła, że kobieta może przyćmić wszystkich".

– Moje gratulacje – powiedział jej Charles Cohn przez telefon. – Jestem z ciebie dumny. Nigdy dotąd nie miałem protegowanej.

– A ja nigdy przedtem nie miałam mecenasa. Bez ciebie to wszystko nigdy by nie miało miejsca.

– Jakoś byś sobie poradziła – zapewnił Cohn.

W 1975 roku na ekrany kin w całym kraju weszły *Szczęki* i ludzie przestali się kąpać w oceanie. Liczba ludności świata przekroczyła cztery miliardy, a zmniejszyła się o jedną osobę, gdy przewodniczący Związku

Zawodowego Kierowców Ciężarówek, James Hoffa, zniknął w niewyjaśnionych okolicznościach. Kiedy Lara dowiedziała się o liczbie mieszkańców kuli ziemskiej, powiedziała do Kellera:

– Czy masz pojęcie, ile mieszkań będzie potrzeba dla tych ludzi?

Nie był pewny: żartuje czy mówi poważnie?

W ciągu następnych trzech lat ukończono trzy domy mieszkalne.

– A teraz chcę wznieść biurowiec – oświadczyła Lara Kellerowi – i to w samym sercu Chicago.

– Właśnie na rynku pojawiła się interesująca oferta – powiedział jej Keller. – Jeśli ci się spodoba, sfinansujemy twoje przedsięwzięcie.

Jeszcze tego samego popołudnia pojechali obejrzeć parcelę. Znajdowała się nad brzegiem jeziora, we wspaniałym punkcie.

– Ile by to kosztowało? – spytała Lara.

– Przeprowadziłem wstępne obliczenia. Razem wyniosłoby jakieś sto dwadzieścia milionów dolarów.

Przełknęła ślinę.

– Trochę mnie to przeraża.

– Laro, w przedsięwzięciach tego typu naczelną zasadą jest pożyczać.

Pieniądze innych ludzi, pomyślała Lara.

Właśnie to powiedział jej kiedyś, jeszcze w Glace Bay, Bill Rogers. Wydawało się to tak dawno temu, od tego czasu wydarzyło się tyle rzeczy.

A to dopiero początek, myślała dalej, to zaledwie początek.

– Niektórzy przedsiębiorcy wznoszą domy, dysponując minimalnymi środkami własnymi.

– Mów dalej.

– Wszystko sprowadza się do tego, by wynająć lub odsprzedać budynek za taką kwotę, która wystarczy na spłacanie kredytu i kupienie czegoś nowego. Potem znów zaciągniesz następny kredyt hipoteczny na kolejną inwestycję. To odwrócona piramida – piramida nieruchomości, pozwalająca ci budować, nawet jeśli dysponujesz bardzo niewielką kwotą na rozpoczęcie inwestycji.

– Rozumiem – powiedziała Lara.

– Oczywiście trzeba zachować ostrożność. Cała piramida jest wzniesiona na papierze – opiera się na hipotece. Jeśli coś pójdzie nie tak, jeśli zysk z jednej inwestycji nie pokryje zadłużenia innej, cała piramida może się rozsypać, grzebiąc cię pod swymi gruzami.

– Racja. W jaki sposób mogłabym stać się właścicielką tej parceli nad jeziorem?

– Utworzymy dla ciebie wspólne przedsięwzięcie. Porozmawiam o tym z Vance'em. Jeśli sprawa okaże się zbyt duża dla naszego banku, zwrócimy się do firmy ubezpieczeniowej lub kasy oszczędnościowo-pożyczkowej. Zaciągniesz kredyt hipoteczny na pięćdziesiąt milionów dolarów, z tytułu odsetek zapłacisz pięć milionów. Dostaną też dziesięcioprocentowy udział w inwestycji i zostaną twoimi wspólnikami. Będą otrzymywali pierwsze dziesięć procent wpływów, ale całkowicie sfinansują twoją inwestycję.

Lara słuchała chciwie każdego słowa.

– Czy do tej pory wszystko jasne?

– Tak.

– Wydzierżawisz budynek, a za pięć, sześć lat sprzedasz go. Jeśli uzyskasz siedemdziesiąt pięć milionów, po spłaceniu hipoteki zostanie ci na czysto dwanaście i pół miliona dolarów. Poza tym z tytułu amortyzacji będzie ci przysługiwało zwolnienie od podatku od ośmiu milionów dolarów dochodów. Można to wykorzystać, by zredukować podatki od innych wpływów. A wszystko po zainwestowaniu dziesięciu milionów w gotówce.

– Fantastyczne! – wykrzyknęła.

Keller uśmiechnął się z pobłażaniem.

– Władzom zależy na tym, byś zarabiała.

– Howardzie, a czy ty nie chciałbyś też zacząć zarabiać? Prawdziwe pieniądze?

– Słucham?

– Chcę, byś pracował u mnie.

Keller zamilkł w pół słowa. Wiedział, że stoi przed koniecznością podjęcia jednej z najważniejszych decyzji w swoim życiu i nie miała ona nic wspólnego z pieniędzmi. Chodziło o Larę. Zakochał się w niej. Nawet kiedyś próbował jej o tym powiedzieć. Przez całą noc układał sobie tekst oświadczyn. Następnego ranka poszedł do niej i wyjąkał:

– Laro, kocham cię.

Zanim zdołał powiedzieć coś więcej, ucałowała go w policzek i powiedziała:

– Ja ciebie też kocham, Howardzie. Rzuć okiem na ten nowy projekt.

Zabrakło mu odwagi, by spróbować jeszcze raz.

Teraz prosiła go, by został jej wspólnikiem. Będzie z nią codziennie pracował, nie mogąc jej dotknąć, nie mogąc…

– Howardzie, czy wierzysz we mnie?

– Chyba byłbym głupi, gdybym nie wierzył.

– Dam ci dwa razy tyle, ile zarabiasz teraz, plus pięć procent udziałów w firmie.

– Czy… czy mogę to przemyśleć?

– Przecież tu się nie ma nad czym zastanawiać.

Podjął decyzję.

– Chyba masz rację… wspólniku.

Lara uścisnęła go.

– Wspaniale! Razem stworzymy cudowne rzeczy. Wokół jest tyle wstrętnych budynków. Nie mają racji bytu. Każdy dom powinien być hołdem składanym temu miastu.

– Laro, nigdy się nie zmieniaj.

Spojrzała na niego z powagą.

– Nie mam zamiaru.

Rozdział 10

Schyłek lat siedemdziesiątych był świadkiem gwałtownego boomu gospodarczego, wielu zmian politycznych oraz niezwykłych wydarzeń. W 1976 roku miała miejsce zakończona sukcesem akcja komandosów izraelskich na lotnisku Entebbe, zmarł Mao Zedong, a James Earl Carter Jr. został wybrany na prezydenta Stanów Zjednoczonych.

Lara wzniosła kolejny biurowiec.

W 1977 roku umarli Charlie Chaplin i Elvis Presley.

Lara wybudowała największe centrum handlowe w Chicago.

W 1978 roku Jim Jones wraz z 909 członkami założonej przez siebie sekty Świątynia Ludu popełnił w Gujanie zbiorowe samobójstwo. Stany Zjednoczone uznały komunistyczne Chiny i ratyfikowały układ z Panamą.

Lara wybudowała kilka wieżowców mieszkalnych w Rogers Park.

W 1979 roku Izrael i Egipt podpisały układ pokojowy w Camp David, w elektrowni atomowej Three Mile Island doszło do awarii reaktora, a fundamentaliści islamscy zajęli ambasadę USA w Iranie.

Lara wybudowała drapacz chmur, wspaniały ośrodek wypoczynkowy i klub rekreacyjny w Deerfield, na północ od Chicago.

Lara mało udzielała się towarzysko, a kiedy już zdecydowała, że gdzieś pójdzie, zazwyczaj wybierała jakiś klub jazzowy. Lubiła zaglądać do klubu Andy'ego, gdzie występowali czołowi muzycy jazzowi. Przysłuchiwała się tam grze Von Freemana, wielkiego saksofonisty, i Erica Schneidera, Anthony'ego Braxtona, klarnecisty, i Arta Hodesa, pianisty.

Nie dokuczała jej samotność, gdyż była wiecznie czymś zajęta. Rodzinę zastępowali jej ludzie, z którymi spędzała całe dnie: geodeci i ekipy budowlane. Całkowicie absorbowały ją realizowane inwestycje. Była gwiazdą, a jej sceną stało się Chicago.

Zrobiła zawrotną karierę, jakiej nie wyobrażała sobie w najbardziej fantastycznych wizjach, ale nie miała żadnego życia osobistego. Przykre doświadczenie z Seanem MacAllisterem tak ją zraziło do bliskich stosunków z mężczyznami, że wśród poznanych dotąd ludzi nie widziała nikogo, z kim chciałaby się spotykać częściej.

Ale gdzieś w podświadomości nosiła niejasny obraz kogoś, kogo kiedyś spotkała i chciałaby spotkać ponownie. Nigdy jednak nie udawało się jej ujrzeć go wyraźnie.

Miała mnóstwo konkurentów do swej ręki: dyrektorów, nafciarzy, poetów, a nawet kilku pracowników jej firmy. Była wobec nich miła, ale nigdy nie pozwalała, by znajomość kończyła się czymś więcej niż uściskiem dłoni na progu jej mieszkania.

Pewnego dnia uświadomiła sobie, że polubiła bardziej niż innych Petego Ryana, kierownika budowy jednej z realizowanych przez nią inwestycji. Był przystojnym, barczystym, zawsze uśmiechniętym mężczyzną, mówił z mocnym irlandzkim akcentem. Lara zaczęła coraz częściej zaglądać na budowę, którą kierował. Rozmawiali o problemach technicznych, ale w głębi duszy oboje zdawali sobie sprawę z tego, że mówią zupełnie o czymś innym.

– Czy mogę panią zaprosić na kolację? – spytał Ryan, przeciągając wyraz „kolacja".

Poczuła, że serce zabiło jej gwałtowniej.

– Tak.

Ryan przyjechał po Larę do jej apartamentu, lecz nie poszli na kolację.

– Mój Boże, ależ jesteś śliczna – zachwycił się i objął ją swymi potężnymi ramionami.

Była gotowa. Wstępną grę miłosną prowadzili ze sobą już od miesięcy. Ryan wziął ją na ręce i zaniósł do sypialni. Rozebrali się szybko, niecierpliwie. Ryan był szczupły, ale mocno zbudowany i Larze na moment przypomniała się ciężka, przysadzista postać Seana MacAllistera. W następnej chwili już była w łóżku,

107

a Ryan obok niej, całując ją i pieszcząc. Nie potrafiła powstrzymać okrzyku rozkoszy.

Kiedy później leżeli wyczerpani, obejmując się, Ryan powiedział cicho:

– Mój Boże, jesteś cudowna.

– Ty też – szepnęła.

Nie pamiętała, kiedy była taka szczęśliwa. Ryan miał wszystko, czego oczekiwała: był inteligentny, sympatyczny, rozumieli się nawzajem, mówili tym samym językiem.

– Umieram z głodu – powiedział Ryan, ściskając jej dłoń.

– Ja też. Przygotuję jakieś kanapki.

– Jutro zabiorę cię na kolację – obiecał.

Lara przytuliła się do niego.

– Trzymam cię za słowo.

Nazajutrz z samego rana poszła na budowę, którą kierował Ryan. Dostrzegła go wysoko na stalowym rusztowaniu, jak wydawał polecenia ludziom. Kiedy podeszła do windy, jeden z robotników uśmiechnął się szeroko.

– Dzień dobry, panno Cameron. – W jego głosie dosłyszała jakąś dziwną nutę.

Minął ich drugi pracownik.

– Dzień dobry, panno Cameron – powitał ją, uśmiechając się dwuznacznie.

Dwaj inni robotnicy spoglądali na nią pożądliwie.

– Dzień dobry, szefowo.

Rozejrzała się. Wszyscy przyglądali się jej z głupawymi uśmieszkami. Lara poczerwieniała. Wsiadła do windy. Ryan uśmiechnął się na jej widok.

– Witaj, moja luba – powiedział. – O której godzinie idziemy dziś na kolację?

– Prędzej zdechniesz z głodu, nim się tego doczekasz – gwałtownie odpowiedziała. – Jesteś zwolniony.

Każda nowa inwestycja była dla Lary wyzwaniem. Wznosiła małe budynki o powierzchni pięciuset metrów kwadratowych oraz potężne hotele i biurowce. Ale zawsze najważniejsza dla niej była lokalizacja.

Bill Rogers miał rację: „Lokalizacja, lokalizacja i jeszcze raz lokalizacja".

Imperium Lary rozrastało się coraz bardziej. Zaczęła zdobywać uznanie ojców miasta, dziennikarzy i opinii publicznej. Stała się znaną postacią i kiedy pojawiała się na imprezach dobroczynnych, w operze lub muzeum, zawsze otaczał ją tłum reporterów z aparatami fotograficznymi. Zaczęto coraz częściej wspominać o niej w środkach masowego przekazu. Wszystkie jej inwestycje okazały się przebojami, ale Larze wciąż było mało. Zupełnie, jakby czekała na coś wyjątkowego, na pojawienie się kogoś niezwykłego, kto rzuci na nią czar.

Keller był zaintrygowany.

– Laro, czego ty jeszcze chcesz?

– To jeszcze nie to.

Tylko tyle udawało mu się z niej wydobyć.

Pewnego dnia powiedziała Kellerowi:

– Howardzie, wiesz, ile płacimy co miesiąc za dozorców, pranie i mycie okien?

– Koszty te rosną proporcjonalnie do liczby posiadanych budynków – oświadczył Keller.

– Gdzie jest powiedziane, że tak musi być?

– Słucham?

– Utworzymy przedsiębiorstwo pomocnicze. Będzie świadczyło różne usługi nam i innym.

Pomysł ten od samego początku okazał się strzałem w dziesiątkę. Pieniądze popłynęły szerokim strumieniem.

Keller odnosił wrażenie, że Lara odgrodziła się od świata murem nie do przebycia. Znał ją lepiej niż ktokolwiek inny, ale nawet z nim nie rozmawiała nigdy o swej rodzinie ani o przeszłości. Tak jakby pojawiła się nie wiadomo skąd już w pełni ukształtowana. Na początku Keller był przewodnikiem Lary, uczył ją i wprowadzał w tajniki świata biznesu, ale teraz wszystkie decyzje podejmowała samodzielnie. Uczeń przerósł mistrza.

Nie znosiła, gdy cokolwiek stawało jej na przeszkodzie. Jakby popychała ją nieodparta siła, której nic nie mogło powstrzymać. Była perfekcjonistką. Wiedziała, czego chce, i uparcie dążyła do celu.

Początkowo niektórzy pracownicy próbowali ją oszukiwać. Nigdy przedtem nie pracowali dla kobiety i taka sytuacja wyraźnie ich bawiła. Ale czekała ich przykra niespodzianka. Kiedy Lara przyłapała jednego z kierowników budów na podrabianiu dokumentów – akceptował rachunek za pracę, która nie została wykonana – na oczach całej załogi wyrzuciła go z roboty. Każdego ranka pojawiała się na placu budowy. Kiedy o szóstej schodzili się robotnicy, już na nich czekała. Próbowali też innych sztuczek. Kiedy była w pobliżu, zaczynali sobie opowiadać sprośne dowcipy.

– Słyszałeś o kotce, która umiała mówić? Zakochała się w kogucie i...

– Więc dziewczynka zapytała: „Czy jak się połknie męskie nasienie, to można zajść w ciążę?" A mamusia na to: „Nie. Po tym, moje dziecko, zachodzi się do jubilera..."

Zdarzały się niedwuznaczne gesty. Czasem któryś z robotników, mijając Larę, „przypadkowo" ocierał się o nią lub dotykał ręką jej piersi.

– Och, przepraszam.

– Nie ma sprawy – mówiła Lara. – Odbierz tygodniówkę i zmiataj stąd.

Ich lekceważenie z czasem zastąpił szacunek.

Pewnego dnia, kiedy jechała razem z Howardem Kellerem wzdłuż Kedzie Avenue, jej uwagę zwrócił kwartał zabudowany małymi sklepikami. Kazała zatrzymać samochód.

– To czyste marnotrawstwo – powiedziała. – Tutaj powinien stanąć wieżowiec. Te małe sklepiki na pewno nie są dochodowe.

– Tak, ale cały sęk w tym, że musisz nakłonić do sprzedaży właścicieli każdego z nich – zauważył Keller. – A niektórzy mogą nie być tym zainteresowani.

– Możemy ich wszystkich wykupić – stwierdziła.

– Laro, jeśli choć jeden z nich odmówi, wpakujesz się w nie lada kabałę. Zostaniesz właścicielką kilkunastu sklepików, których wcale nie chciałaś, i nie będziesz mogła wznieść swojego wieżowca. A jeśli obecni właściciele dowiedzą się, że planujesz tu budowę nowego gmachu, zaczną stwarzać trudności.

– Nie zdradzimy się ze swoimi zamiarami – powiedziała Lara, czując narastające podniecenie. – Do właścicieli sklepów zgłoszą się różni ludzie.

– Już kiedyś przez coś takiego przechodziłem – ostrzegł ją Keller. – Jeśli rozejdzie się wieść o twoich zamiarach, wyduszą z ciebie ostatni grosz.

– W takim razie musimy działać ostrożnie. Najpierw zagwarantujmy sobie pierwszeństwo zakupu tej parceli.

W interesującym Larę kwartale przy Kedzie Avenue znajdowało się kilkanaście sklepików i punktów usługowych. Była tu piekarnia, sklep z narzędziami, zakład fryzjerski, rzeźnik, krawiec, drogeria, sklep papierniczy, odzieżowy, kawiarnia i parę innych.

– Pamiętaj, co ryzykujesz – ostrzegł Keller. – Jeśli choć jedna osoba stanie okoniem, stracisz wszystkie pieniądze, wyłożone na zakup tych sklepików.

– Nie martw się – uspokajała go Lara. – Poradzę sobie.

Tydzień później do zakładu fryzjerskiego wszedł jakiś mężczyzna. Właściciel zajęty był czytaniem gazety. Na dźwięk otwieranych drzwi uniósł wzrok i skinął głową na powitanie.

– Czym mogę panu służyć? Strzyżenie?

Nieznajomy uśmiechnął się.

– Nie – powiedział. – Dopiero co tu przyjechałem. Miałem zakład fryzjerski w New Jersey, ale moja żona chciała się tutaj przeprowadzić, aby być bliżej swej matki. Myślę o kupieniu podobnej firmy.

– Jestem jedynym fryzjerem w okolicy – powiedział właściciel. – I nie mam zamiaru nigdzie się stąd ruszać.

Nieznajomy uśmiechnął się uprzejmie.

– Jak się głębiej zastanowić, to wszystko jest na sprzedaż, prawda? Oczywiście za odpowiednią cenę. Ile wart jest ten zakład pięćdziesiąt, sześćdziesiąt tysięcy dolarów?

– Coś koło tego – przyznał fryzjer.

– Naprawdę bardzo bym chciał znów pracować u siebie. Zapłacę panu siedemdziesiąt pięć tysięcy dolarów.

– Nie, nie chcę się go pozbywać.

– Sto tysięcy.

– Naprawdę, proszę pana, nie...

– I może pan zabrać całe wyposażenie.

Fryzjer spojrzał na niego.

– Da mi pan sto tysięcy i pozwoli mi zabrać fotele fryzjerskie i resztę wyposażenia?

– Tak. Mam własne.

– Czy mogę się nad tym zastanowić? Muszę porozmawiać z żoną.

– Naturalnie. Wpadnę jutro.

Dwa dni później zakład fryzjerski został wykupiony.

– Jeden mniej – powiedziała Lara.

Następna była mała piekarnia prowadzona przez małżeństwo. Z pieców, znajdujących się na zapleczu, roznosił się na cały sklep zapach świeżego pieczywa. Nieznajoma kobieta rozmawiała z właścicielem.

– Po śmierci męża otrzymałam pieniądze z polisy ubezpieczeniowej. Mieliśmy na Florydzie piekarnię. Szukam właśnie czegoś takiego. Chciałabym kupić tę firmę.

– Zapewnia nam dostatnie życie – oświadczył właściciel. – Nigdy z żoną nie myśleliśmy, by ją sprzedać.

– A gdyby pan sprzedawał swoją piekarnię, ile by pan za nią chciał?

Właściciel wzruszył ramionami.

– Nie wiem.

– Uważa pan, że jest warta sześćdziesiąt tysięcy dolarów?

– O, co najmniej siedemdziesiąt pięć – odparł właściciel.

– Coś panu powiem – oświadczyła kobieta. – Zapłacę panu za nią sto tysięcy.

Właściciel spojrzał na nią badawczo.

– Mówi pani poważnie?

– Nigdy w życiu nie byłam bardziej poważna.

Następnego ranka Lara oznajmiła:

– A więc już dwa mniej.

Z pozostałymi poszło równie gładko. Wysłali kilkanaście osób, które wcieliły się w krawców, aptekarzy i rzeźników. W ciągu następnych sześciu miesięcy Lara stopniowo wykupywała sklepy, a później wynajmowała ludzi, by je prowadzili. Tymczasem architekci już przystąpili do sporządzania planów przyszłego wieżowca.

Lara przeglądała najświeższe raporty.

– Wygląda na to, że się nam udało – powiedziała Kellerowi.

– Obawiam się, że niezupełnie.

– Dlaczego? Pozostała nam już tylko kawiarnia.

– I właśnie z nią jest problem. Została wydzierżawiona na pięć lat i wynajmujący nie chce zrezygnować z dzierżawy.

– Zaproponuj mu więcej pieniędzy…

– Mówi, że nie zrezygnuje za żadne pieniądze.

Spojrzała na niego.

– Czy dowiedział się czegoś o projekcie budowy wieżowca?

– Nie.

– W porządku. Porozmawiam z nim. Nie martw się, zrezygnuje. Dowiedz się, do kogo należy ten dom z kawiarnią.

Następnego ranka Lara udała się na Kedzie Avenue. Kawiarnia Haleya mieściła się na południowo-wschodnim rogu parceli. Był to niewielki lokal, z kilkoma miejscami siedzącymi przy barze i czterema stolikami. Za kontuarem zobaczyła mężczyznę dobrze po sześćdziesiątce. Doszła do wniosku, że to właściciel.

Zajęła miejsce przy stoliku.

– Dzień dobry – powitał ją uprzejmie mężczyzna. –
Co pani podać?

– Poproszę sok pomarańczowy i kawę.

– Jedną chwileczkę.

Obserwowała, jak wyciska sok z pomarańczy.

– Moja kelnerka nie przyszła dziś do pracy. W dzisiejszych czasach niełatwo o dobrego pracownika. –
Trzymając kawę i sok, wyłonił się zza kontuaru. Siedział
na wózku inwalidzkim. Nie miał nóg. Lara w milczeniu
obserwowała, jak zbliża się do stolika.

– Dziękuję – powiedziała. Rozejrzała się po wnę-
trzu. – Przyjemnie tutaj.

– Tak. Mnie się też podoba.

– Jak długo prowadzi pan tę kawiarenkę?

– Dziesięć lat.

– Czy myślał pan kiedyś o wycofaniu się z interesu?

Pokręcił głową.

– Jest pani drugą osobą w tym tygodniu, która za-
daje mi to pytanie. Nie, nigdy się nie wycofam.

– Może nie zaoferowano panu dosyć pieniędzy –
powiedziała Lara.

– To nie jest kwestia pieniędzy. Zanim zacząłem
prowadzić ten lokal, spędziłem dwa lata w szpitalu
wojskowym. Nie miałem przyjaciół. Nie miałem żadnego celu w życiu. I wtedy ktoś namówił mnie, bym
wydzierżawił tę kawiarenkę. – Uśmiechnął się. – Od tej
chwili zmieniło się całe moje życie. Wpadają tu wszyscy
okoliczni mieszkańcy. Stali się moimi przyjaciółmi, niemal członkami rodziny. Mam teraz po co żyć. – Pokręcił
głową. – Nie, pieniądze nie mają tu nic do rzeczy. Czy
życzy sobie pani jeszcze kawy?

Wezwała do siebie Howarda Kellera i architekta.

– Nie musimy nawet wykupywać jego dzierżawy –
oświadczył Keller. – Właśnie rozmawiałem z właścicielem domu. Kontrakt zawiera klauzulę, zgodnie z którą
można unieważnić umowę, jeśli kawiarnia nie będzie
co miesiąc przynosiła określonego dochodu brutto.

Przez ostatnie kilka miesięcy nie uzyskuje nawet tego minimum, więc możemy bez żadnych problemów rozwiązać umowę.

Lara zwróciła się do architekta.

– Mam jedno pytanie. – Spojrzała na plany rozłożone na stole i wskazała na południowo-wschodni narożnik. – Czy można tutaj nieco cofnąć budynek, zostawiając kawiarenkę nietkniętą? Czy da się to zrobić?

Architekt przestudiował plany.

– Myślę, że tak. Mógłbym ściąć ukośnie ten fragment fasady i zrównoważyć to występem po drugiej stronie. Oczywiście lepiej by było, gdybyśmy tego nie robili...

– Ale jest to możliwe? – nie ustępowała.

– Tak.

– Powiedziałem ci, że możemy się go z łatwością pozbyć – odezwał się Keller.

Lara pokręciła głową.

– Wykupiliśmy wszystko w tym kwartale, prawda?

– Tak. Jesteś dumną właścicielką sklepu z odzieżą, zakładu krawieckiego, sklepu papierniczego, apteki, piekarni...

– W porządku – przerwała mu. – Lokatorzy nowego wieżowca będą mieli pod bokiem kawiarenkę. Zostawiamy Haleya.

W dniu urodzin swego ojca Lara powiedziała do Kellera:

– Howardzie, chciałabym cię prosić o przysługę.

– Nie ma sprawy.

– Proszę, byś pojechał do Szkocji.

– Czy zamierzasz tam coś budować?

– Kupimy tam zamek. Na trasie do Glenmore, w pobliżu Aviemore, znajduje się Loch Morlich. W okolicach jest mnóstwo zamków. Kup jeden z nich.

– Czy ma to być coś w rodzaju letniej rezydencji?

– Nie zamierzam w nim mieszkać. Chcę tam pochować swego ojca.

– Chcesz kupić zamek w Szkocji, by pochować w nim swego ojca? – wolno spytał Keller.

– Zgadza się. Nie mam czasu sama jechać. Jesteś jedyną osobą, której mogę zlecić to zadanie. Mój ojciec pochowany jest na cmentarzu Greenwood w Glace Bay.

Keller pomyślał, że po raz pierwszy nadarzyła mu się okazja, by dowiedzieć się czegoś o rodzinie Lary.

– Musiałaś bardzo kochać swego ojca.

– Zrobisz to dla mnie?

– Oczywiście.

– Kiedy go pochowają, zapłać dozorcy, by opiekował się grobem.

Trzy tygodnie później Keller wrócił ze Szkocji i oświadczył:

– Wszystko załatwione. Jesteś właścicielką zamku. Twój ojciec spoczywa na terenie posiadłości. To piękne miejsce, w pobliżu rozciągają się wzgórza i leży małe jeziorko. Na pewno ci się spodoba. Kiedy zamierzasz tam pojechać?

Lara spojrzała zdziwiona.

– Ja? Nigdy – powiedziała.

Część II

Część II

Rozdział 11

W 1984 roku Lara Cameron doszła do wniosku, że nadeszła pora, by wyruszyć na podbój Nowego Jorku. Kiedy przedstawiła Kellerowi swoje zamiary, był przerażony.

– Nie podoba mi się ten pomysł – oświadczył kategorycznie. – Nie znasz Nowego Jorku. Ja też nie. To inne miasto, Laro, my...

– To samo mówiono mi, kiedy przyjechałam z Glace Bay do Chicago – zauważyła Lara. – Domy są wszędzie takie same, bez względu na to, czy wznosi się je w Glace Bay, Chicago, Nowym Jorku czy Tokio. I wszędzie obowiązują te same reguły gry.

– Ale przecież tak wspaniale ci tutaj idzie – zaprotestował Keller. – Czego ci więcej potrzeba?

– Powiedziałam ci: to jeszcze nie to. Chcę, by moje nazwisko widniało na tle nowojorskiego nieba. Zamierzam tam wybudować Cameron Plaza i Cameron Center. A pewnego dnia, Howardzie, wybuduję najwyższy drapacz chmur na świecie. Oto, czego chcę. Cameron Enterprises przenosi się do Nowego Jorku.

W Nowym Jorku właśnie trwał boom budowlany; działały tam takie rekiny, jak Zeckendorfowie, Harry Helmsley, Donald Trump, Urisowie i Rudinowie.

– Przyłączymy się do tego doborowego towarzystwa – oświadczyła Lara Kellerowi.

Zamieszkali w hotelu Regency, po czym wyruszyli na rekonesans. Lara nie mogła się nadziwić ogromowi i prężności tej kipiącej życiem metropolii. Drapacze chmur tworzyły kaniony, którymi przewalała się rzeka pojazdów.

– W porównaniu z Nowym Jorkiem Chicago przypomina Glace Bay! – powiedziała. Nie mogła się doczekać, kiedy przystąpi do akcji.

– Po pierwsze, musimy stworzyć ekipę fachowców. Dowiedz się, z kim współpracuje Rudin. Sprawdź, czy da się ich podkupić.

– Dobrze.

– Oto wykaz budynków, które mi się podobają – powiedziała Lara. – Zorientuj się, kto je projektował. Chciałabym się spotkać z tymi architektami.

Kellerowi zaczęło się udzielać jej podniecenie.

– Otworzę linię kredytową w bankach. Biorąc pod uwagę stan naszego posiadania w Chicago, nie powinno z tym być żadnego kłopotu. Nawiążemy kontakty z niektórymi kasami oszczędnościowo-pożyczkowymi i agencjami pośredniczącymi w handlu nieruchomościami.

– Świetnie.

– Laro, czy nie uważasz, że zanim przystąpimy do akcji, powinnaś zdecydować się, jak ma wyglądać twoja kolejna inwestycja?

Spojrzała na niego i odparła z niewinną miną:

– Nie powiedziałam ci jeszcze? Kupimy miejski szpital na Manhattanie.

Kilka dni wcześniej Lara wybrała się do fryzjera na Madison Avenue. Kiedy ją czesano, przysłuchiwała się rozmowie dwóch kobiet.

– Będzie nam pani brakowało, pani Walker.

– Mnie was również. Ile lat tu przychodziłam?

– Prawie piętnaście.

– Ależ ten czas leci! Będę tęskniła za Nowym Jorkiem.

– Kiedy pani wyjeżdża?

– Najszybciej, jak tylko będzie można. Wymówienia dostaliśmy dziś rano. Że też taki szpital, jak nasz, zostanie zamknięty z powodu braku gotówki! Kto by pomyślał, że po przepracowaniu w nim prawie dwudziestu lat listownie otrzymam zawiadomienie o zwolnieniu. Można się było spodziewać, że starczy im odwagi, by poinformować mnie o tym osobiście, prawda? Ku czemu zmierza ten świat?

Lara przysłuchiwała się uważnie.

– Nie czytałam nic w gazetach na temat zamknięcia szpitala.

– Nie, trzymają to w tajemnicy. Najpierw poinformowali personel.

Fryzjerka właśnie modelowała fryzurę Lary, kiedy ta podniosła się z fotela.

– Jeszcze nie skończyłam, panno Cameron.

– Nie szkodzi – powiedziała. – Spieszę się.

Szpital miejski na Manhattanie mieścił się w obskurnym, zrujnowanym budynku przy East Side i zajmował cały kwartał ulic. Lara przyglądała mu się przez dłuższy czas, ale w myślach widziała już nowy, majestatyczny drapacz chmur z szykownymi sklepami na parterze i luksusowymi mieszkaniami na wyższych piętrach.

Weszła do środka i spytała o nazwę firmy, która jest właścicielem budynku. Skierowano ją do biur Rogera Burnhama na Wall Street.

– Czym mogę pani służyć, panno Cameron?

– Słyszałam, że miejski szpital na Manhattanie jest na sprzedaż.

Spojrzał na nią, nie kryjąc zdumienia.

– Gdzie pani to usłyszała?

– Czy to prawda?

Zawahał się.

– Być może.

– A ja być może jestem zainteresowana jego kupnem. Jaka jest cena?

– Ależ... ja nic o pani nie wiem. Nie może pani ot, tak sobie, przyjść i oczekiwać, że przystąpię do negocjowania transakcji wartości dziewięćdziesięciu milionów dolarów. Ja...

– Dziewięćdziesiąt milionów? – Larze wydało się to sporo, ale zależało jej na lokalizacji. Mógłby to być niezły początek. – A więc rozmawiamy o takiej kwocie?

– O niczym nie rozmawiamy.

Lara wręczyła Rogerowi Burnhamowi banknot studolarowy.

– A cóż to ma znaczyć?

– To za czterdziestoośmiogodzinną opcję kupna. Proszę jedynie o czterdzieści osiem godzin. I tak nie przygotował pan jeszcze ogłoszenia, że budynek jest na sprzedaż. Co pan ryzykuje? Jeśli zapłacę żądaną cenę, otrzyma pan to, czego pan chciał.

– Ale przecież ja nic o pani nie wiem.

– Proszę zadzwonić do Mercantile Bank w Chicago i poprosić o rozmowę z Bobem Vance'em. Jest tam prezesem.

Popatrzył na nią przez dłuższą chwilę, pokręcił głową i mruknął pod nosem jakąś uwagę, zawierającą słowo „szaleństwo".

Sam odszukał numer telefonu. Lara siedziała, podczas gdy sekretarka łączyła Burnhama z Bobem Vance'em.

– Pan Vance? Tu mówi Roger Burnham z Nowego Jorku. Jest u mnie właśnie panna... – spojrzał na nią.

– Lara Cameron.

– Lara Cameron. Interesuje ją zakup należącej do nas nieruchomości i oświadczyła, że wszelkie referencje uzyskam od pana.

Siedział i słuchał głosu po drugiej stronie słuchawki.

– Naprawdę?... Rozumiem... Czyżby...? Nie, nie wiedziałem o tym... Dobrze... Dobrze. – Po dłuższej chwili powiedział: – Bardzo panu dziękuję.

Odłożył słuchawkę i spojrzał na Larę.

– Wygląda na to, że zrobiła pani w Chicago furorę.

– Zamierzam zrobić to samo w Nowym Jorku.

Burnham spojrzał na banknot studolarowy.

– A co z tym?

– Proszę sobie kupić kilka kubańskich cygar. Czy mam prawo pierwokupu, jeśli zapłacę żądaną cenę?

Siedział przyglądając się jej uważnie.

– Może to trochę niekonwencjonalne... ale owszem. Daję pani czterdzieści osiem godzin.

– Musimy działać szybko – zakomunikowała Lara Kellerowi. – Mamy czterdzieści osiem godzin, by załatwić sfinansowanie transakcji.

– Czy dysponujesz jakimiś cyframi?

– Orientacyjnymi. Dziewięćdziesiąt milionów za całą posesję i szacuję, że jakieś dwieście milionów za rozebranie szpitala i wzniesienie nowego gmachu.

Keller patrzył na nią.

– Czyli razem dwieście dziewięćdziesiąt milionów dolarów.

– Zawsze byłeś biegły w arytmetyce – zauważyła.

Zignorował jej słowa.

– Laro, skąd weźmiesz tyle pieniędzy?

– Pożyczymy je – odparła. – Biorąc pod uwagę to, co mamy w Chicago, plus nasz nowy nabytek w Nowym Jorku, nie powinno być problemów.

– To ogromne ryzyko. Tysiące rzeczy może nie wypalić. Ryzykujesz wszystko, co posiadasz, na...

– I właśnie dzięki temu jest to takie podniecające – powiedziała Lara. – Ryzykować i wygrywać.

Uzyskanie kredytu na inwestycję w Nowym Jorku okazało się jeszcze prostsze niż w Chicago. Burmistrz Koch wprowadził zarządzenie podatkowe, na mocy którego firmy budowlane, które w miejsce przestarzałych budynków wznosiły nowe gmachy, mogły ubiegać się o ulgi podatkowe, a przez pierwsze dwa lata w ogóle nie płaciły podatków.

Banki oraz kasy oszczędnościowo-pożyczkowe po sprawdzeniu stanu posiadania Lary Cameron wprost prześcigały się w ofertach.

Przed upływem czterdziestu ośmiu godzin Lara pojawiła się w gabinecie Brunhama i wręczyła mu czek na trzy miliony dolarów.

– To przedpłata – wyjaśniła. – Zapłacę cenę, jakiej pan żądał. A tamte sto dolarów proszę zatrzymać.

Podczas następnych sześciu miesięcy Keller załatwiał z bankami finansowanie, a Lara pochłonięta była współpracą z architektami, projektującymi budynek.

Wszystko przebiegało gładko. Architekci, przedsiębiorstwa budowlane i specjaliści od marketingu działali zgodnie z planem. Prace rozbiórkowe i budowa nowego gmachu miały się rozpocząć w kwietniu. Lara była niestrudzona. Codziennie o szóstej rano pojawiała się na placu budowy. Czuła się sfrustrowana, ponieważ na tym etapie budynek należał do robotników. Nie miała tu nic do roboty. Przyzwyczajona była do większej aktywności. Lubiła realizować jednocześnie kilka przedsięwzięć.

– Dlaczego nie rozejrzymy się za czymś nowym? – spytała Kellera.

– Bo jesteś bez reszty zaangażowana w ten projekt. Wystarczy, że weźmiesz głębszy oddech, a wszystko się rozsypie jak domek z kart. Wiesz, że zastawiłaś każdego centa, jakiego masz, by rozpocząć tę inwestycję? Jeśli coś się nie uda...

– Wszystko się uda. – Przyjrzała mu się uważnie. – Co cię trapi?

– Ta umowa z kasą oszczędnościowo-pożyczkową.

– Dlaczego? Przecież finansują nas, prawda?

– Nie podoba mi się ta klauzula o terminie ukończenia prac. Jeśli budynek nie zostanie ukończony do piętnastego marca, przejmą go, a ty stracisz wszystko, co masz.

Lara przypomniała sobie swoją pierwszą inwestycję w Glace Bay i jak jej przyjaciele zakasali rękawy i dokończyli budowę. Ale tym razem było inaczej.

– Nie martw się – powiedziała Kellerowi. – Skończymy na czas. Jesteś pewien, że nie możemy się rozejrzeć za czymś nowym?

Lara zwołała zebranie swoich pracowników z pionu handlowego.

– Umowy na sklepy na parterze są już podpisane – poinformował ją dyrektor handlowy. – I na ponad połowę mieszkań. Szacujemy, że zanim zostaną ukończone prace budowlane, sprzedamy trzy czwarte lokali, a resztę wkrótce potem.

– Chcę, żeby wszystkie zostały sprzedane przed oddaniem budynku do użytku – poleciła Lara. – Zwiększcie liczbę ogłoszeń.

– Dobrze.

Do gabinetu wszedł Keller.

– Muszę przyznać, że miałaś rację, Laro. Inwestycja przebiega zgodnie z planem.

– To będzie prawdziwa maszynka do robienia pieniędzy.

Na sześćdziesiąt dni przed terminem ukończenia prac, 15 stycznia, przystąpiono do montażu instalacji hydraulicznych i elektrycznych.

Lara obserwowała ludzi pracujących na rusztowaniach. Jednemu z robotników, który właśnie wyciągał paczkę papierosów, wysunął się z ręki klucz i poleciał w dół. Patrzyła z niedowierzaniem, jak klucz spada prosto na nią. Odskoczyła w bok. Serce waliło jej jak młotem. Robotnik zrobił przepraszający gest.

Lara, blada ze złości, pojechała windą tam, gdzie pracował robotnik. Nie zwracając uwagi na przyprawiającą o zawroty głowy wysokość, podeszła po rusztowaniach do mężczyzny.

– Czy to ty upuściłeś klucz?

– Tak, przepraszam.

Wymierzyła mu solidny policzek.

– Jesteś zwolniony. Natychmiast się stąd wynoś.

– Ejże – krzyknął robotnik – to był wypadek. Przecież…

– Wynoś się stąd.

Mężczyzna spoglądał na nią przez moment błyszczącymi ze złości oczami, po czym zjechał windą na dół.

Lara wzięła głęboki oddech, by odzyskać panowanie nad sobą. Pozostali robotnicy obserwowali całe zajście w milczeniu.

– Wracajcie do pracy – poleciła.

Lara wybrała się na lunch z Samem Gosdenem, nowojorskim adwokatem, który opiniował i opracowywał dla niej umowy.

– Słyszałem, że wszystko przebiega bardzo dobrze – powiedział Gosden.

Uśmiechnęła się radośnie.

– Lepiej niż dobrze. Za kilka dni ukończymy prace.

– Muszę ci się do czegoś przyznać.

– Tylko uważaj, żeby się to nie obróciło przeciwko tobie.

Roześmiał się.

– Założyłem się, że nie uda ci się to przedsięwzięcie.

– Naprawdę? Dlaczego?

– Inwestycje budowlane na taką skalę to zabawa dla mężczyzn. Dopuszczają do tej gry jedynie drobne, siwowłose panie, które sprzedają poszczególne mieszkania.

– Zakładałeś się przeciwko mnie? – zapytała z niedowierzaniem.

Sam Gosden uśmiechnął się znowu.

– Tak.

Lara pochyliła się ku niemu.

– Sam...

– Słucham?

– Nikt z moich ludzi nie może robić zakładów przeciwko mnie. Jesteś zwolniony.

Siedział oszołomiony, obserwując, jak Lara opuszcza restaurację.

Kiedy w następny poniedziałek Lara zbliżała się do placu budowy, poczuła, że coś jest nie w porządku. Nagle uświadomiła sobie, co to takiego. Panowała tam dziwna cisza. Nie słyszała odgłosu młotków ani świdrów. Kiedy znalazła się na miejscu, spojrzała z niedowierzaniem. Robotnicy zbierali narzędzia i kierowali się do wyjścia. Kierownik pakował swoje rzeczy. Lara podeszła do niego.

– Co się tu dzieje? – spytała ostrym tonem. – Przecież dopiero siódma rano.

– Zabieram swoich ludzi.

– O czym pan mówi?

– Złożono skargę, panno Cameron.

– Jaką znów skargę?

– Czy uderzyła pani jednego z robotników?

– Słucham? – Zdążyła już zapomnieć o tym incydencie. – Tak. Zasłużył sobie na to. Wyrzuciłam go z pracy.

– Czy otrzymała pani jakiś specjalny przywilej i wolno pani kręcić się po placu budowy i wymierzać policzki ludziom, którzy dla pani pracują?

– Chwileczkę – powiedziała Lara. – To nie było tak. Upuścił klucz. Omal mnie nie zabił. Chyba straciłam panowanie nad sobą. Przykro mi, ale nie chcę go więcej widzieć u siebie.

– Nie wróci tu – zapewnił ją kierownik. – Podobnie jak żaden z nas.

Lara patrzyła na niego.

– Czy to jakiś żart?

– Mój związek wcale nie uważa tego za żart – oświadczył kierownik. – Polecono nam opuścić plac budowy, co niniejszym czynimy.

– Podpisaliście umowę.

– Pani ją złamała – odparował kierownik. – Jeśli miała pani jakieś uwagi, trzeba się było zwrócić do związku.

Skierował się w stronę wyjścia.

– Chwileczkę. Proszę posłuchać. Jestem… jestem gotowa przeprosić tego człowieka i przywrócić go do pracy.

– Panno Cameron, obawiam się, że nic pani nie rozumie. On wcale nie chce tu wrócić. Nowy Jork to wielkie miasto. Wszędzie powitają nas z otwartymi rękami. Powiem pani jeszcze coś. Mamy za dużo roboty, by sobie pozwolić na to, żeby nasi szefowie nas policzkowali.

Lara stała, przyglądając się, jak mężczyzna odchodzi. Przypominało to najgorszy koszmar.

Pośpieszyła do biura, by podzielić się tą wiadomością z Kellerem.

Zanim otworzyła usta, powiedział:

– Słyszałem. Rozmawiałem przez telefon ze związkiem.

– No i co? – spytała niecierpliwie.

– Oświadczyli, że w przyszłym miesiącu przeprowadzą przesłuchanie.

Na twarzy Lary malowało się przerażenie.

– W przyszłym miesiącu? Przecież do ukończenia prac pozostało nam niespełna sześćdziesiąt dni!

– Mówiłem im to.

– A oni co na to?

– Że to nie ich zmartwienie.

Lara opadła na kanapę.

– O mój Boże. I co my teraz zrobimy?

– Nie wiem.

– Może uda nam się przekonać bank, by... – Dostrzegła wyraz twarzy Kellera. – Domyślam się, że nie. – Nagle rozpromieniła się. – Już wiem. Wynajmiemy inną firmę budowlaną i...

– Laro, żaden członek związku nie dotknie się tego budynku.

– Powinnam zabić tego drania.

– Racja. To by nam bardzo pomogło – powiedział oschle Keller.

Wstała i zaczęła przemierzać pokój.

– Mogłabym poprosić Sama Gosdena, żeby... – Nagle przypomniała sobie. – Nie, zwolniłam go.

– Dlaczego?

– Nieważne.

– Może gdyby udało nam się dotrzeć do dobrego specjalisty od prawa pracy... kogoś wpływowego – myślał na głos Keller.

– Dobry pomysł. Kogoś, kto potrafi szybko działać. Znasz kogoś takiego?

– Nie. Ale Sam Gosden wspomniał podczas jednego z naszych spotkań o niejakim Paulu Martinie.

– Co to za jeden?

– Nie wiem. Pamiętam, że rozmawialiśmy akurat o problemach ze związkami, kiedy padło jego nazwisko.

– Wiesz, gdzie pracuje?

– Nie.

Lara zadzwoniła na sekretarkę.

– Kathy, na Manhattanie działa pewien prawnik. Nazywa się Paul Martin. Zdobądź mi jego adres.

– Raczej poproś, by dowiedziała się o numer jego telefonu, żebyś się mogła z nim umówić – powiedział Keller.

– Nie ma na to czasu. Nie mogę siedzieć z założonymi rękami i czekać na spotkanie. Pójdę do niego jeszcze dzisiaj. Jeśli będzie nam mógł pomóc, to świetnie. Jeśli nie, będziemy musieli znaleźć inne wyjście.

Ale innego wyjścia nie ma, pomyślała z determinacją.

Rozdział 12

Kancelaria Paula Martina mieściła się na dwudziestym czwartym piętrze biurowca przy Wall Street. Na drzwiach była tabliczka z napisem: „Paul Martin, adwokat".

Lara zaczerpnęła głęboko powietrza i weszła do środka. Sekretariat był mniejszy, niż się spodziewała. Stało w nim jedno porysowane biurko, za którym siedziała tleniona blondynka.

– Dzień dobry. W czym mogę pani pomóc?

– Przyszłam, żeby się zobaczyć z panem Martinem – powiedziała Lara.

– Czy oczekuje pani?

– Tak. – Nie było czasu na wyjaśnienia.

– Przepraszam, jak pani nazwisko?

– Cameron. Lara Cameron.

Sekretarka spojrzała na nią dziwnie.

– Jedną chwileczkę. Sprawdzę, czy pan Martin może panią teraz przyjąć.

Wstała zza biurka i zniknęła za drzwiami gabinetu.

Musi mnie przyjąć, pomyślała Lara.

Po chwili sekretarka pojawiła się ponownie.

– Pan Martin czeka na panią.

Lara stłumiła westchnienie ulgi.

– Dziękuję.

Weszła do gabinetu. Był niewielki i prosto urządzony. Biurko, dwie kanapy, niski stolik i kilka krzeseł.

Nie przypomina gabinetu osoby, która wiele może, skonstatowała Lara.

Za biurkiem siedział sześćdziesięciokilkuletni mężczyzna. Miał twarz pooraną głębokimi bruzdami, orli nos i grzywę siwych włosów. Emanowała z niego jakaś zwierzęca witalność. Ubrany był w niemodny, szary, dwurzędowy garnitur w prążki i białą koszulę z wąskim kołnierzykiem.

– Sekretarka powiedziała, że jest pani ze mną umówiona – przemówił chrapliwym, niskim głosem, wzbudzającym szacunek.

– Przepraszam – powiedziała Lara. – Musiałam się z panem zobaczyć. To sprawa niecierpiąca zwłoki.

– Proszę usiąść, panno...

– Cameron. Lara Cameron. – Przysunęła sobie krzesło.

– W czym mogę pani pomóc?

Lara zaczerpnęła powietrza.

– Mam mały kłopot. – Dwudziestoczteropiętrową konstrukcję z betonu i stali, porzuconą przez robotników. – Chodzi o pewien budynek.

– Mianowicie?

– Jestem przedsiębiorcą budowlanym, panie Martin. Właśnie realizuję budowę biurowca na East Side i mam problem ze związkiem zawodowym.

Słuchał w milczeniu.

130

– Poniosły mnie nerwy i wymierzyłam policzek jednemu z robotników – kontynuowała pośpiesznie. – Związek ogłosił strajk.

Przyglądał się jej uważnie, wyraźnie zaintrygowany.

– Panno Cameron... a co to wszystko ma wspólnego ze mną?

– Słyszałam, że mógłby mi pan pomóc.

– Obawiam się, że ktoś wprowadził panią w błąd. Jestem adwokatem reprezentującym duże spółki. Nie zajmuję się budownictwem i nie prowadzę negocjacji ze związkami.

Serce w niej zamarło.

– Och, myślałam... czyli nic nie może pan dla mnie zrobić?

Położył dłoń na biurku, jakby zamierzał wstać.

– Mogę pani udzielić dwóch rad. Proszę się zwrócić do adwokata specjalizującego się w prawie pracy. Niech pozwie związek do sądu i...

– Nie mam na to czasu. Gonią mnie terminy. A... a jaka jest pańska druga rada?

– Proszę się wycofać z inwestycji budowlanych. – Utkwił wzrok w jej piersiach. – Nie posiada pani odpowiednich warunków do tej pracy.

– Słucham?

– To zajęcie nie dla kobiet.

– A czym, według pana, powinny się zajmować kobiety? – spytała gniewnym tonem. – Gotowaniem, praniem i dziećmi?

– Tak, czymś w tym rodzaju.

Lara podniosła się. Widać było, że z trudem zachowuje panowanie nad sobą.

– Widocznie wywodzi się pan w prostej linii od dinozaurów. Może nie dotarły do pana najświeższe wiadomości. Nadeszły czasy, kiedy kobiety są wolne.

Paul Martin pokręcił głową.

– Nie, tylko bardziej hałaśliwe.

– Do widzenia, panie Martin. Przykro mi, że zajęłam panu aż tyle cennego czasu.

Odwróciła się i wymaszerowała z gabinetu, trzaskając drzwiami. Już na korytarzu przystanęła i wzięła głęboki oddech.

Popełniłam błąd, pomyślała.

Znalazła się w ślepym zaułku. Wszystko, co stworzyła w ciągu kilku lat, postawiła na jedną kartę i w jednej krótkiej chwili straciła. Nie miała się do kogo zwrócić. Nie miała dokąd iść.

Wszystko skończone.

Przemierzała ulice w strugach deszczu. Zupełnie nie zdawała sobie sprawy z tego, co dzieje się wokół, nie zwróciła też uwagi, że wieje przenikliwy wiatr. Była całkowicie pochłonięta myślami o dotkliwej klęsce, którą poniosła. W uszach dźwięczały jej słowa ostrzeżenia Kellera:

„Wznosi się budynki, zaciągając na nie kredyt. Przypomina to piramidę, ale jeśli jest się nieostrożnym, piramida może runąć".

I właśnie runęła. Banki z Chicago wejdą na hipotekę jej nieruchomości i straci wszystkie pieniądze, które zainwestowała w nowe przedsięwzięcie. Będzie musiała zaczynać od początku.

Biedny Howard, pomyślała. Uwierzył w moje marzenia, a ja go zawiodłam.

Deszcz ustał i niebo zaczęło się przejaśniać. Blade słońce próbowało się przedrzeć przez warstwę chmur. Nagle Lara uświadomiła sobie, że świta. Chodziła po mieście całą noc. Rozejrzała się i dopiero teraz zdała sobie sprawę z tego, gdzie jest. Była tylko dwie ulice od pechowej inwestycji.

Rzucę na nią okiem po raz ostatni, pomyślała zrezygnowana.

Pierwsze odgłosy pracy usłyszała, gdy była jeszcze przecznicę przed placem budowy. Powietrze wypełniał hałas świdrów pneumatycznych, młotów i betoniarek. Przystanęła, nasłuchując, a po chwili rzuciła się pędem w stronę placu budowy. Kiedy znalazła się na miejscu, stanęła, rozglądając się zdumiona.

Cała ekipa zwijała się jak w ukropie.

Podbiegł do niej uśmiechnięty kierownik budowy.

– Dzień dobry, panno Cameron.

Lara w końcu odzyskała głos.

– Co... co się tu dzieje? Myślałam... myślałam, że odwołał pan swoich ludzi.

– Panno Cameron, zaszło drobne nieporozumienie – powiedział wyraźnie zakłopotany. – Bruno, upuszczając ten klucz, mógł przecież panią zabić.

Lara przełknęła ślinę.

– Ale przecież on...

– Proszę się nie martwić. Nie ma go tutaj. Nigdy już nie przydarzy się nic podobnego. Może pani być spokojna. Nadgonimy z robotą.

Myślała, że śni. Stała, obserwując ludzi, uwijających się na rusztowaniach.

Znów wszystko odzyskałam. Wszyściuteńko. To dzięki Paulowi Martinowi, pomyślała.

Zatelefonowała do niego natychmiast po powrocie do biura.

– Przykro mi, ale pan Martin jest nieobecny – oznajmiła sekretarka.

– Proszę go poprosić, by do mnie zadzwonił – powiedziała Lara i podała swój numer telefonu.

Ponieważ do trzeciej po południu nie zatelefonował, znów do niego zadzwoniła.

– Przykro mi, pana Martina nie ma w biurze.

Nie oddzwonił.

O piątej po południu udała się do biura Paula Martina.

– Proszę powiedzieć panu Martinowi, że chciałaby się z nim zobaczyć Lara Cameron – zwróciła się do sekretarki.

Dziewczyna sprawiała wrażenie osoby, która nie wie, jak postąpić.

– Pan Martin... Chwileczkę. – Zniknęła za drzwiami gabinetu i wróciła minutę później. – Proszę wejść.

Kiedy Lara pojawiła się na progu, Paul Martin uniósł głowę.

– Słucham panią, panno Cameron? – przemówił chłodnym, obojętnym tonem. – W czym mogę pani pomóc?

– Przyszłam panu podziękować.

– Podziękować? Za co?

– Za... za wyjaśnienie nieporozumienia ze związkiem.

Zmarszczył brwi.

– Nie wiem, o czym pani mówi.

– Dziś rano cało ekipa wróciła do pracy i wszystko idzie cudownie. Prace postępują zgodnie z harmonogramem.

– Cóż, gratuluję.

– Kiedy będę mogła uregulować pańskie honorarium...

– Panno Cameron, zdaje się, że to jakieś nieporozumienie. Cieszę się, że pani problem został rozwiązany. Ale nie mam z tym nic wspólnego.

Popatrzyła na niego przez dłuższą chwilę.

– Rozumiem. Przepraszam... przepraszam, że pana niepokoiłam.

– Nie ma sprawy. – Obserwował, jak opuszcza gabinet.

Po chwili weszła sekretarka.

– Panna Cameron zostawiła dla pana tę paczkę, panie Martin.

Było to niewielkie pudełko przewiązane kolorową wstążką. Zaintrygowany otworzył je. W środku była srebrna figurka rycerza w pełnej zbroi, gotowego do walki.

Przeprosiny. Jak mnie nazwała? Dinozaur – przypomniał sobie. Wciąż słyszał głos swego dziadka:

„To były niebezpieczne czasy, Paul. Młodzi postanowili przejąć kontrolę nad mafią, pozbyć się starej gwardii, wąsatych wujów, dinozaurów. Rozprawa była krwawa, ale dopięli swego".

Ale miało to miejsce dawno, dawno temu, w jego dalekiej ojczyźnie. Na Sycylii.

Rozdział 13

W oczach mieszkańców małej sycylijskiej wioski Gibellina rodzina Martinich należała do stranieri, obcych. Okolice były niegościnne, nieurodzajne, martwe pola skąpane w bezlitośnie prażącym słońcu przywodziły na myśl krajobraz namalowany przez malarza sadystę. W krainie, gdzie ziemia należała do Gabellotich, bogatych obszarników, rodzina Martinich kupiła małe gospodarstwo i postanowiła samodzielnie je prowadzić.

Pewnego dnia Giuseppe Martiniemu złożył wizytę *soprintendente* – nadzorca.

– Ziemia w twoim małym gospodarstwie jest zbyt kamienista – powiedział. – Uprawiając na niej oliwki i winną latorośl, nigdy nie zarobisz na przyzwoite życie.

– Nie martw się o mnie – odparł Martini. – Całe życie pracowałem na roli.

– Nie tylko ja martwię się o twój los – oświadczył soprintendente. – Don Vito ma trochę dobrej ziemi i gotów ci ją wydzierżawić.

– Znam Don Vita i jego ziemię – parsknął Giuseppe Martini. – Jeśli podpiszę z nim dzierżawę, będzie mi odbierał trzy czwarte zbiorów, a za ziarno na siew policzy odsetki w wysokości stu procent. Zostanę z pustymi rękami, tak jak inni głupcy, którzy robią z nim interesy. Powtórz mu, że nie skorzystam z jego oferty.

– Popełniasz duży błąd, signore. To niebezpieczne okolice. Zdarzają się tu przykre wypadki.

– Grozisz mi?

– Ależ skąd, signore. Zwracam ci jedynie uwagę na...

– Wynoś się z mojej ziemi – przerwał mu Giuseppe Martini.

Nadzorca spojrzał na niego przeciągle, a potem smutno pokiwał głową.

– Uparty z ciebie człowiek.

Mały syn Giuseppe Martiniego, Ivo, spytał:

– Tato, kto to był?

– To nadzorca jednego z wielkich właścicieli ziemskich.

– Nie podoba mi się – odrzekł chłopiec.

– Mnie też nie, Ivo.

Następnej nocy ktoś podpalił pole Giuseppe Martiniego. Zniknęło też parę sztuk bydła.

Wtedy to Giuseppe Martini popełnił drugi błąd. Zwrócił się do stacjonującej w wiosce guardii.

– Żądam ochrony – powiedział.

Szef policji przyjrzał mu się uważnie.

– Od tego tu jesteśmy – oświadczył dyplomatycznie. – Jakie ma pan kłopoty, *signore*?

– Ostatniej nocy ludzie Don Vita podpalili moje pole i skradli mi bydło.

– To poważne oskarżenie. Czy może pan tego dowieść?

– Odwiedził mnie jego *soprintendente* i mi groził.

– Czy powiedział panu, że zamierza podpalić pańskie pole i ukraść bydło?

– Oczywiście, że nie – odparł Giuseppe.

– A co powiedział?

– Że powinienem zrezygnować z własnego gospodarstwa i wydzierżawić ziemię od Don Vita.

– A pan odmówił?

– Naturalnie.

– Signore, Don Vito to bardzo wpływowy człowiek. Czy chce pan, bym go aresztował za to, że zaproponował panu podzielenie się swoimi urodzajnymi polami?

– Chcę, byście mnie chronili – zażądał Martini. – Nie pozwolę im się przepędzić z własnej ziemi.

– Doskonale pana rozumiem, *signore*. Zobaczę, co będę mógł zrobić.

– Dziękuję.

– Proszę uważać sprawę za załatwioną.

Kiedy następnego popołudnia Ivo wracał z miasteczka, ujrzał kilku mężczyzn zmierzających w stronę gospodarstwa ojca. Przed domem zsiedli z koni i weszli do środka.

Kilka minut później Ivo zobaczył, jak wywlekli na podwórze jego ojca.

Jeden z mężczyzn wyciągnął karabin.

– Damy ci szansę ucieczki. Biegnij.

– Nie! To moja ziemia! Nie...

Ivo obserwował ze zgrozą, jak mężczyzna wystrzelił w ziemię tuż u stóp ojca.

– Uciekaj!

Giuseppe Martini zaczął biec.

*Campieri** dosiedli koni i zaczęli galopować wokół niego, wrzeszcząc przy tym jak opętani.

Ivo ukrył się, obserwując z przerażeniem okropną scenę.

Jeźdźcy obserwowali biegnącego polem mężczyznę, próbującego się ratować. Za każdym razem, kiedy udało mu się dotrzeć do skraju szosy, jeden z nich zbliżał się galopem, by zagrodzić mu drogę, i powalał go na ziemię. Martini był zakrwawiony i wyczerpany. Biegł coraz wolniej.

Kiedy jeźdźcom znudziła się gonitwa, jeden z nich zarzucił sznur na ramiona mężczyzny i powlókł go w stronę studni.

– Dlaczego? – wykrztusił Martini. – Co takiego zrobiłem?

– Zwróciłeś się do guardii. Nie powinieneś tego robić.

Campieri ściągnęli ofierze spodnie, jeden z nich wyciągnął nóż, podczas gdy pozostali przytrzymywali Martiniego.

– Niech będzie to dla ciebie nauczką.

_____

* *Campieri* – w XVIII wieku prywatni strażnicy majątków ziemskich (przyp. red.).

Mężczyzna zaczął krzyczeć.

– Nie, błagam! Przepraszam.

Strażnik uśmiechnął się.

– Powiedz to swojej żonie.

Pochylił się, chwycił go za genitalia i obciął je nożem.

Powietrze wypełnił przeraźliwy wrzask.

– I tak nie będziesz ich już potrzebował – zapewnił i wetknął mu do ust ucięte genitalia.

Martini odkaszlnął i wypluł je.

Dowódca spojrzał na swoich towarzyszy.

– Nie smakuje mu.

– *Uccidi quel figlio di puttana!* Zabij tego sukinsyna!

Jeden z mężczyzn zsiadł z konia i przyniósł z pola kilka kamieni. Wciągnął ofierze zakrwawione spodnie, a ich kieszenie napełnił kamieniami.

– No, czas ruszać w drogę.

Podnieśli go i zawlekli do studni.

– Przyjemnej podróży.

Przerzucili go przez cembrowinę.

– Ta woda będzie teraz miała smak szczyn – powiedział jeden z nich.

– Wieśniacy i tak się nie poznają – roześmiał się drugi.

Stali przez chwilę, nasłuchując cichnących odgłosów, które dochodziły ze studni, póki zupełnie nie ustały. Wtedy dosiedli koni i skierowali się w stronę domu.

Ukryty w pewnej odległości w krzakach dziesięcioletni Ivo Martini, obserwujący przerażonym wzrokiem całe wydarzenie, podbiegł do studni.

Spojrzał w jej głąb i wyszeptał:

– Tatusiu…

Ale z czeluści studni nie wydobywał się żaden dźwięk.

Kiedy *campieri* skończyli z Giuseppe Martinim, udali się na poszukiwanie jego żony, Marii. Zastali ją w kuchni.

– Gdzie jest mój mąż? – spytała ostrym tonem.

– Poszedł się napić wody – odparli ze śmiechem.

Dwaj przybysze zbliżyli się do kobiety. Jeden z nich zauważył:

– Jesteś za ładna, jak na żonę takiego brzydala.

– Wynoście się z mojego domu – powiedziała Maria.

– To w taki sposób traktujesz gości? – Jeden z mężczyzn rozdarł jej sukienkę. – Nie będzie ci potrzebna, bo i tak przywdziejesz wdowie szaty.

– Bydlaki!

Na piecu stał garnek z wrzątkiem. Maria złapała naczynie i rzuciła nim w twarz mężczyźnie.

Wrzasnął z bólu.

– *Fica!* Pizda!– Uniósł karabin i wystrzelił w jej stronę.

Osunęła się martwa na podłogę.

Dowódca krzyknął:

– Ty idioto! Najpierw chcieliśmy się z nią zabawić, a dopiero potem zabić. Chodźmy zdać raport.

Pół godziny później dotarli do majątku Don Vita.

– Załatwiliśmy małżonków – zameldował dowódca *campieri*.

– A co z synem?

Dowódca ze zdumieniem spojrzał na szefa.

– Nic pan nie mówił o synu.

– *Cretino!* Powiedziałem, żeby się zająć całą rodziną.

– Ale przecież to jeszcze dziecko.

– Z dzieci kiedyś wyrastają mężczyźni. Mężczyźni pałają żądzą zemsty. Macie go zabić.

– Rozkaz.

Dwaj mężczyźni wrócili do gospodarstwa Martinich.

Ivo był w stanie szoku. Widział, jak zamordowano oboje jego rodziców. Został na świecie zupełnie sam. Nie miał dokąd iść ani do kogo się zwrócić. Chwileczkę! Był ktoś, do kogo mógł się udać: mieszkający w Palermo brat ojca, Nunzio Martini. Ivo wiedział, że musi działać szybko. Ludzie Don Vita wkrótce znów się pojawią, by zabić również jego. Dziwił się, dlaczego od razu tego nie zrobili. Chłopiec zapakował nieco jedzenia do plecaka, przerzucił go przez ramię i pośpiesznie opuścił dom, kierując się w stronę biegnącej przez wioskę drogi. Kiedy tylko słyszał nadjeżdżający wóz, ukrywał się między drzewami.

Po godzinie Ivo ujrzał *campieri*, jadących drogą i rozglądających się wkoło. Skrył się i jeszcze długo po ich zniknięciu siedział bez ruchu, nim w końcu ruszył dalej. Nocami ukrywał się w sadach, by się nieco przespać. Żywił się owocami i warzywami. Wędrował tak trzy dni.

Kiedy uznał, że nie zagrażają mu już ludzie Don Vita, zaszedł do małej wioski. Godzinę później siedział na furmance zdążającej do Palermo.

Ivo dotarł do domu swego wuja w środku nocy. Nunzio Martini mieszkał na przedmieściu w przestronnym, dostatnio wyglądającym domu z dużym balkonem, tarasami i obszernym podwórzem. Ivo zaczął walić w drzwi. Po długiej chwili rozległ się gruby głos:

– Kto tam, u diabła?

– Wuju Nunzio, to ja, Ivo.

Chwilę później Nunzio Martini otworzył drzwi. Wuj Iva był potężnym mężczyzną w średnim wieku. Miał wydatny orli nos i siwe falujące włosy. Ubrany był jedynie w nocną koszulę. Spojrzał na chłopca, nie kryjąc zdumienia.

– Ivo! Co ty tu robisz w środku nocy? Gdzie twoi rodzice?

– Nie żyją – powiedział Ivo, wybuchając szlochem.

– Co?! Wejdź no do środka.

Ivo przekroczył próg domu.

– To straszne. Jakiś wypadek?

Potrząsnął głową.

– Kazał ich zamordować Don Vito.

– Zamordować? Ale dlaczego?

– Bo ojciec nie chciał od niego wydzierżawić ziemi.

– Aha.

– Wuju, powiedz, dlaczego Don Vito kazał ich zabić? Przecież nic mu nie zrobili.

– Nie chodziło tu o żadne prywatne porachunki z twoim ojcem – oświadczył Nunzio Martini.

Ivo spojrzał na niego zdziwiony.

– Nie rozumiem.

– Wszyscy słyszeli o Don Vicie, to powszechnie znana postać. Należy do *uomo rispettato*, posiadających władzę ludzi honoru. Gdyby pozwolił twemu ojcu stawić sobie opór, inni też próbowaliby mu się przeciwstawiać i straciłby całą swoją władzę. Nic nie możemy zrobić.

Chłopiec przyglądał mu się z osłupieniem.

– Nic?

– Nie teraz, mój chłopcze, nie teraz. Ivo, wyglądasz jak ktoś, komu przydałoby się nieco snu.

Rano, podczas śniadania, wuj spytał:

– Czy nie chciałbyś zamieszkać w tym pięknym domu i pracować dla mnie? – Nunzio Martini był wdowcem.

– Myślę, że by mi to odpowiadało – odparł Ivo.

– A mnie przyda się taki mądry chłopiec jak ty. Sprawiasz również wrażenie silnego.

– Bo jestem silny – powiedział.

– To dobrze.

– Wujku, a co ty właściwie robisz? – spytał Ivo.

Nunzio Martini się uśmiechnął.

– Ochraniam ludzi.

Mafia rozprzestrzeniła się na całej Sycylii i w innych dotkniętych biedą częściach Włoch. Chroniła ludzi przed bezlitosnym, tyrańskim rządem, walczyła z niesprawiedliwością, mściła się za krzywdy i w końcu stała się tak potężną siłą, że zaczęły się jej bać nawet władze, a okoliczna ludność płaciła haracz za „opiekę".

Nunzio Martini był capo mafii w Palermo. Pilnował, by kupcy i chłopi w terminie płacili wyznaczony haracz i wymierzał karę tym, którzy uchylali się od płacenia. Stosowano różne rodzaje kar. Od łamania ręki lub nogi, aż po zadawanie powolnej śmierci w męczarniach.

Ivo zaczął pracować dla swego wuja.

Przez następne piętnaście lat szkołą Iva było Palermo, a wuj Nunzio – jego mistrzem. Ivo zaczął swoją karierę jako chłopiec na posyłki, potem awansował na poborcę, w końcu stał się zastępcą swego wuja.

W wieku dwudziestu pięciu lat ożenił się z Carmelą, hożą sycylijską dziewczyną. Rok później urodził im się syn, Gian Carlo. Ivo przeniósł się z rodziną do własnego domu. Po śmierci wuja zajął jego miejsce i mógł się nawet pochwalić większymi sukcesami niż Nunzio. Wciąż jednak nie dawała mu spokoju jedna niezałatwiona sprawa.

Pewnego dnia powiedział do Carmeli:

– Zacznij pakować dobytek. Przenosimy się do Ameryki.

Spojrzała na niego zdumiona.

– Dlaczego mamy jechać do Ameryki?

Ivo nie był przyzwyczajony do tego, by mu zadawano pytania.

– Rób, co ci mówię. Wyjeżdżam na dwa, trzy dni.

– Ivo…

– Pakuj rzeczy.

Przed posterunkiem guardii w Gibellinie zatrzymały się trzy czarne auta. Kiedy otworzyły się drzwi i do środka weszło kilku mężczyzn, kapitan, który w ciągu tych lat przytył o piętnaście kilogramów, siedział akurat za biurkiem. Przybysze byli przyzwoicie ubrani i wyglądali na dobrze sytuowanych.

– Dzień dobry panom. W czym mogę pomóc?

– To my przyszliśmy pomóc tobie – powiedział Ivo. – Pamiętasz mnie? Jestem synem Giuseppe Martiniego.

Kapitan policji otworzył szeroko oczy ze zdumienia.

– Ivo? Po co tu przyjechałeś? Te okolice są dla ciebie niebezpieczne.

– Przyjechałem ze względu na twoje zęby.

– Moje zęby?

– Tak. – Dwaj ludzie Iva otoczyli i chwycili kapitana za ręce. – Musisz zrobić z nimi porządek. Pozwól, że ci pomogę.

Wepchnął pistolet do ust komendanta i pociągnął za spust, po czym odwrócił się do swoich towarzyszy i powiedział:

– Idziemy.

Piętnaście minut później trzy samochody zajechały przed dom Don Vita. Dwaj strażnicy stojący na zewnątrz z zainteresowaniem przyglądali się kawalkadzie pojazdów. Wozy zatrzymały się i z jednego z nich wysiadł Ivo.

– Dzień dobry. Oczekuje nas Don Vito – powiedział. Jeden ze strażników zmarszczył brwi.

– Nic nie mówił o...

Lupara to straszna broń, zwłaszcza gdy załaduje się ją grubym śrutem. Strażnicy zostali wprost rozerwani na strzępy.

Don Vito usłyszał odgłosy strzelaniny. Kiedy wyjrzał przez okno i zobaczył, co się dzieje, szybko podbiegł do szafki i wyciągnął z szuflady pistolet.

– Franco! – zawołał. – Antonio! Pośpieszcie się!

Z zewnątrz dobiegły go odgłosy kolejnych strzałów.

– Don Vito... – rozległ się czyjś głos.

Odwrócił się gwałtownie i ujrzał Iva z bronią wycelowaną w niego.

– Rzuć to.

– Ja...

– Rzucaj!

Don Vito upuścił pistolet na podłogę.

– Bierz, co chcesz, i wynoś się stąd.

– Niczego nie chcę – powiedział Ivo. – Mówiąc szczerze, przyszedłem tutaj, bo jestem ci coś winien.

– Mogę z tego zrezygnować, bez względu na to, co to jest – oświadczył Don Vito.

– Ale ja nie. Wiesz, kim jestem?

– Nie.

– Nazywam się Ivo Martini.

Starzec zmarszczył brwi, próbując sobie przypomnieć. Wzruszył ramionami.

– Nic mi nie mówi twoje nazwisko.

– Ponad piętnaście lat temu twoi ludzie zabili moich rodziców.

– To straszne – wykrzyknął Don Vito. – Ukarałbym ich, gdybym...

Ivo zamachnął się i z całej siły uderzył go w twarz kolbą pistoletu. Z nosa starca popłynęła krew.

– To zupełnie niepotrzebne – wystękał Don Vito. – Ja...

Ivo wyciągnął nóż.

– Ściągaj spodnie.

– Dlaczego? Nie możesz przecież...

Ivo uniósł broń.

– Ściągaj spodnie.

– Nie! – wrzasnął przeraźliwie Don Vito. – Zastanów się, co robisz. Mam synów i braci. Jeśli zrobisz mi krzywdę, odnajdą cię i zabiją jak psa.

– Jeśli im się uda mnie odnaleźć – powiedział Ivo. – Ściągaj spodnie.

– Nie.

Ivo wycelował w kolano Don Vita i pociągnął za spust. Starzec zawył z bólu.

– Pomogę ci – zaproponował Ivo. Podszedł i zdarł z niego najpierw spodnie, a potem bieliznę. – O, widzę, że niewiele tu mamy. No cóż, postaramy się zrobić, co się da. – Chwycił go za genitalia i uciął je nożem.

Don Vito zemdlał.

Ivo wepchnął ucięte genitalia w usta mężczyzny.

– Żałuję, że nie ma w pobliżu studni, do której mógłbym cię wrzucić – powiedział. Na pożegnanie strzelił starcowi w głowę, po czym odwrócił się i opuścił dom. Jego kompani już czekali na niego w samochodzie.

– Jedziemy.

– Ivo, on ma liczną rodzinę. Będą cię ścigać.

– Niech spróbują.

Dwa dni później Ivo wraz z żoną i synem, Gian Carlem, znajdowali się już na pokładzie statku płynącego do Nowego Jorku.

Przy końcu ubiegłego wieku Nowy Świat był krajem ogromnych możliwości. W Nowym Jorku mieszkało sporo Włochów. Wielu przyjaciół Iva już wcześniej wyemigrowało do tego wielkiego miasta i postanowiło zająć się tym, na czym znało się najlepiej: ochroną. Mafia zaczęła rozpościerać swoje macki. Ivo zmienił nazwisko na brzmiące bardziej po angielsku Martin. Powodziło mu się całkiem dobrze.

Gian Carlo zawiódł pokładane w nim nadzieje. Nie interesowała go praca. Kiedy miał dwadzieścia siedem lat, dziewczyna, z którą chodził, zaszła w ciążę. Odbył się cichy ślub, a trzy miesiące później nowożeńcom urodził się syn, Paul.

Ivo snuł ambitne plany na przyszłość. Prawnicy w Ameryce odgrywali bardzo dużą rolę, Ivo postanowił więc, że jego wnuk zostanie adwokatem. Chłopiec był zdolny i pracowity; w wieku dwudziestu dwóch lat został przyjęty na wydział prawa na Harvardzie. Kiedy ukończył studia, Ivo załatwił mu pracę w szacownej kancelarii adwokackiej. Wkrótce Paul został wspólnikiem, a pięć lat później otworzył własną firmę adwokacką. W tym czasie Ivo, choć poczynił poważne inwestycje w legalnie działających przedsiębiorstwach, wciąż utrzymywał stosunki z mafią. W prowadzeniu interesów pomagał mu wnuk. W 1967, w roku śmierci Iva, Paul poślubił Włoszkę, Ninę. Dwanaście miesięcy później żona urodziła mu bliźnięta.

W latach siedemdziesiątych Paul był człowiekiem bardzo zajętym. Jego klientelę stanowiły związki zawodowe i z tego względu stał się osobą dość wpływową. Cieszył się szacunkiem czołowych osobistości świata biznesu.

Pewnego dnia Paul wybrał się na lunch z jednym ze swoich klientów, Billem Rohanem, powszechnie szanowanym bankierem, który nic nie wiedział o przeszłości rodziny Paula.

– Powinieneś zapisać się do mojego klubu golfowego, Sunnyvale – powiedział Bill Rohan. – Grasz w golfa, prawda?

– Okazjonalnie – przyznał Paul. – Kiedy mam czas.

– Świetnie. Jestem w komisji kwalifikacyjnej. Czy chcesz, bym zaproponował cię na członka?

– Byłoby to bardzo ładnie z twojej strony.

W następnym tygodniu zebrała się komisja, by omówić kandydatury nowych członków. Padło nazwisko Paula Martina.

– Mogę go polecić – zadeklarował Bill Rohan. – To uczciwy człowiek.

– Jest Włochem, prawda? – odezwał się John Hammond, inny członek komisji. – Bill, niepotrzebni nam są w klubie makaroniarze.

Bankier spojrzał na niego.

– Zamierzasz głosować przeciwko jego kandydaturze?

– Naturalnie.

– No cóż, w takim razie przejdźmy do kolejnej osoby na liście.

Dwa tygodnie później Paul Martin znów wybrał się na lunch z bankierem.

– Ćwiczę grę w golfa – rzucił żartobliwie Paul.

Bill Rohan był wyraźnie zakłopotany.

– Paul, sprawa się skomplikowała.

– Dlaczego?

– Zaproponowałem twoją kandydaturę, ale jeden z członków komisji postawił weto.

– Tak? A dlaczego?

– A cóż to ma do rzeczy? Nie cierpi Włochów. Nie traktuj tego jako czegoś wymierzonego bezpośrednio przeciwko sobie.

Paul się uśmiechnął.

– Rozumiem, Bill. Wiele osób nie lubi Włochów. Ów pan...

– Hammond. John Hammond.

– Ten od paczkowanego mięsa?

– Tak. Zapewniam cię, że zmieni zdanie. Porozmawiam z nim jeszcze raz.

Paul pokręcił głową.

– Nie rób sobie kłopotu. Mówiąc szczerze, nie jestem znów aż takim amatorem gry w golfa.

Sześć miesięcy później, w samym środku lata, cztery samochody-chłodnie, należące do Hammond Meat Packing Company, załadowane paczkowanym schabem, stekami i bekonem, wyruszyły z zakładów w Minnesocie do supermarketów Buffalo i New Jersey. W szczerym polu kierowcy zjechali na pobocze, otworzyli drzwi chłodni i porzucili samochody.

Kiedy John Hammond dowiedział się o tym, był wściekły. Wezwał dyrektora.

– Co się, do cholery, dzieje? – spytał. – Zepsuło się mięso warte półtora miliona dolarów. Jak można było do tego dopuścić?

– Związek ogłosił strajk – oświadczył dyrektor.

– Nie informując nas? Dlaczego strajkują? Chodzi im o podwyżki?

Dyrektor wzruszył ramionami.

– Nie wiem. Nie chcieli ze mną rozmawiać.

– Powiedz miejscowemu przedstawicielowi związku, by przyszedł do mnie. Załatwię to z nim – polecił Hammond.

Jeszcze tego popołudnia do gabinetu wprowadzono przedstawiciela związku.

– Dlaczego mnie nie poinformowano, że będzie strajk? – zapytał ostrym tonem Hammond.

– Sam o niczym nie wiedziałem – usprawiedliwiał się przedstawiciel związków. – Ludzie po prostu się wściekli i porzucili robotę. Wszystko stało się zupełnie niespodziewanie.

– Wiesz, że jestem człowiekiem rozsądnym i wszystko można ze mną załatwić. Czego chcą? Podwyżki?

– Nie, proszę pana. Chodzi im o mydło.

Hammond spojrzał na niego zaskoczony.

– Powiedziałeś „mydło"?

– Tak. Nie odpowiada im mydło, które jest w łazienkach. Jest zbyt żrące.

Hammond wprost nie wierzył własnym uszom.

– Mydło jest zbyt żrące? I dlatego straciłem półtora miliona dolarów?

– Nie mam z tym nic wspólnego – zapewnił związkowiec. – Powtarzam tylko słowa robotników.

– Jezu! – jęknął Hammond. – Wprost nie mogę w to uwierzyć. Jakiego chcą mydła – toaletowego? – Rąbnął pięścią w biurko. – Następnym razem, kiedy nie będzie im się coś podobało, mają najpierw przyjść do mnie. Słyszysz?

– Tak.

– Powiedz im, by wracali do pracy. Dziś o szóstej w ich łazienkach będzie najlepsze mydło, jakie tylko można kupić. Jasne?

– Powtórzę im to.

John Hammond siedział wściekły przez dłuższą chwilę.

Nic dziwnego, że ten kraj schodzi na psy, pomyślał. Mydło!

Dwa tygodnie później, w samo południe, w upalny sierpniowy dzień pięć ciężarówek, należących do Hammond Meat Packing Company, jadących z dostawą mięsa dla Syracuze i Bostonu, zatrzymało się na poboczu. Kierowcy otworzyli drzwi chłodni i porzucili wozy.

John Hammond dowiedział się o tym o szóstej po południu.

– O czym ty, u diabła, mówisz?! – ryknął. – Czyżbyś nie rozłożył w łazienkach nowego mydła?

– Przypilnowałem, by to zrobiono jeszcze tego samego dnia, kiedy mi pan polecił – wyjaśnił dyrektor.

– W takim razie o co im teraz chodzi?

Dyrektor powiedział bezradnie:

– Nie wiem. Nie było żadnych skarg. Nikt nic nie zgłaszał.

– Sprowadź no tu tego przeklętego przedstawiciela związku.

O siódmej wieczorem przyszedł przedstawiciel związku.

– Dziś przez waszych ludzi zepsuło się mięso wartości dwóch milionów dolarów – wrzasnął Hammond. – Czy oni poszaleli?

– Czy chce pan, bym powtórzył przewodniczącemu związku pana pytanie?

– Nie, nie – zmitygował się szybko Hammond. – Słuchaj no, nigdy dotąd nie miałem z ludźmi problemów. Jeśli chcą więcej pieniędzy, niech przyjdą do mnie i wszystko sobie omówimy, tak jak to robią rozsądni ludzie. Ile chcą?

– Niczego nie chcą.

– Jak to?

– Im nie chodzi o pieniądze.

– Nie? W takim razie o co?

– O światło.

– O światło? – Pomyślał, że się przesłyszał.

– Tak. Ludzie narzekają, że w łazienkach jest zbyt ciemno.

John Hammond odchylił się do tyłu.

– Co się tu dzieje? – spytał cicho.

– Mówiłem już panu, ludzie uważają, że…

– Daj spokój z tymi bzdurami. O co im naprawdę chodzi?

– Gdybym wiedział, powiedziałbym panu – odparł przedstawiciel związku.

– Czy ktoś próbuje mnie wyeliminować z interesu? O to chodzi?

Przedstawiciel związku milczał.

– Dobra – zdecydował się Hammond. – Daj mi nazwisko osoby, z którą mam porozmawiać.

– Jest jeden prawnik, który być może będzie mógł panu pomóc. Związek często korzysta z jego usług. Ów adwokat nazywa się Paul Martin.

– Paul… – Nagle doznał olśnienia. – Co, ten sukinsyn? Wynoś się – wrzasnął. – Precz!

Nikt nie będzie mnie szantażował. Nikt! – myślał gniewnie.

Tydzień później następne sześć ciężarówek porzucono na bocznych drogach.

John Hammond umówił się na lunch z Billem Rohanem.

– Myślałem o tym twoim przyjacielu Paulu Martinie – powiedział. – Może zbyt pośpiesznie wystąpiłem przeciwko jego kandydaturze na członka.

– Cóż, jesteś bardzo wielkoduszny, że się do tego przyznałeś, John.

– Coś ci powiem. W przyszłym tygodniu zaproponuj go na członka, a obiecuję, że będę głosował za jego przyjęciem.

Kiedy w następnym tygodniu podczas posiedzenia komisji padło nazwisko Paula Martina, Włoch został jednogłośnie zaakceptowany.

John Hammond osobiście zadzwonił do Paula Martina.

– Moje gratulacje, panie Martin – zaczął. – Właśnie został pan przyjęty do Sunnyvale. Z radością ujrzymy pana w naszym gronie.

– Dziękuję – odparł Paul. – Dziękuję, że pan do mnie zadzwonił.

Następny telefon Hammond wykonał do biura prokuratora okręgowego. Umówił się z prokuratorem na spotkanie w nadchodzącym tygodniu.

W niedzielę John Hammond gawędził z Billem Rohanem i dwoma innymi członkami klubu.

– Nie spotkałeś jeszcze Paula Martina? – spytał Bill Rohan.

Hammond pokręcił głową.

– Nie. I nie sądzę, by miał zbyt dużo czasu na grę w golfa. Już wielka ława przysięgłych postara się, by twój przyjaciel był bardzo zajęty.

– O czym ty mówisz?

– Zamierzam przekazać prokuratorowi okręgowemu pewne informacje o Martinie, które z pewnością zainteresują członków wielkiej ławy przysięgłych.

Bill Rohan był zaszokowany.

– Czy zdajesz sobie sprawę z tego, co robisz?

– Oczywiście. To gnida, John. Zamierzam go załatwić.

W najbliższy poniedziałek John Hammond zginął w wypadku samochodowym w drodze do biura prokuratora okręgowego. Nie było żadnych świadków wydarzenia. Policja nigdy nie odnalazła sprawcy.

Od tamtej pory Paul Martin w każdą niedzielę zabierał żonę i dzieci na lunch do klubu Sunnyvale. Mieli tam niezrównany bufet.

Paul Martin bardzo poważnie traktował swoją przysięgę małżeńską. Na przykład nigdy by mu nawet do głowy nie przyszło okryć hańbą swoją żonę, przyprowadzając do tej samej restauracji swoje kochanki i Ninę. Jego małżeństwo stanowiło jedną część życia, miłostki – drugą. Wszyscy przyjaciele Paula Martina mieli kochanki. Stanowiło to nieodłączny element przyjętego w jego środowisku stylu życia. Jedyne, co gorszyło Martina, to widok starszych mężczyzn w towarzystwie młodych dziewcząt. Było to żałosne, a on przywiązywał dużą wagę do godności. Postanowił sobie, że kiedy ukończy sześćdziesiąt lat, skończy z kochankami. I dotrzymał danego sobie słowa. Jego żona Nina była odpowiednią towarzyszką życia. I to musiało wystarczyć. Ze względu na godność osobistą.

I właśnie do tego człowieka zwróciła się o pomoc Lara Cameron. Martin słyszał o niej, ale wprawiły go w zdumienie jej młody wiek i uroda. Była ambitna i niezależna, a przy tym niezwykle kobieca. Stwierdził, że bardzo go pociąga.

Nie, pomyślał. Jest zbyt młoda, a ja jestem już stary. Za stary. Kiedy po ich pierwszym spotkaniu Lara wybiegła z jego gabinetu, Paul Martin siedział dłuższą chwilę pogrążony w myślach. Potem podniósł słuchawkę i wykręcił jakiś numer.

Rozdział 14

Prace przy nowej inwestycji postępowały zgodnie z harmonogramem. Lara zaglądała na plac budowy każdego ranka i wieczoru. Zauważyła, że robotnicy okazują jej niezwykły respekt. Wyrażało się to w sposobie, w jaki na nią patrzyli, rozmawiali z nią i dla niej pracowali. Wiedziała, że zmiana ich postawy związana była z interwencją Paula Martina. Uświadomiła sobie, że coraz częściej myśli o tym nieatrakcyjnym mężczyźnie, którego głos zmuszał do głębokiego szacunku.

Zadzwoniła do niego ponownie.

– Panie Martin, pomyślałam sobie, że moglibyśmy pójść razem na lunch.

– Czy znów ma pani jakieś kłopoty?

– Nie. Uważam tylko, że dobrze by było, gdybyśmy się lepiej poznali.

– Przykro mi, panno Cameron, ale nigdy nie jadam lunchu.

– A co pan powie na kolację?

– Panno Cameron, jestem żonatym mężczyzną. Kolacje jadam z żoną i dziećmi.

– Rozumiem. A gdyby… – Połączenie zostało przerwane.

O co mu chodzi? – zastanawiała się Lara. Przecież nie próbuję iść z nim do łóżka. Chciałabym po prostu jakoś mu podziękować.

Postanowiła nie zaprzątać sobie nim więcej głowy.

Paula Martina zaniepokoiło to, jaką przyjemność sprawił mu dźwięk głosu Lary Cameron. Polecił swojej sekretarce:

– Jeśli panna Cameron ponownie zadzwoni, proszę powiedzieć, że mnie nie ma.

Nie chciał się wystawiać na żadne pokusy, a Lara Cameron stanowiła wielką pokusę.

– Muszę ci się przyznać, że przez moment trochę się denerwowałem – powiedział pewnego dnia Howard Keller. – Wszystko wskazywało na to, że staczamy się po równi pochyłej. Dokonałaś prawdziwego cudu.

To nie ja, pomyślała Lara. To Paul Martin. Może obraził się na mnie za to, że nie zapłaciłam mu za jego interwencję.

Pod wpływem nagłego impulsu wysłała Paulowi czek na pięćdziesiąt tysięcy dolarów.

Następnego dnia czek zwrócono bez słowa komentarza.

Lara znów zadzwoniła do Paula Martina.

– Przykro mi, ale pan Martin jest nieobecny – oznajmiła sekretarka.

Jeszcze jeden prztyczek w nos. Zupełnie, jakby nie chciał mieć z nią do czynienia.

Ale jeśli nie chce mieć ze mną nic wspólnego, zastanawiała się Lara, to dlaczego złamał swoje zasady i mi pomógł?

Tej nocy jej się przyśnił.

Howard Keller wszedł do gabinetu Lary.

– Mam dwa bilety na nowy musical Andrew Lloyda Webbera *Taniec i śpiew*. Muszę jechać do Chicago. Czy wykorzystasz bilety?

– Nie. Chociaż… poczekaj. – Przez moment milczała. – Tak, myślę, że mi się przydadzą. Dziękuję, Howardzie.

Tego popołudnia włożyła jeden bilet do koperty i wysłała do biura Paula Martina.

Kiedy następnego dnia Paul Martin otrzymał bilet, był zaintrygowany. Kto mógł mu przysłać bilet do teatru?

To zapewne Lara Cameron. Muszę położyć temu kres, pomyślał.

– Czy w piątek wieczorem jestem wolny? – spytał sekretarkę.

– Idzie pan na kolację ze swoim szwagrem, panie Martin.

– Odwołaj ją.

Przez cały pierwszy akt miejsce obok Lary pozostawało puste.

A więc nie przyjdzie, pomyślała dotknięta. Och, do diabła z nim. Zrobiłam wszystko, co mogłam.

Kiedy po pierwszym akcie kurtyna opadła, Lara zastanawiała się, czy nie wyjść z przedstawienia. Właśnie wtedy ktoś się obok niej pojawił.

– Chodźmy stąd – rzekł Paul Martin tonem nieznoszącym sprzeciwu.

Poszli na kolację do małego bistro na East Side. Usiadł naprzeciwko Lary i przyglądał się jej w milczeniu.

– Poproszę szkocką z wodą sodową – powiedziała, gdy podszedł do nich kelner.

– Dla mnie żadnych trunków.

Spojrzała na niego zdumiona.

– Nie piję.

Kiedy już zamówili potrawy, Paul Martin zapytał:

– Panno Cameron, czego pani ode mnie chce?

– Nie lubię mieć wobec nikogo żadnych zobowiązań – odparła. – Jestem panu coś winna, a pan nie pozwala sobie zapłacić. Nie daje mi to spokoju.

– Już pani mówiłem... nie jest mi pani nic dłużna.

– Ale przecież...

– Słyszałem, że prace na budowie toczą się gładko.

– Tak. – Już chciała dodać „dzięki panu", ale ugryzła się w język.

– Jest pani dobra w tym, czym się pani zajmuje, prawda?

– Staram się. To coś wspaniałego mieć jakiś pomysł, a potem obserwować, jak się materializuje, jak z betonu i stali rośnie budynek, w którym będą mieszkali i pracowali ludzie. Staje się on tak jakby pomnikiem, czyż nie?

Lara tryskała zapałem i energią.

– Sądzę, że tak. A czy jeden pomnik prowadzi do następnego?

– Naturalnie – odrzekła głosem pełnym entuzjazmu. – Zamierzam zostać największym przedsiębiorcą budowlanym w mieście.

Emanowała z niej jakaś obezwładniająca zmysłowość.

– Nie zdziwiłbym się, gdyby pani tego dopięła – uśmiechając się, przytaknął Paul Martin.

– Dlaczego zdecydował się pan przyjść dziś wieczorem do teatru? – spytała.

Chciał jej powiedzieć, żeby go zostawiła w spokoju, ale teraz, kiedy był tak blisko niej, nie potrafił się na to zdobyć.

– Słyszałem, że to dobre przedstawienie.

– To umówmy się jeszcze raz, by je obejrzeć w całości.

Potrząsnął głową.

– Panno Cameron, jestem żonaty i tak się składa, że bardzo kocham swoją żonę.

– To godne podziwu – stwierdziła Lara. – Budynek zostanie ukończony piętnastego marca. Aby to uczcić, wydaję przyjęcie. Czy zechce pan być moim gościem?

Milczał przez dłuższą chwilę, szukając słów. Chciał w delikatny sposób odmówić, lecz w końcu powiedział:

– Tak, przyjdę.

Uroczystości związane z oddaniem do użytku nowego gmachu nie stały się oszałamiającym sukcesem. Nazwisko Lary Cameron było jeszcze za mało znane, by przyciągnąć tłum dziennikarzy czy miejskich notabli. Przyszedł jednak jeden z asystentów burmistrza i reporter z „Post".

– Budynek jest prawie w całości wydzierżawiony – oświadczył Keller. – I ciągle jesteśmy zasypywani ofertami wynajmu.

– To dobrze – powiedziała z roztargnieniem Lara. Jej umysł zaabsorbowany był czymś innym. Myślała o Paulu Martinie. Ciekawiło ją, czy przyjdzie. Z pewnych względów zależało jej na tym. Stanowił intrygującą zagadkę. Zaprzeczył, że jej pomógł, a przecież... chciała, aby mężczyzna, który mógł być jej ojcem, darzył ją sympatią. Przestała sobie nim zaprzątać głowę i zajęła się gośćmi.

Podano przekąski oraz napoje i wydawało się, że wszyscy świetnie się bawią. W samym środku przyjęcia pojawił się Paul Martin, którego zebrani powitali, jakby był członkiem królewskiego rodu. Atmosfera natychmiast się zmieniła: widać było, że się go boją.

„Jestem adwokatem, reprezentującym duże spółki... Nie prowadzę negocjacji ze związkami" – przypomniała sobie jego słowa.

Martin uścisnął dłoń asystentowi burmistrza i kilku obecnym na przyjęciu działaczom związkowym, a potem podszedł do Lary.

– Cieszę się, że mógł pan przyjść – powitała go.

Paul Martin rozejrzał się po olbrzymiej sali i powiedział:

– Moje gratulacje. Dobra robota.

– Dziękuję. – Zniżyła głos. – Naprawdę dziękuję.

Nie mógł oderwać od niej oczu, oszołomiony jej zachwycającym wyglądem.

– Przyjęcie prawie dobiega końca – zauważyła. – Miałam nadzieję, że zaprosi mnie pan na kolację.

– Powiedziałem już pani, że kolacje jadam z żoną i dziećmi. – Spojrzał jej w oczy. – Ale postawię pani drinka.

Uśmiechnęła się lekko.

– Cóż, dobre i to.

Wstąpili do małego baru przy Trzeciej Alei. Rozmawiali, choć później żadne z nich nie pamiętało o czym. Słowa miały rozładować istniejące między nimi zmysłowe napięcie.

– Proszę mi o sobie coś powiedzieć – zwrócił się do niej Paul Martin. – Kim pani jest? Gdzie się pani urodziła? Jak doszło do tego, że została pani przedsiębiorcą budowlanym?

Lara pomyślała o Seanie MacAllisterze i jego obrzydliwym cielsku na sobie.

„Było tak dobrze, że musimy to powtórzyć".

– Urodziłam się w Glace Bay, małym miasteczku w Nowej Szkocji – zaczęła. – Mój ojciec zajmował się zbieraniem czynszów w kilku tamtejszych pensjonatach. Gdy zmarł, przejęłam jego obowiązki. Jeden z mieszkańców pensjonatu pomógł mi przy zakupie parceli, na której wybudowałam sklep. I tak się to wszystko zaczęło.

Słuchał uważnie.

– Potem pojechałam do Chicago i wybudowałam tam kilka gmachów. Odniosłam sukces, więc postanowiłam spróbować szczęścia w Nowym Jorku. – Uśmiechnęła się. – I to naprawdę wszystko.

Jeśli zapomnieć o katuszach, które cierpiałam przez nienawidzącego mnie ojca, piekącym wstydzie, że nie posiadam niczego na własność, obrzydzeniu do siebie samej, że oddałam się Seanowi MacAllisterowi... – pomyślała z goryczą.

Jakby czytając w jej myślach, Paul Martin powiedział:

– Założę się, że w rzeczywistości nie było to takie łatwe.

– Nie lubię się skarżyć.

– Jakie ma pani plany na najbliższą przyszłość?

Lara wzruszyła ramionami.

– Jeszcze nie wiem. Przymierzałam się do wielu rzeczy, ale tak naprawdę żadna mnie nie zafrapowała.

Nie mógł oderwać od niej oczu.

– O czym pan myśli? – spytała.

Nabrał głęboko powietrza.

– Mam powiedzieć prawdę? Myślałem sobie, że gdybym nie był żonaty, powiedziałbym pani, że jest pani jedną z najbardziej fascynujących kobiet, jaką kiedykolwiek spotkałem. Ale jestem żonaty, więc pozostaniemy tylko przyjaciółmi. Czy wyrażam się jasno?

– Bardzo jasno.

Spojrzał na zegarek.

– Czas się zbierać. – Skinął na kelnera. – Proszę
o rachunek. – Wstał.

– Może w przyszłym tygodniu pójdziemy na
lunch? – zaproponowała Lara.

– Nie. Ale kto wie, może zobaczymy się, gdy ukończy pani kolejny budynek – odparł i wyszedł.

Tej nocy Lara śniła, że się kochają. Paul Martin
leżał na niej, pieszcząc ją i szepcząc coś do ucha.

– Wiesz, że tylko ciebie pragnę, ciebie jedynej...
Niech Bóg mi wybaczy, moja najdroższa, że nie powiedziałem ci, jak bardzo cię kocham... kocham... kocham...

Nagle poczuła go w sobie i jęknęła z rozkoszy.
Obudził ją dźwięk własnego głosu. Usiadła w łóżku,
drżąc na całym ciele.

Dwa dni później zadzwonił Paul Martin.

– Zdaje mi się, że natrafiłem na działkę, która może
panią zainteresować – powiedział szorstko. – Znajduje
się na West Side, przy Sześćdziesiątej Dziewiątej ulicy.
Należy do mojego klienta, który nosi się z zamiarem jej
sprzedania. Na razie nikt jeszcze o tym nie wie.

Tego samego ranka Lara poszła z Howardem Kellerem obejrzeć działkę. Punkt był wspaniały.

– Skąd się o tym dowiedziałaś? – spytał Keller.

– Od Paula Martina.

– Ach, rozumiem. – W jego głosie brzmiała dez-
aprobata.

– Cóż ma znaczyć ten ton?

– Laro... sprawdziłem tego Martina. Jest związany
z mafią. Trzymaj się od niego z daleka.

– Nie ma nic wspólnego z mafią – odparła obu-
rzona. – To mój dobry przyjaciel. A zresztą, jaki to ma
związek z tą działką? Podoba ci się?

– Uważam, że jest wspaniała.

– W takim razie kupmy ją.

Dziesięć dni później transakcja została sfinalizowana.

Lara przesłała Paulowi Martinowi olbrzymi bukiet kwiatów. Dołączyła do niego karteczkę ze słowami: „Paul, proszę nie odsyłaj ich. Źle znoszą podróże".

Tego popołudnia zadzwonił do niej.

– Dziękuję za kwiaty. Nie jestem przyzwyczajony do otrzymywania kwiatów od pięknych kobiet. – Jego głos brzmiał bardziej gburowato niż zwykle.

– Wiesz, na czym polega twój problem? – spytała Lara. – Nikt nigdy cię nie rozpieszczał.

– Czyżbyś ty postanowiła nadrobić te braki?

– Zamierzam cię rozpuścić jak dziadowski bicz.

Paul był szczerze rozbawiony.

– Mówię poważnie.

– Wiem.

– Może porozmawiamy o tym podczas lunchu?

Paul Martin nie mógł przestać myśleć o Larze. Wiedział, że w każdej chwili mógłby się w niej zakochać. Była wrażliwa i niewinna, a jednocześnie zwierzęco zmysłowa. Wiedział, że najrozsądniej byłoby nigdy się już z nią nie spotkać, ale nie potrafił powiedzieć sobie „stop". Pchała go do niej jakaś potężna siła, której nie umiał się przeciwstawić.

Poszli na lunch do 21 Club.

– Kiedy masz coś do ukrycia – powiedział – działaj otwarcie. Wtedy nikt nie pomyśli, że robisz coś złego.

– Czyżbyśmy mieli coś do ukrycia? – spytała cicho Lara.

Spojrzał na nią i podjął ostateczną decyzję.

Jest mądra i piękna, ale są tysiące mądrych i pięknych kobiet. Łatwo przyjdzie mi o niej zapomnieć. Prześpię się z nią jeden raz i na tym skończy się nasza przygoda, postanowił.

Jak się miało okazać, był w błędzie.

Kiedy znaleźli się w jej apartamencie, czuł dziwne zdenerwowanie.

– Mam wrażenie, jakbym był sztubakiem – powiedział. – Widocznie są odzwyczaiłem.

– To jak z jazdą na rowerze – odezwała się półgłosem Lara. – Przypomnisz sobie. Pozwól, że cię rozbiorę.

Zdjęła mu marynarkę i krawat, po czym zaczęła odpinać guziki koszuli.

– Laro, wiesz, że to będzie tylko przelotny flirt.

– Wiem.

– Mam sześćdziesiąt dwa lata. Mógłbym być twoim ojcem.

Przez chwilę milczała, przypomniawszy sobie swój sen.

– Wiem. – Rozebrała go do naga. – Masz piękne ciało.

– Dziękuję. – Jego żona nigdy mu tego nie mówiła. Lara przeciągnęła dłońmi po jego udach.

– Jesteś bardzo silny.

– Grałem w koszykówkę, kiedy uczęszczałem na...

Dotknęła ustami jego warg. Kiedy znaleźli się w łóżku, doświadczył czegoś, czego nie zaznał jeszcze nigdy w życiu. Wydawało mu się, że cały płonie. Kiedy zaczęli się kochać, rozkosz nie miała początku ani końca, jakby porwała go rzeka i unosiła coraz szybciej i szybciej, a jej nurt wciągał coraz głębiej, aż otoczyła ich aksamitna ciemność, eksplodująca nagle tysiącem gwiazd. Co dziwniejsze, cud ten powtórzył się znów, i jeszcze raz. Leżał zmęczony, dysząc ciężko.

– To niewiarygodne – odezwał się.

Ze swoją żoną kochał się zawsze w konwencjonalny i stereotypowy sposób. Z Larą okazało się to nieprawdopodobnie zmysłowym przeżyciem. Paul Martin miał dawniej wiele kobiet, ale Lara była inna niż wszystkie, które znał do tej pory. Podarowała mu coś, czego nie dała mu nigdy żadna z nich: sprawiła, że poczuł się znów młodo.

Kiedy Paul się ubierał, spytała:

– Czy jeszcze się kiedyś zobaczymy?

– Tak.

Boże, dopomóż mi, modlił się w duchu.

– Myślę, że tak – powtórzył.

Lata osiemdziesiąte były okresem wielkich zmian. Ronald Reagan został wybrany na prezydenta Stanów Zjednoczonych, Wall Street przeżyła najbardziej pracowity dzień w swojej historii. Szach Iranu umarł na wygnaniu, dokonano zamachu na Anwara Sadata. Zadłużenie budżetu osiągnęło bilion dolarów, uwolniono amerykańskich zakładników w Teheranie. Sandra Day O'Connor była pierwszą kobietą, którą powołano na członka Sądu Najwyższego.

Lara, jak zawsze, pojawiała się we właściwym czasie na właściwym miejscu. Budownictwo przeżywało prawdziwy boom. Pieniędzy było w bród i banki chętnie finansowały nawet wielce ryzykowne przedsięwzięcia.

Obfite źródło kapitału stanowiły też kasy oszczędnościowo-pożyczkowe. Wysokooprocentowane, ale obarczone dużym ryzykiem obligacje, nazywane tandetnymi, spopularyzowane przez Mike'a Milkena, stały się manną z nieba dla przedsiębiorców budowlanych. Kredyty były na wyciągnięcie ręki.

– Na tej parceli przy Sześćdziesiątej Dziewiątej ulicy zamierzam wybudować hotel.

– Dlaczego? – spytał Howard Keller. – To idealny punkt na biurowiec. Z hotelem jest robota przez dwadzieścia cztery godziny na dobę. Goście na okrągło przyjeżdżają i wyjeżdżają. Kiedy się ma biurowiec, jedynym zmartwieniem jest dopilnowanie, by raz na pięć czy dziesięć lat podpisać umowę o wydzierżawienie lokali.

– Wiem, Howardzie, ale mając hotel, zdobywasz niezwykłą władzę nad ludźmi. Możesz proponować różnym ważnym osobistościom apartamenty i zapraszać je do swojej własnej restauracji. Podoba mi się to. Wybudujemy hotel. Chcę, byś umówił mnie z najlepszymi nowojorskimi architektami – Skidmore'em, Owingsem i Merrillem, Peterem Eisenmanem i Philipem Johnsonem.

Spotkania odbyły się w ciągu następnych dwóch tygodni. Niektórzy architekci zachowywali się protekcjonalnie. Nigdy przedtem nie mieli do czynienia z kobietą inwestorem.

– Jeśli chce pani, byśmy skopiowali... – powiedział jeden z nich.

– Nie. Wybudujemy hotel, który będą kopiowali inni. Jeśli potrzebne panu słowo klucz, proponuję wyraz „elegancja". Wyobrażam sobie wejście z dwiema fontannami po bokach, wyłożony włoskim marmurem hol, wygodną salę konferencyjną, gdzie...

Pod koniec spotkania wszyscy byli pod jej wrażeniem.

Lara stworzyła specjalny zespół ludzi. Zatrudniła radcę prawnego Terry'ego Hilla, asystenta Jima Belona, dyrektora odpowiedzialnego za całość przedsięwzięcia, Toma Chritona i agencję reklamową kierowaną przez Toma Scotta. Podpisała umowę z firmą architektoniczną Higgins, Almont & Clark i przystąpiono do realizacji inwestycji.

– Będziemy się spotykali raz w tygodniu – oznajmiła członkom zespołu – ale proszę, byście codziennie przysyłali mi raporty. Chcę, żeby ten hotel został zbudowany w terminie i zgodnie z pierwotnym kosztorysem. Poprosiłam do współpracy właśnie was, bo jesteście w swoich dziedzinach najlepsi. Nie zawiedźcie mnie. Czy są jakieś pytania?

Następne dwie godziny poświęcone były wyjaśnieniom zgłoszonych wątpliwości. Później Lara spytała Kellera:

– Jak według ciebie przebiegło spotkanie?

– Wspaniale, szefowo.

Pierwszy raz ją tak nazwał. Sprawiło jej to przyjemność.

Zadzwonił Charles Cohn.

– Jestem w Nowym Jorku. Czy moglibyśmy pójść na lunch?

– Naturalnie! – powiedziała.

Poszli do Sardiego.

– Wyglądasz cudownie – zauważył Cohn. – Widać, że sukcesy ci służą, Laro.

– To dopiero początek – odparła. – Charles... a może chciałbyś przystąpić do Cameron Enterprises? Przekazałabym ci część firmy i...

Pokręcił głową.

– Dziękuję, ale nie. Ty dopiero zaczynasz, a ja zbliżam się już do kresu mej wędrówki. W przyszłym roku odchodzę na emeryturę.

– Pozostańmy w kontakcie – poprosiła Lara. – Nie chcę cię stracić z oczu.

Kiedy Paul Martin ponownie przyszedł do mieszkania Lary, powiedziała mu:

– Przygotowałam dla ciebie niespodziankę.

Wręczyła mu kilka pakunków.

– Ejże! Przecież dziś nie są moje urodziny.

– Otwórz je, proszę.

W środku był tuzin koszul od Goodmana i krawatów od Pucciego.

– Mam koszule i krawaty – zapewnił ze śmiechem.

– Ale nie takie – powiedziała. – Sprawią, że poczujesz się młodszy. Zdobyłam również adres dobrego krawca.

W następnym tygodniu sprowadziła fryzjera, który modnie ostrzygł Paula.

Paul Martin przejrzał się w lustrze.

Rzeczywiście wyglądam młodziej. Życie stało się ekscytujące. A wszystko dzięki Larze, pomyślał.

Na spotkaniu byli obecni wszyscy: Keller, Tom Chriton, Jim Belon i Terry Hill.

– Aby skrócić cykl inwestycyjny, będziemy równolegle realizować różne etapy prac – oświadczyła Lara.

Mężczyźni spojrzeli po sobie.

– To ryzykowne – zauważył Keller.

– Nie, jeśli wszystko będzie wykonywane, jak należy.

Głos zabrał Tom Chriton.

– Panno Cameron, najbezpieczniej robić wszystko po kolei. Najpierw niweluje się teren, potem kopie się doły pod fundamenty. Następnie układa się rury wodnokanalizacyjne i dreny. Później…

– …zbija się drewniane szalunki i powstaje szkielet budynku – przerwała mu Lara. – Wiem o tym.

– W takim razie dlaczego…?

– Bo trwałoby to dwa lata. Nie chcę czekać aż tak długo.

– Próba przyśpieszenia robót – powiedział Jim Beldon – oznacza jednoczesne przystąpienie do realizacji różnych etapów budowy. Jeśli coś pójdzie nie tak, jak należy, inwestycja może się zakończyć katastrofą. Okaże się, że ściany są krzywe, instalacja elektryczna nie tam, gdzie trzeba, a…

– W takim razie musimy dopilnować, żeby wszystko było wykonane tak, jak należy, prawda? – zapytała. – A dzięki temu zakończymy budowę w ciągu jednego roku i zaoszczędzimy blisko dwadzieścia milionów dolarów.

– Racja, ale to bardzo ryzykowne.

– Lubię ryzyko.

Rozdział 15

Lara powiedziała Paulowi Martinowi o swojej decyzji przyspieszenia prac budowlanych przy wznoszeniu hotelu i o dyskusji, jaka się wywiązała z członkami zespołu.

– Mogą mieć rację – stwierdził Paul. – To, co zamierzasz, jest niebezpieczne.

– Trump tak robi, Uris tak robi.

– Dziecinko, nie jesteś Trumpem ani Urisem – upomniał ją łagodnie Paul.

– Stanę się bardziej znana niż oni, Paul. Zamierzam wybudować w Nowym Jorku więcej budynków niż każdy ze słynnych inwestorów. To będzie moje miasto.

Przyglądał się jej przez dłuższą chwilę.

– Wierzę ci.

Kazała założyć u siebie telefon o zastrzeżonym numerze, który znał tylko Paul. On zainstalował u siebie aparat wyłącznie do rozmów z Larą. Dzwonili do siebie kilka razy dziennie.

Kiedy tylko mogli się wyrwać po południu, szli do niej. Paul Martin wyglądał tych schadzek bardziej niż czegokolwiek. Lara stała się jego obsesją.

Kiedy Keller zdał sobie sprawę z tego, co się dzieje, okazał niezwykłe zaniepokojenie.

– Laro – powiedział – uważam, że popełniasz błąd. To niebezpieczny człowiek.

– Nie znasz go. Jest cudowny.

– Kochasz go?

Lara zastanowiła się. Paul Martin zaspokajał jakąś potrzebę w jej życiu. Ale czy go kochała?

– Nie.

– A czy on ciebie kocha?

– Myślę, że tak.

– Bądź ostrożna. Bardzo ostrożna.

Uśmiechnęła się i pod wpływem nagłego odruchu pocałowała Kellera w policzek.

– Howardzie, lubię sposób, w jaki się o mnie troszczysz.

Po przejrzeniu kolejnego raportu Lara oznajmiła kierownikowi ekipy, Petemu Reese'owi:

– Strasznie dużo płacimy za drewno.

– Nie wspominałem o tym wcześniej, panno Cameron, bo nie byłem całkiem pewien, ale ma pani rację.

Masa drewna gdzieś ginie. Musieliśmy podwoić nasze zamówienie.

Spojrzała na niego.

– Czy to znaczy, że ktoś je kradnie?

– Wszystko na to wskazuje.

– Domyśla się pan, kto to może być?

– Nie.

– Mamy tutaj nocnych stróżów, prawda?

– Jednego.

– Niczego nie zauważył?

– Nie. Ale kiedy robi się tyle rzeczy naraz, to każdy, nawet w ciągu dnia, może wynosić drewno.

Lara zamyśliła się głęboko.

– Rozumiem. Dziękuję, że mi pan o tym powiedział, Pete. Zajmę się całą sprawą.

Jeszcze tego samego popołudnia wynajęła prywatnego detektywa, Steve'a Kane'a.

– Jakim cudem w biały dzień można wynieść ładunek drewna? – spytał Kane.

– Oczekuję, że pan mi to wyjaśni.

– Wspomniała pani, że jest tu nocny stróż?

– Tak.

– Może jest w to wplątany.

– Nie interesują mnie przypuszczenia – ucięła. – Proszę wykryć, czyja to sprawka, i mnie poinformować.

– Czy może mnie pani zatrudnić jako członka ekipy budowlanej?

– Tak.

Następnego dnia Steve Kane zgłosił się do pracy na budowie.

Kiedy Lara powiedziała Kellerowi o kradzieży, oświadczył jej:

– Nie musiałaś sama tego załatwiać. Mogłaś się zwrócić do mnie.

– Lubię sama wszystkiego dopilnować – rzekła.

Pięć dni później Kane ponownie pojawił się w gabinecie Lary.

– Czy dowiedział się już pan czegoś?

166

– Wiem wszystko – oznajmił.

– Czy to dozorca?

– Nie. Drewno nie zostało skradzione z placu budowy.

– Jak to?

– Nigdy tu nie dotarło. Zostało wysłane na inną budowę, w Jersey, i podwójnie zafakturowane. Dokumenty sfałszowano.

– Czyja to sprawka? – spytała Lara.

Kane wymienił nazwisko.

Następnego popołudnia Lara zwołała spotkanie członków zespołu inwestycyjnego. Obecni byli Terry Hill, radca prawny Lary, Howard Keller, odpowiedzialny za całe przedsięwzięcie Jim Belon i Pete Reese. Za stołem konferencyjnym zasiadł również jeden nieznajomy. Lara przedstawiła go jako pana Conroya.

– Proszę o sprawozdanie – powiedziała.

– Prace przebiegają zgodnie z harmonogramem – oświadczył Pete Reese. – Oceniamy, że budowa potrwa jeszcze cztery miesiące. Miała pani rację, decydując się na szeroki front robót. Wszystko idzie jak po maśle. Przystąpiliśmy już do zakładania instalacji elektrycznych i hydraulicznych.

– Cieszę się – stwierdziła Lara.

– A co z tym skradzionym drewnem? – spytał Keller.

– Jeszcze nic nie wiadomo – odparł Pete Reese. – Mamy oczy otwarte na wszystko.

– Nie wydaje mi się, byśmy musieli się tym dłużej martwić – oświadczyła Lara. – Odkryliśmy, kto je kradnie. – Skinęła w stronę nieznajomego. – Pan Conroy jest członkiem specjalnej brygady do walki z oszustwami. Właściwie to detektyw Conroy.

– A cóż on tutaj robi? – spytał Pete Reese.

– Przyszedł, by pana stąd wyprowadzić.

Reese spojrzał zaskoczony.

– Co?

Lara zwróciła się do pozostałych.

– Pan Reese sprzedawał nasze drewno komu innemu. Kiedy zorientował się, że sprawdzam otrzymywane raporty, postanowił sam powiedzieć, że są problemy z drewnem.

– Chwileczkę – wtrącił się Pete Reese. – Ja... ja... To jakieś nieporozumienie.

Odwróciła się do Conroya.

– Czy mógłby go pan stąd wyprowadzić? – poprosiła, po czym odezwała się do pozostałych:

– A teraz porozmawiajmy o uroczystym otwarciu hotelu.

W miarę zbliżania się terminu oddania hotelu do użytku, napięcie rosło. Lara zrobiła się nieznośna. Bezustannie wszystkich zadręczała. Telefonowała w środku nocy.

– Howardzie, czy wiesz, że nie nadszedł jeszcze transport tapet?

– Na miłość boską, Laro, jest czwarta nad ranem.

– Do otwarcia hotelu pozostało dziewięćdziesiąt dni. Nie możemy otworzyć hotelu bez tapet.

– Sprawdzę to rano.

– Już jest rano. Sprawdź teraz.

Stawała się coraz bardziej nerwowa. Na spotkaniu z Tomem Scottem, kierownikiem agencji reklamowej zapytała:

– Panie Scott, czy ma pan małe dzieci?

Spojrzał na nią zdumiony.

– Nie. A dlaczego pani pyta?

– Właśnie przejrzałam nowy plan kampanii reklamowej i odniosłam wrażenie, że został przygotowany przez opóźnione w rozwoju dziecko. Wprost trudno mi uwierzyć, by dorosły człowiek mógł wymyślić coś tak beznadziejnego.

Scott zmarszczył brwi.

– Jeśli coś się pani w nim nie podoba...

– Nic mi się nie podoba – przerwała mu. – Brakuje mu nerwu. Jest nijaki. To wszystko może się odnosić

168

do jakiegokolwiek hotelu. A to nie jest jakiś tam sobie hotel, panie Scott. To najpiękniejszy, najnowocześniejszy hotel w Nowym Jorku. Sprawił pan, że wydaje się zimnym gmachem, pozbawionym charakteru. A przecież to ciepły, przytulny dom. Niech wszyscy się o tym dowiedzą. Czy podoła pan temu zadaniu?

– Zapewniam panią, że tak. Skorygujemy plan kampanii i za dwa tygodnie...

– W poniedziałek – oświadczyła głosem nieznoszącym sprzeciwu. – Chcę widzieć skorygowany plan kampanii w poniedziałek.

Nowe ogłoszenia ukazały się w prasie całego kraju.

– Myślę, że kampania przebiega wspaniale – powiedział Tom Scott. – Miała pani rację.

Lara spojrzała na niego i zauważyła spokojnym tonem:

– Nie chcę mieć racji. Chcę, by to pan miał rację. Za to przecież panu płacę.

– Czy rozesłano zaproszenia? – zwróciła się do Jerry'ego Townsenda z biura prasowego.

– Tak. Na większość otrzymaliśmy już odpowiedzi. Na otwarciu będą wszyscy. Zapowiada się niezwykłe wydarzenie towarzyskie.

– Mam nadzieję – mruknął Keller. – Biorąc pod uwagę, ile nas kosztuje...

Lara uśmiechnęła się pobłażliwie.

– Przestań zachowywać się jak dusigrosz. Zagwarantujemy sobie reklamę wartą milion dolarów. Zjawi się parę osobistości i...

Uniósł rękę.

– Dobrze już, dobrze.

Wydawało się, że na dwa tygodnie przed otwarciem wszystko działo się jednocześnie. Nadeszły tapety i układano dywany, malowano korytarze i wieszano obrazy. Lara w towarzystwie pięciu pracowników sprawdzała każdy pokój.

Weszła do jednego i powiedziała:

– Zasłony są niedobre. Zamieńcie je na te, które wiszą w sąsiednim pokoju.

W innym nie działał elektryczny kominek.

– Proszę to naprawić.

Znękanym pracownikom wydawało się, że Lara próbuje wszystko robić sama. Zjawiała się w kuchni, pralni i pomieszczeniach gospodarczych. Była wszędzie, wydając polecenia, krytykując, poprawiając.

– Panno Cameron, proszę się tak nie przejmować – uspokajał ją dopiero co zatrudniony dyrektor hotelu. – Podczas otwarcia każdego hotelu zawsze wychodzą na jaw jakieś drobne niedociągnięcia.

– Ale nie u mnie – oświadczyła Lara. – Nie u mnie.

W dniu otwarcia hotelu wstała o czwartej rano, zbyt zdenerwowana, by dłużej spać. Rozpaczliwie pragnęła porozmawiać z Paulem Martinem, ale nie mogła o tej godzinie do niego zadzwonić. Ubrała się i poszła na spacer.

Wszystko będzie dobrze, mówiła sobie. Komputer w biurze rezerwacji zostanie naprawiony. Trzeci piec zacznie działać. Wymienią zamek w apartamencie numer 7. Znajdziemy nowe pokojówki na miejsce tych, które wczoraj zrezygnowały z pracy. Klimatyzacja na ostatnim piętrze będzie funkcjonować jak należy...

O szóstej wieczorem zaczęli się pojawiać zaproszeni goście. Umundurowani portierzy, stojący przed wejściami do hotelu, skrupulatnie sprawdzali zaproszenia przed wpuszczeniem kogokolwiek do środka. Wśród gości znalazły się znakomite osobistości, sławni sportowcy i dyrektorzy potężnych korporacji. Lara dokładnie przejrzała listę, eliminując nazwiska darmozjadów i cwaniaków.

Stała w przestronnym holu, witając przybywających.

– Jestem Lara Cameron. Bardzo mi miło, że pan przyszedł... Proszę się czuć jak u siebie w domu.

Wzięła Kellera na stronę.

– Dlaczego nie przyjdzie burmistrz?

– Jest bardzo zajęty, no wiesz, i…

– Chcesz powiedzieć, że uważa mnie za osobę mało ważną.

– Pewnego dnia zmieni zdanie.

Pojawił się jeden z zastępców burmistrza.

– Dziękuję za przybycie – przywitała go Lara. – To zaszczyt dla naszego hotelu.

Nerwowo rozglądała się za Toddem Graysonem, piszącym na temat architektury w „New York Timesie", do którego również wysłano zaproszenie.

Jeśli mu się spodoba, pomyślała, to wygraliśmy.

Przyszedł Paul Martin z żoną. Po raz pierwszy ujrzała panią Martin. Była to atrakcyjna, elegancka kobieta. Larę niespodziewanie ogarnęło poczucie winy.

Paul podszedł do niej.

– Panno Cameron, nazywam się Paul Martin. Oto moja żona Nina. Dziękujemy pani za zaproszenie.

Przytrzymała jego dłoń sekundę dłużej, niż należało.

– Cieszę się, że państwa widzę. Proszę się czuć, jak u siebie w domu.

Paul rozejrzał się po holu, który widział już kilka razy.

– Jest piękny – wykrzyknął. – Myślę, że odniesie pani wielki sukces.

Nina Martin wpatrywała się w nią.

– Jestem tego pewna.

Lara była ciekawa, czy żona Paula czegoś się domyśla.

Goście zaczęli napływać nieprzerwanym potokiem.

Godzinę później Keller podbiegł do stojącej w holu Lary.

– Na miłość boską – wykrzyknął – wszyscy cię szukają. Goście są już w sali balowej i jedzą. Dlaczego ciebie nie ma wśród nich?

– Nie przyszedł jeszcze Todd Grayson. Czekam na niego.

– Ten dziennikarz z „Timesa"? Widziałem go godzinę temu.

– Co?

– Tak. Razem z innymi oglądał hotel.

– Dlaczego mi nie powiedziałeś?

– Myślałem, że wiesz.

– Co mówił? – spytała niespokojnie. – Jak się zachowywał? Czy był pod wrażeniem?

– Nic nie mówił. Zachowywał się normalnie. I nie wiem, czy był pod wrażeniem.

– Nic nie mówił?

– Nic.

Zmarszczyła brwi.

– Gdyby mu się spodobało, coś by powiedział. To zły znak, Howardzie.

Przyjęcie okazało się olbrzymim sukcesem. Goście jedli, pili i zachwalali hotel. Pod koniec wieczoru Lara została zasypana komplementami.

– Panno Cameron, cóż to za śliczny hotel...

– Z całą pewnością zatrzymam się tu podczas następnego pobytu w Nowym Jorku...

– Cóż za wspaniały pomysł umieścić fortepian w każdym salonie...

– Ubóstwiam kominki...

– Polecę ten hotel wszystkim swoim znajomym...

No cóż, pomyślała Lara, nawet jeśli skrytykuje go „New York Times" i tak odniosę sukces.

Lara odprowadziła do wyjścia Paula Martina i jego żonę.

– Panno Cameron, uważam, że ten hotel to prawdziwa rewelacja. Będzie o nim mówił cały Nowy Jork.

– Bardzo pan uprzejmy, panie Martin – ucieszyła się Lara. – Dziękuję, że zaszczycili mnie państwo swoją obecnością.

– Dobranoc, panno Cameron – powiedziała cicho Nina Martin.

– Dobranoc.

Kiedy przechodzili przez hol, Larę dobiegły słowa pani Martin:

– Jest bardzo piękna, prawda, Paul?

We czwartek, kiedy ukazało się najnowsze wydanie „New York Timesa", Lara była w kiosku z prasą na rogu Czterdziestej Drugiej i Brodwayu o czwartej nad ranem. Kupiła gazetę i pospiesznie odszukała dział poświęcony budownictwu. Artykuł Todda Graysona rozpoczynał się następująco:

„Manhattan już dawno potrzebował hotelu, który nie przypominałby podróżnym, że zatrzymali się z dala od domu. Pokoje w Cameron Plaza są przestronne i eleganckie, urządzone z niesłychanym smakiem. Lara Cameron dała w końcu naszemu miastu..."

Krzyknęła z radości. Zadzwoniła do Kellera i obudziła go.

– Udało się nam! – wołała podekscytowana. – „Times" nie może się nas nachwalić.

Usiadł w łóżku, zaspany.

– To cudownie. Co napisali?

Lara przeczytała mu cały artykuł.

– Dobra – powiedział Keller. – A teraz możesz się trochę przespać.

– Przespać? Żartujesz chyba sobie? Wypatrzyłam nową działkę. Jak tylko otworzą banki, chcę, byś przystąpił do negocjowania pożyczki...

New York Cameron Plaza odniósł prawdziwy triumf. Wszystkie pokoje były zajęte, a lista oczekujących ogromna.

– To dopiero początek – zapewniła Lara Kellera. – W mieście działa dziesięć tysięcy przedsiębiorców budowlanych, ale wśród nich jest tylko garstka takich, którzy liczą się naprawdę – Tischowie, Rudinowie, Rockefellerowie, Sternowie. Cóż, czy im się to podoba czy nie, zamierzam do nich dołączyć. Zmienimy wygląd miasta. Będziemy twórcami jego oblicza.

Lara zaczęła otrzymywać telefony od banków z propozycjami kredytów. Zjednywała sobie największych agentów pośrednictwa nieruchomościami, zapraszając ich na kolacje i do teatru. Wydawała w Regency śniadania dla ważnych osobistości, tam informowano ją o nieruchomościach, które wkrótce miały być wystawione na sprzedaż. Nabyła dwie nowe działki w centrum miasta i przystąpiła do realizacji kolejnej inwestycji.

Paul Martin zadzwonił do biura Lary.

– Widziałaś „Business Week"? Stałaś się sławna – powiedział. – Rozeszła się fama, że jesteś osobą wpływową. Potrafisz dopiąć swego.

– Próbuję.

– Masz czas dziś wieczorem?

– Dla ciebie zawsze.

Lara spotkała się z współwłaścicielem pierwszorzędnej firmy architektonicznej. Przeglądała sporządzone przez firmę plany i rysunki nowego gmachu.

– Spodoba się pani – zapewniał architekt. – Tak jak pani prosiła, konstrukcja jest lekka, uporządkowana i stwarza wiele możliwości. Proszę mi pozwolić wyjaśnić sobie kilka szczegółów...

– To niepotrzebne – przerwała mu. – Rozumiem wszystko. – Podniosła wzrok. – Chcę, by przekazał pan te plany grafikowi.

– Po co?

– Chcę mieć duże, kolorowe plansze budynku i poszczególnych pomieszczeń – holu, korytarzy, lokali biurowych. Bankowcy nie mają wyobraźni. Zamierzam pokazać im, jak będzie wyglądał budynek.

– To wspaniały pomysł.

Pojawiła się sekretarka Lary.

– Przepraszam, że się spóźniłam.

– Kathy, spotkanie zwołane było na dziewiątą. Teraz jest piętnaście po dziewiątej.

– Przepraszam, panno Cameron, nie zadzwonił budzik i...

– Porozmawiamy o tym później.

Zwróciła się do architekta.

– Chcę, by wprowadzono kilka poprawek...

Kiedy po dwóch godzinach spotkanie dobiegło końca, Lara powiedziała do Kathy:

– Nie wychodź. Usiądź.

Kathy usiadła.

– Czy lubisz swoją pracę?

– Tak, panno Cameron.

– To już twoje trzecie spóźnienie w tym tygodniu. Nie zamierzam tego dłużej tolerować.

– Najmocniej przepraszam. Nie... nie czuję się najlepiej.

– Co ci dolega?

– To nic poważnego.

– Najwidoczniej jednak na tyle poważne, że przeszkadza ci przychodzić na czas do pracy. Co się trapi?

– Ostatnio nie najlepiej sypiam. Prawdę mówiąc... boję się.

– Czego się boisz? – spytała zniecierpliwiona Lara.

– Mam... mam guzek.

– Och. – Milczała przez chwilę. – No, a co powiedział lekarz?

Kathy przełknęła ślinę.

– Nie byłam u lekarza.

– Nie byłaś u lekarza! – wybuchnęła. – Na miłość boską, jak można tak chować głowę w piasek? Musisz koniecznie iść do lekarza.

Nacisnęła guzik interkomu.

– Połącz mnie z doktorem Petersem – poprosiła, po czym zwróciła się do Kathy:

– To prawdopodobnie nic poważnego, ale nie można tego tak zostawić.

– Moja matka i brat umarli na raka – powiedziała zrozpaczonym głosem Kathy. – Boję się usłyszeć od lekarza, że też mam raka.

Zadzwonił telefon. Lara podniosła słuchawkę.

– Halo? Jest zajęty? Nie obchodzi mnie to. Powiedz mu, że muszę z nim natychmiast rozmawiać.

Odłożyła słuchawkę.

Parę minut później znów rozległ się dzwonek telefonu.

– Halo! Alan? Nie, nic mi nie jest. Chcę skierować do ciebie swoją asystentkę. Nazywa się Kathy Turner.

Będzie u ciebie za pół godziny. Chcę, by ją zbadano i żebyś zajął się nią osobiście... Wiem, że jesteś zajęty... Doceniam to... dziękuję.

Odłożyła słuchawkę.

– Jedź do szpitala Sloan-Kettering. Doktor Peters będzie już tam na ciebie czekał.

– Nie wiem, co powiedzieć, panno Cameron.

– Powiedz, że jutro przyjedziesz do pracy na czas.

Do gabinetu wszedł Howard Keller.

– Szefowo, mamy kłopot.

– Mów.

– Chodzi o tę nieruchomość przy Czternastej ulicy. Pozbyliśmy się lokatorów ze wszystkich budynków z wyjątkiem sześciu, którzy zajmują Dorchester Apartments. Nie chcą się wyprowadzić, a władze miejskie nie pozwolą nam wyrzucić ich siłą.

– Zaproponuj im więcej pieniędzy.

– To nie jest kwestia pieniędzy. Ci ludzie mieszkają tam od wielu lat. Nie chcą się wyprowadzić. Lubią swoje mieszkania.

– W takim razie postarajmy się, żeby przestało się im tam podobać.

– Jak to?

Lara wstała.

– Chodźmy, rzucimy okiem na ten dom.

Jadąc samochodem widzieli żebraczki i bezdomnych snujących się po ulicach i wyciągających ręce po datki.

– W takim bogatym kraju jak nasz – powiedziała Lara – to hańba.

Dorchester Apartments był to pięciopiętrowy budynek z cegły w samym środku kwartału zabudowanego starymi domami czekającymi na rozbiórkę.

Lara stanęła przed budynkiem i przyjrzała mu się uważnie.

– Ilu tu mieszka lokatorów?

– Szesnastu już się wyprowadziło. Pozostało jeszcze sześciu.

– To znaczy, że szesnaście mieszkań stoi pustych.

Spojrzał na nią zaintrygowany.

– Zgadza się. I co z tego?

– Nie powinny stać puste.

– Chcesz, żeby je wynająć? Jaki sens w…

– Nie będziemy ich wynajmować. Podarujemy je bezdomnym. W Nowym Jorku są tysiące bezdomnych. Zajmiemy się choć garstką. Sprowadź ich tylu, ile tylko będzie można pomieścić w wolnych mieszkaniach. Przypilnuj, żeby dano im coś do jedzenia.

Keller zmarszczył brwi.

– Coś mi się wydaje, że to nie najlepszy pomysł.

– Howardzie, staniemy się dobroczyńcami. Zrobimy coś, czego nie robią władze miasta – udzielimy schronienia bezdomnym.

Przyjrzała się budynkowi, zwracając szczególną uwagę na okna.

– Chcę, by zabito je deskami.

– Co?

– Sprawimy, że ten dom będzie wyglądał jak najgorsza rudera. Czy mieszkanie na ostatnim piętrze, to z tarasem na dachu, jest wciąż zajęte?

– Tak.

– Każ postawić na dachu wielką tablicę, by zasłonić widok.

– Ale…

– Zabieraj się do pracy.

Kiedy wróciła do biura, czekała na nią wiadomość.

– Doktor Peters prosi panią o telefon – powiedziała Tricia.

– Połącz mnie z nim.

Podszedł do telefonu niemal natychmiast.

– Laro, zbadałem twoją asystentkę.

– No i?

– To nowotwór. Obawiam się, że złośliwy. Radzę natychmiastowe przeprowadzenie mastektomii.

– Chcę mieć opinię drugiego lekarza.

– Oczywiście, jak sobie życzysz, ale to ja jestem ordynatorem i...

– Mimo to chcę mieć opinię drugiego lekarza. Niech zbada ją ktoś jeszcze. Zadzwoń do mnie jak najszybciej. Gdzie jest teraz Kathy?

– W drodze powrotnej do biura.

– Dziękuję ci, Alanie.

Odłożyła słuchawkę i nacisnęła guzik interkomu.

– Kiedy pojawi się Kathy, przyślij ją do mnie.

Lara zerknęła do leżącego na biurku kalendarza. Zostało tylko trzydzieści dni do opróżnienia Dorchester Apartments. Potem trzeba rozpocząć prace budowlane.

Sześciu upartych lokatorów. W porządku, pomyślała, przekonamy się, kto jest bardziej uparty. Oni czy ja.

Kathy miała twarz zapuchniętą, a oczy zaczerwienione.

– Wiem o wszystkim – powiedziała Lara. – Bardzo mi przykro, Kathy.

– Wkrótce umrę – zaszlochała Kathy.

Lara wstała i przytuliła ją mocno.

– Bzdura! Ostatnio medycyna poczyniła duże postępy w walce z rakiem. Zrobią ci operację i wyzdrowiejesz.

– Panno Cameron, nie stać mnie na...

– Nie martw się tym. Doktor Peters zorganizuje jeszcze jedno badanie. Jeśli jego diagnoza się potwierdzi, natychmiast powinnaś się poddać operacji. A teraz idź do domu i odpocznij nieco.

Do oczu Kathy znów napłynęły łzy.

– Dziękuję.

Nikt naprawdę nie zna tej kobiety, pomyślała, wychodząc z gabinetu.

Rozdział 16

W poniedziałek u Lary pojawił się niezapowiedziany gość.

– Panno Cameron, przyszedł pan O'Brian z Miejskiego Wydziału Gospodarki Przestrzennej. Chce się z panią zobaczyć.

– W jakiej sprawie?

– Nie powiedział.

Lara zadzwoniła przez interkom do Kellera.

– Howardzie, czy mógłbyś do mnie wpaść? – A sekretarce poleciła: – Proszę wprowadzić pana O'Briana.

Andy O'Brian był tęgim Irlandczykiem o czerwonej twarzy. Mówił z lekkim irlandzkim akcentem.

– Panna Cameron?

Lara nie wstała zza biurka.

– Tak. Czym mogę panu służyć, panie O'Brian?

– Miss Cameron, obawiam się, że naruszyła pani prawo.

– Naprawdę? A cóż takiego zrobiłam?

– Czy jest pani właścicielką Dorchester Apartments przy Wschodniej Czternastej ulicy?

– Tak.

– Doniesiono nam, że około stu bezdomnych zajęło mieszkania w tym budynku.

– Ach, o to chodzi. – Lara uśmiechnęła się niewinnie. – Zgadza się. Pomyślałam, że skoro władze miasta nic nie robią dla bezdomnych, pomogę jakoś tym biednym ludziom i dam im schronienie.

Do gabinetu wszedł Howard Keller.

– Pan Keller. Pan O'Brian.

Mężczyźni uścisnęli sobie ręce.

Lara zwróciła się do Kellera.

– Właśnie wyjaśniłam, w jaki sposób wyręczamy miasto, zapewniając bezdomnym dach nad głową.

– Czy pozwoliła im pani zająć te mieszkania, panno Cameron?

– Zgadza się.

– Czy ma pani zgodę od władz miasta?

– Zgodę na co?

– Schroniska dla bezdomnych muszą spełniać pewne ściśle określone wymagania i uzyskać aprobatę odpowiednich władz miejskich.

– Przykro mi, nic o tym nie wiedziałam. Natychmiast wystąpię o stosowne pozwolenie.

– Nie wydaje mi się, by je pani uzyskała.

– A to dlaczego?

– Otrzymaliśmy skargi od lokatorów budynku. Twierdzą, że próbuje ich pani zmusić do opuszczenia domu.

– Bzdura.

– Panno Cameron, dajemy pani czterdzieści osiem godzin na usunięcie tych bezdomnych. A kiedy już się wyniosą, proszę usunąć deski, którymi kazała pani zabić okna.

Lara nie ukrywała swojej wściekłości.

– Czy to już wszystko?

– Nie, proszę pani. Lokator, który ma taras na dachu, poskarżył się, że kazała pani postawić tablicę, która zasłania cały widok. Musi pani również usunąć tę tablicę.

– A jeśli tego nie zrobię?

– Myślę, że zrobi pani. Wszystko to podpada pod paragraf dotyczący szykanowania. Oszczędzi sobie pani wiele kłopotu i niepochlebnych wzmianek w prasie, jeśli nie będzie nas pani zmuszała do pozwania pani przed sąd. – Skinął głową i pożegnał się. – Życzę miłego dnia.

Obserwowali, jak opuszcza gabinet.

Keller odwrócił się do Lary.

– Musimy wyrzucić tych wszystkich ludzi.

– Nie. – Siedziała, rozważając coś.

– Jak to „nie"? Ten człowiek powiedział...

– Słyszałam, co powiedział. Chcę, żebyś sprowadził więcej bezdomnych. Chcę, żeby ten dom był pełen włóczęgów. Będziemy grać na zwłokę. Zadzwoń do

Terry'ego Hilla. Powiedz mu o wszystkim. Niech postara się o odroczenie czy coś w tym rodzaju. Musimy się pozbyć tych sześciu lokatorów do końca miesiąca. W przeciwnym razie będzie nas to kosztowało trzy miliony dolarów.

Rozległ się dzwonek interkomu.
– Dzwoni doktor Peters.
Lara podniosła słuchawkę.
– Cześć, Alanie.
– Chciałem cię tylko poinformować, że właśnie skończyliśmy operację. Wygląda na to, że usunęliśmy cały guz. Wkrótce Kathy będzie zdrowa.
– To cudowna wiadomość. Kiedy mogę ją odwiedzić?
– Możesz wpaść nawet dziś po południu.
– Wpadnę na pewno. Dziękuję, Alanie. Przypilnuj, żeby przysłano mi wszystkie rachunki, dobrze?
– Dobrze.
– I powiedz kierownictwu szpitala, że mogą się spodziewać darowizny. Pięćdziesięciu tysięcy dolarów.
– Poślij jej do szpitala kwiaty, mnóstwo kwiatów – poleciła sekretarce. – Spojrzała na rozkład swoich zajęć. – Pojadę się z nią zobaczyć o czwartej.
Do gabinetu wszedł Terry Hill.
– Wydano nakaz twojego aresztowania.
– Co?
– Polecono ci byś się pozbyła wszystkich bezdomnych?
– Tak, ale...
– Laro, nie próbuj żadnych sztuczek. Jest taka stara reguła: „Nie zadzieraj z władzami miasta, bo przegrasz".
– Czy naprawdę mnie aresztują?
– Nie ma się co łudzić. Otrzymałaś formalne polecenie usunięcia stamtąd tych ludzi.
– Dobra – zdecydowała Lara. – Usuniemy ich. – Odwróciła się do Kellera. – Każ im opuścić mieszkania, ale nie wypędzaj ich z powrotem na ulicę. To byłoby

nieludzkie... Mamy na West Twenties te puste domy,
które czekają na remont. Umieścimy ich tam. Korzystaj
z wszelkiej potrzebnej ci pomocy. Chcę, by za godzinę
już ich tam nie było.

Zwróciła się do Terry'ego Hilla.

– Wychodzę, więc nie będą mi mogli wręczyć naka-
zu aresztowania. Kiedy wrócę, będzie już po problemie.

Rozległ się dzwonek interkomu.

– Przyszli dwaj panowie z biura prokuratora okręgowego.

Lara skinęła na Howarda Kellera. Podszedł do interkomu i oznajmił:

– Panna Cameron wyszła.

Nastąpiła chwila ciszy.

– Kiedy wróci?

Keller spojrzał na Larę. Pokręciła głową. Keller
powiedział do interkomu:

– Nie wiadomo. – Nacisnął guzik.

– Wyjdę tylnymi drzwiami – szepnęła.

Lara nie znosiła szpitali. Kojarzyły jej się z leżącym
w łóżku ojcem, bladym i dziwnie postarzałym.

„A cóż ty tu, u diabła, robisz? W pensjonacie czeka na ciebie robota".

Weszła do pokoju Kathy. Cały tonął w kwiatach.
Kathy siedziała na łóżku.

– Jak się czujesz? – spytała Lara.

– Lekarz powiedział, że wyzdrowieję.

– I radzę ci, żebyś go posłuchała. Czeka na ciebie
mnóstwo pracy. Potrzebuję cię.

– Nie wiem... nie wiem, jak mam za to wszystko
dziękować.

– Nie ma o czym mówić.

Lara podniosła słuchawkę telefonu stojącego obok
łóżka i połączyła się ze swoim biurem. Poprosiła do
aparatu Terry'ego Hilla.

– Są tam jeszcze?

– Tak. Zamierzają czekać do twojego powrotu.

– Bądź w kontakcie z Howardem. Jak tylko opróżni budynek z bezdomnych, wrócę do biura.

Odłożyła słuchawkę.

– Jeśli będziesz czegoś potrzebowała, powiedz mi – zwróciła się do Kathy. – Wpadnę do ciebie jutro.

Ze szpitala Lara udała się do firmy architektonicznej Higgins, Almont & Clark. Zaprowadzono ją do pana Clarka. Kiedy wchodziła do jego gabinetu, Clark podniósł się zza biurka.

– Cóż za miła niespodzianka. Czym mogę pani służyć, panno Cameron?

– Czy ma pan plany osiedla przy Czternastej ulicy?

– Oczywiście.

Podszedł do deski kreślarskiej.

– Oto one.

Pokazał jej szkic pięknego założenia urbanistycznego, z domami mieszkalnymi i sklepami.

– Chcę, żeby pan wprowadził pewną zmianę – zwróciła się do niego Lara.

– Słucham?

Wskazała miejsce w samym środku kwartału.

– Tutaj stoi stary dom, którego obecni lokatorzy nie mają ochoty opuścić. Chcę, by zmienił pan projekt, tak aby osiedle mogło zostać wybudowane wokół tego budynku.

– Życzy sobie pani, by wzniesiono nowy kompleks, nie ruszając tego starego domu? Niemożliwe. Po pierwsze będzie to okropnie wyglądało i...

– Niech pan zrobi, o co proszę, i jeszcze dziś prześle do mojego biura nowy projekt – oświadczyła Lara i wyszła.

Z samochodu zadzwoniła do Terry'ego Hilla.

– Czy miałeś jakieś wiadomości od Howarda?

– Tak. Wszyscy dzicy lokatorzy zostali wykwaterowani.

– Dobrze. Zadzwoń do prokuratora okręgowego. Powiedz mu, że już dwa dni temu poleciłam, by wyrzucono tych włóczęgów, i nie wiedziałam, iż ciągle tam są. Kiedy dziś usłyszałam, jak wyglądają sprawy, spowodowałam, by natychmiast się wynieśli. Jadę teraz do biura. Zobaczymy, czy wciąż jeszcze będzie chciał mnie aresztować.

– Pojedź przez park – zwróciła się do kierowcy. – I nie śpiesz się zbytnio.

Trzydzieści minut później, kiedy dotarła do biura, ludzi z nakazem aresztowania już nie było.

Lara zwołała spotkanie z Howardem Kellerem i Terrym Hillem.

– Lokatorzy wciąż się nie chcą ruszyć z miejsca – stwierdził Keller. – Zaproponowałem im więcej pieniędzy. Mimo to dalej nie chcą się wyprowadzić. Zostało nam tylko pięć dni do rozpoczęcia prac rozbiórkowych.

– Zwróciłam się do pana Clarka, by sporządził nowy projekt – oświadczyła.

– Widziałem go – powiedział Keller. – To absolutny bezsens. Nie możemy w samym środku nowoczesnego kompleksu zostawić tego starego domu. Będziemy musieli zwrócić się do banku z prośbą o przesunięcie terminu rozpoczęcia budowy.

– Nie – zaprotestowała. – Postanowiłam przyśpieszyć termin rozpoczęcia prac.

– Co takiego?

– Skontaktuj się z wykonawcą. Powiedz, że chcemy rozpocząć inwestycję jutro.

– Jutro? Laro...

– Jutro skoro świt. Weź ten plan i daj go kierownikowi ekipy budowlanej.

– I co nam z tego przyjdzie? – spytał Keller.

– Zobaczymy.

Następnego ranka lokatorów Dorchester Apartments obudził ryk buldożera. Wyjrzeli przez okna. Zobaczyli, jak mechaniczny behemot kieruje się w stronę ich domu, niszcząc wszystko na swej drodze. Byli oszołomieni.

Pan Hershey, mieszkający na najwyższym piętrze, wybiegł z domu i pospieszył w stronę kierownika budowy.

– Co wy tu robicie? – krzyknął. – Nie wolno wam kontynuować prac.

– A kto nam zabroni?

– Miasto. – Hershey wskazał na dom, w którym mieszkał. – Nie wolno wam tknąć tego budynku.

Kierownik budowy spojrzał na plan budowy.

– Zgadza się – powiedział. – Mamy polecenie, by zostawić ten dom.

Hershey zmarszczył brwi.

– Jak to? Proszę mi pozwolić spojrzeć na plan. – Na widok projektu aż go zatkało. – Zamierzają wznieść cały kompleks, zostawiając ten dom?

– Tak, proszę pana.

– Ale przecież nie mogą tego zrobić! Choćby ze względu na hałas i kurz!

– To już nie moje zmartwienie. A teraz, jeśli pan pozwoli, chciałbym powrócić do pracy.

Trzydzieści minut później sekretarka poinformowała:

– Panno Cameron, na dwójce jest jakiś pan Hershey.

– Powiedz mu, że mnie nie ma.

Dopiero kiedy Hershey zadzwonił po raz trzeci tego popołudnia, Lara postanowiła z nim porozmawiać.

– Słucham, panie Hershey. Czym mogę panu służyć?

– Chciałbym się z panią spotkać, panno Cameron.

– Niestety, jestem bardzo zajęta. Proszę mi wyjaśnić przez telefon, o co chodzi.

– Myślę, że ucieszy panią wiadomość, iż po rozmowie z pozostałymi lokatorami naszego domu doszliśmy do wniosku, że najlepiej będzie skorzystać z pani oferty i opuścić nasze mieszkania.

– Panie Hershey, ta oferta jest już nieaktualna. Możecie państwo pozostać w swoich lokalach.

– Przecież jeśli zacznie pani budowę tego kompleksu, nie będziemy mogli ani na chwilę zmrużyć oka!

– Kto panu powiedział, że przystąpiliśmy do budowy? – spytała. – Skąd ma pan tę informację?

– Kierownik budowy pokazał mi plan i...

– Wyrzucę go z roboty. – W głosie Lary wyczuwało się wściekłość. – To było poufne.

– Chwileczkę. Porozmawiajmy jak dwoje rozsądnych ludzi, dobrze? Pani projekt zyska, jeśli zburzy pani dom, w którym mieszkamy, my też lepiej na tym wyjdziemy, jeśli się wyprowadzimy. Nie chcę mieszkać w samym środku jakiegoś cholernego osiedla wieżowców.

– Panie Hershey, jest mi najzupełniej obojętne, czy państwo zostaną, czy też się wyprowadzą – oświadczyła. Jej głos stał się łagodniejszy. – Powiem panu, co zrobię. Jeśli do przyszłego miesiąca ten budynek zostanie opróżniony, jestem gotowa podtrzymać swoją pierwotną ofertę.

Czuła, jak Hershey rozważa wszystko od początku.

– Dobrze – powiedział z ociąganiem. – Porozmawiam z pozostałymi lokatorami. Jestem pewien, że się zgodzą. Doceniam pani dobrą wolę, panno Cameron.

– Miło mi było z panem rozmawiać, panie Hershey – pożegnała go Lara.

W następnym miesiącu prace przy nowej inwestycji ruszyły pełną parą.

Lara stawała się coraz bardziej znana. Cameron Enterprises budowało wieżowiec w Brooklynie, centrum handlowe w Westchester, kompleks handlowy w Waszyngtonie. W Dallas realizowano osiedle tanich domków, a w Los Angeles – blok mieszkalny. Kapitał napływał z banków, kas oszczędnościowo-pożyczkowych i od inwestorów prywatnych. Lara stała się kimś.

Kathy wróciła do pracy.

– Jestem.

Lara obrzuciła ją uważnym spojrzeniem.

– Jak się czujesz?

Kathy się uśmiechnęła.

– Wspaniale. Dzięki…

– Masz dużo sił?

Zdziwiło ją to pytanie.

– Tak. Jestem…

– To dobrze. Będą ci potrzebne. Mianuję cię moją główną asystentką. Otrzymasz podwyżkę.

– Nie wiem, co powiedzieć. Jestem…

– Zasłużyłaś sobie na to.

Lara ujrzała w ręku Kathy jakieś pismo.

– Co to jest?

– Czasopismo „Gourmet" chciało opublikować przepis na pani ulubioną potrawę. Czy jest pani tym zainteresowana?

– Nie. Powiedz im, że jestem zbyt… poczekaj chwilkę. – Siedziała przez moment pogrążona w myślach, a potem powiedziała cicho: – Dobrze. Podam im przepis.

Ukazał się w druku trzy miesiące później.

Zaczynał się tak:

„Kruchy placek z bakaliami – tradycyjny szkocki wypiek. Należy przyrządzić kruche ciasto z ćwierci kilograma mąki, dziesięciu dekagramów masła, odrobiny zimnej wody i pół łyżeczki proszku do pieczenia. Na ciasto nakłada się mieszaninę z kilograma rodzynek, ćwierci kilograma posiekanych migdałów, trzydziestu dekagramów mąki, ćwierci kilograma cukru, dwóch łyżeczek angielskiego ziela, łyżeczki mielonego imbiru, łyżeczki cynamonu, pół łyżeczki proszku do pieczenia i odrobiny brandy…"

Lara długo wpatrywała się w artykuł. Poczuła smak placka, zapach kuchni w pensjonacie, ujrzała hałaśliwych lokatorów przy kolacji i swego bezradnego ojca w łóżku. Odłożyła czasopismo.

Ludzie rozpoznawali Larę na ulicy, a kiedy pojawiała się w restauracji, zawsze rozlegały się podniecone szepty. Kilku bogatych kawalerów pokazywało się z nią na mieście, dostawała schlebiające jej propozycje, ale nie wydawała się nimi zainteresowana. Uparcie, na poły podświadomie, czekała na pojawienie się tego jedynego.

Wstawała codziennie o piątej rano i kazała Maksowi, swojemu kierowcy, zawozić się na jeden z placów budowy. Stawała tam, patrząc na to, co dzięki niej powstawało.

Myliłeś się, ojcze, mówiła sobie. Potrafię zbierać czynsze.

Dzień rozpoczynał się dla niej od postukiwania młotów, ryku spychaczy, jazgotu maszyn. Wjeżdżała rozklekotaną windą na samą górę i stała na rusztowaniu w podmuchach wiatru.

To miasto należy do mnie, myślała.

Paul Martin leżał w łóżku z Larą.

– Słyszałem, że dziś nieźle zwymyślałaś kilku robotników.

– Zasłużyli sobie na to – powiedziała. – Fuszerowali robotę.

Paul uśmiechnął się.

– Przynajmniej nauczyłaś się ich nie policzkować.

– Zobacz tylko, co się stało, kiedy jednego spoliczkowałam. – Przytuliła się do niego. – Spotkałam ciebie.

– Muszę jechać do Los Angeles – oznajmił jej. – Chciałbym, żebyś pojechała ze mną. Czy możesz się wyrwać na kilka dni?

– Bardzo bym chciała, Paul, ale to niemożliwe. Planuję rozkład dnia za pomocą stopera.

Usiadł na łóżku i spojrzał na nią.

– Może za bardzo się przepracowujesz, mała. Nie chcę, żebyś kiedykolwiek stała się zbyt zajęta, aby spotykać się ze mną.

Lara uśmiechnęła się i zaczęła go głaskać.

– Nie martw się. To wykluczone.

Tyle razy widziała to miejsce i do dziś nie zwróciła na nie uwagi. Olbrzymią parcelę tuż nad wodą, w okolicach Wall Street, w pobliżu World Trade Center wystawiono na sprzedaż już jakiś czas temu. Nagle Lara doznała olśnienia i zobaczyła, co się tu powinno znajdować – w myślach ujrzała najwyższy budynek świata.

Wiedziała, co powie na to Howard: „Laro, porywasz się z motyką na słońce. Nie możesz się angażować w coś takiego".

Ale wiedziała również, że nic jej nie powstrzyma.

Natychmiast po przyjściu do biura zwołała spotkanie kierownictwa.

– Nad rzeką, w okolicach Wall Street wystawiono na sprzedaż nieruchomość – oznajmiła. – Kupimy ją i wzniesiemy tam najwyższy drapacz chmur na świecie.

– Laro...

– Howardzie, zanim cokolwiek powiesz, pozwól mi zwrócić uwagę na kilka faktów. Punkt jest idealny. To samo serce Nowego Jorku. Wszyscy się będą bili o wynajęcie tam lokalu na biuro. I pamiętaj, że będzie to najwyższy drapacz chmur na świecie. To będzie coś, nasza wizytówka. Nazwiemy go Cameron Towers.

– A skąd weźmiemy pieniądze?

Lara wręczyła mu kartkę papieru.

Keller przestudiował cyfry.

– Jesteś zbytnią optymistką.

– Jestem realistką. Nie mówimy tu o jakimś tam sobie budynku. Mówimy o prawdziwym klejnocie, Howardzie.

Zamyślił się głęboko.

– Poważnie ryzykujesz.

Uśmiechnęła się rozbawiona.

– Nie pierwszy raz.

– Najwyższy drapacz chmur na świecie... – powiedział Keller w zamyśleniu.

– Właśnie. Wszystkie banki będą do nas wydzwaniały, oferując pieniądze. Skwapliwie skorzystają z takiej okazji.

– Najprawdopodobniej tak – potwierdził Keller. Spojrzał na Larę. – Bardzo tego pragniesz, prawda?

– Tak.

Keller westchnął. Popatrzył na wszystkich obecnych.

– Zgoda. Pierwszy krok to uzyskać opcję kupna nieruchomości.

– Już to załatwiłam – oświadczyła rozpromieniona Lara. – Mam też dla ciebie inną wiadomość. Negocjacje w sprawie zakupu tej nieruchomości prowadził również Steve Murchinson.

– Pamiętam go. Sprzątnęliśmy mu sprzed nosa plac pod budowę hotelu w Chicago.

„Tym razem odpuszczam ci, ty dziwko, bo mam nadzieję, że nie wiesz, co robisz. Ale na przyszłość nie wchodź mi w drogę, bo może ci się stać krzywda".

– Zgadza się. – Murchinson należał do najbardziej bezwzględnych przedsiębiorców budowlanych w Nowym Jorku i mógł się poszczycić wieloma sukcesami.

– Laro, to niebezpieczny przeciwnik. Lubi niszczyć ludzi – ostrzegł ją Keller.

– Nie martw się na zapas.

Sprawa sfinansowania budowy Cameron Towers poszła całkiem gładko. Lara miała rację. Bankierzy wyczuli, że najwyższy drapacz chmur na świecie to niezwykła gratka. A dodatkowy magnes stanowiło nazwisko Cameron. Zależało im na interesach z Larą.

Była postacią więcej niż fascynującą. Stała się symbolem, wzorem do naśladowania dla kobiet całego świata.

Jeśli ona tyle osiągnęła, to dlaczego ja mam nie spróbować? – mówiły sobie.

Nazwano jej imieniem perfumy. Zapraszano na wszystkie najważniejsze wydarzenia towarzyskie, ubiegano się, by zaszczyciła swą obecnością przyjęcia. Każde przedsięwzięcie firmowane jej nazwiskiem wydawało się mieć zagwarantowany sukces.

– Utworzymy przedsiębiorstwo budowlane – postanowiła pewnego dnia Lara. – Własne ekipy robotników, które będziemy wynajmowali innym inwestorom.

– To niezły pomysł – zgodził się Keller.

– A więc zrealizujmy go. Kiedy rozpoczniemy wykop pod fundamenty Cameron Towers?

– Myślę, że za trzy miesiące.

Lara odchyliła się na krześle.

– Howardzie, potrafisz sobie to wyobrazić? Najwyższy drapacz chmur na świecie!...

Zastanawiał się, jakie wnioski wyciągnąłby z tej fascynacji Freud.

Uroczyste rozpoczęcie prac ziemnych przy Cameron Towers odbyło się w prawdziwie jarmarcznej atmosferze. Główną atrakcję stanowiła amerykańska księżniczka, Lara Cameron. Wydarzenie zostało szeroko rozreklamowane przez prasę oraz telewizję. Zebrało się ponad dwieście osób, niecierpliwie wyglądając przybycia Lary. Gdy jej biała limuzyna zajechała na plac budowy, rozległy się okrzyki:

– Jest! Jest!

Kiedy wysiadła z samochodu i skierowała się w stronę placu budowy, by powitać burmistrza, policja i funkcjonariusze ochrony musieli siłą powstrzymywać napierający tłum. Ludzie pchali się, wykrzykując jej imię, a flesze aparatów fotograficznych błyskały raz za razem.

Na odgrodzonym linami terenie zgromadzili się bankowcy, szefowie agencji reklamowych, dyrektorzy przedsiębiorstw, budowniczowie kierujący przedsięwzięciem, przedstawiciele władz miasta i architekci. Trzydzieści metrów dalej stały spychacze i koparki gotowe do pracy oraz pięćdziesiąt ciężarówek czekających na ładunek gruzu.

Lara stała obok burmistrza i przewodniczącego rady Manhattanu. Zaczęło mżyć. Jerry Townsend, kierownik biura prasowego Cameron Enterprises, pospieszył w jej stronę z parasolem. Uśmiechnęła się i dała mu znak ręką, by się nie fatygował.

– Jesteśmy dzisiaj świadkami ważnej chwili w historii Manhattanu – rozpoczął swoje przemówienie burmistrz. – Ta uroczystość rozpoczyna jedną z największych inwestycji budowlanych w dziejach naszej dzielnicy. Sześć kwartałów na Manhattanie przekształci się w nowoczesne osiedle. Znajdą się tu domy mieszkalne, dwa centra handlowe, centrum kongresowe i najwyższy drapacz chmur na świecie.

Ze strony tłumów dobiegły okrzyki aprobaty.

– Gdziekolwiek spojrzymy – ciągnął burmistrz – widać wkład Lary Cameron, znaczony wspaniałymi gmachami. – Wyciągnął rękę. – Oto Cameron Center. Zaraz obok Cameron Plaza i kilka osiedli mieszkaniowych. W całym kraju można spotkać sieć hoteli Cameron.

Burmistrz odwrócił się do Lary.

– Panna Cameron jest nie tylko mądra, ale również piękna.

Rozległy się śmiechy i kolejne okrzyki aprobaty. Lara uśmiechnęła się do kamer telewizyjnych.

– Dziękuję, panie burmistrzu. Bardzo się cieszę, że mogę wnieść swój mały wkład w tworzenie tego wyjątkowego miasta. Mój ojciec zawsze mi powtarzał, że głównym celem naszego życia na tym świecie jest dążenie do tego, by... – Urwała na moment. Kątem oka ujrzała w tłumie znajomą postać. Steve Murchinson. Widziała jego zdjęcie w gazecie... Co on tu robi? Po chwili przerwy ciągnęła dalej: – ...zostawić go lepszym, niż był w chwili naszych narodzin. Cóż, mam nadzieję, że udaje mi się to na miarę moich skromnych możliwości.

Larze wręczono chromowaną łopatę.

– Panno Cameron, pora brać się do roboty.

Znów zaczęły błyskać flesze.

Lara wbiła łopatę w ziemię.

Pod koniec uroczystości podano napoje i przekąski. Kamery telewizyjne rejestrowały przebieg całego wydarzenia. Kiedy Lara ponownie się rozejrzała, nie dostrzegła już nigdzie Murchinsona.

Trzydzieści minut później razem z Jerrym Townsendem pojechała do biura.

– Uważam, że było świetnie – zachwycał się szef reklamy. – Po prostu wspaniale.

– Zupełnie nieźle – uśmiechnęła się. – Dziękuję, Jerry.

Biura dyrekcji Cameron Enterprises zajmowały całe czterdzieste dziewiąte piętro Cameron Center.

Zanim Lara dotarła na górę, wszyscy już wiedzieli, że za chwilę się pojawi. Cały personel rzucał się do pracy.

– Wstąp do mnie, Jerry – poprosiła Lara.

Jej gabinet mieścił się w narożnym pokoju z widokiem na całe miasto.

Rzuciła okiem na papiery na biurku, po czym spojrzała na Jerry'ego.

– Jak się czuje twój ojciec?

– Niezbyt dobrze.

– Wiem. Cierpi na pląsawicę Huntingtona, prawda?

– Tak.

Była to straszna choroba. Charakteryzowała ją postępująca degeneracja, objawiająca się spazmatycznymi, mimowolnymi ruchami głowy i kończyn, którym towarzyszyła stopniowa utrata zdolności umysłowych.

– Skąd wiesz o chorobie mojego ojca?

– Jestem w zarządzie szpitala, w którym był leczony. Usłyszałam, jak kilku lekarzy dyskutowało nad jego przypadkiem.

– To nieuleczalne – powiedział sztywno Jerry.

– Każda choroba jest nieuleczalna, póki ktoś nie wynajdzie lekarstwa – oświadczyła Lara. – Sprawdziłam coś. W Szwajcarii jest lekarz, który prowadzi zaawansowane badania nad tą chorobą. Jest gotów zająć się twoim ojcem. Pokryję wszystkie związane z tym wydatki.

Jerry stał oszołomiony.

– Zgoda?

Było mu trudno wydusić z siebie choć jedno słowo.

– Zgoda.

Nie znam jej, pomyślał Jerry Townsend. Nikt jej nie zna.

Wokół tworzono historię, ale Lara była zbyt zajęta, by zwracać na to uwagę. Ronalda Reagana ponownie wybrano na prezydenta, a Michaił Gorbaczow został po śmierci Czernienki nowym przywódcą ZSRR.

Lara wybudowała w Detroit osiedle tanich domków.

W 1986 roku Ivan Boesky został ukarany grzywną w wysokości trzech milionów dolarów oraz trzema latami więzienia za to, że obracał akcjami, wykorzystując poufne informacje.

Lara przystąpiła do budowy bloku mieszkalnego w Queens. Inwestorzy pragnęli współuczestniczyć w przedsięwzięciach opromienionych magią jej nazwiska. Do Nowego Jorku przyleciała na rozmowy z nią grupa przedstawicieli niemieckich banków inwestycyjnych. Lara ustaliła termin spotkania natychmiast po wylądowaniu samolotu. Protestowali, ale oświadczyła im:

– Bardzo mi przykro, panowie, ale to jedyny wolny termin, jakim dysponuję. Zaraz wylatuję do Hongkongu.

Niemcom podano kawę. Lara piła herbatę. Jeden z gości uskarżał się na smak kawy.

– To mieszanka przyrządzana specjalnie dla mnie – wyjaśniła. – W miarę picia rozsmakuje się pan w niej. Proszę nalać sobie jeszcze jedną filiżankę.

Zanim negocjacje dobiegły końca, Lara uzyskała wszystko, na czym jej zależało.

Życie Lary wydawało się nieprzerwanym pasmem sukcesów i szczęśliwych zbiegów okoliczności. Ten idylliczny obraz zepsuło jedno nieprzyjemnie wydarzenie. Przy okazji nabywania różnych nieruchomości kilkakrotnie konkurowała ze Steve'em Murchinsonem i zawsze udawało się jej go przechytrzyć.

– Uważam, że powinniśmy spasować – ostrzegał Keller.

– Niech on spasuje.

Pewnego ranka przyszła piękna paczka od Bendela owinięta w różowy papier. Kathy położyła ją na biurku Lary.

– Jest strasznie ciężka – powiedziała. – Jeśli to kapelusz, to nie zazdroszczę.

Zaintrygowana, odwinęła papier i uniosła pokrywkę. W środku była ziemia oraz karteczka, na której wydrukowano: „Kaplica pogrzebowa Franka E. Campbella".

Wszystkie inwestycje przebiegały planowo. Kiedy Lara przeczytała, że projekt budowy placu gier w centrum miasta natrafił przeszkodę w postaci biurokratycznych przepisów – wkroczyła do akcji. Wybudowała ośrodek sportowy i podarowała go miastu. Rozgłos, jaki dzięki temu uzyskała, był ogromny. Jeden z artykułów opatrzono tytułem: „Lara Cameron znaczy »potrafię«".

Widywała się z Paulem raz lub dwa razy w tygodniu, a rozmawiała codziennie.

Kupiła dom w Southampton. Nosiła drogą biżuterię i futra, jeździła pięknymi limuzynami. Jej szafy pełne były kreacji sławnych projektantów mody.

„Potrzebuję nowej sukienki do szkoły". „Nie znajduję pieniędzy na ulicy. Załatw sobie coś w ośrodku Armii Zbawienia".

Jej rodzinę stanowili pracownicy. Martwiła się o nich. Poza nimi nie miała nikogo. Pamiętała o ich urodzinach i rocznicach ślubu. Pomagała ich dzieciom dostać się do dobrych szkół i tworzyła dla nich fundusze stypendialne. Wszelkimi podziękowaniami była zażenowana. Nie potrafiła okazywać własnych uczuć. Kiedyś, gdy próbowała to robić, ojciec ją wyśmiał. Teraz wzniosła wokół siebie ochronny mur.

Już nikt nigdy mnie nie skrzywdzi, przysięgła sobie. Nikt.

Część III

Część III.

Rozdział 17

Howardzie, rano wylatuję do Londynu.
- W jakiej sprawie? – spytał Keller.
- Lord MacIntosh poprosił mnie, bym rzuciła okiem na pewną nieruchomość. Chce w nią wspólnie z nami zainwestować.

Brian MacIntosh należał do najbogatszych przedsiębiorców budowlanych w Anglii.
- O której godzinie mamy samolot? – spytał Keller.
- Postanowiłam polecieć sama.
- Ach, tak?
- Chcę, żebyś miał tu oko na wszystko.
Skinął głową.
- Dobrze.
- Wiem, że zawsze mogę na ciebie liczyć.

Lot do Londynu przebiegał bez żadnych sensacji. Prywatny boeing 727 Lary wylądował na lotnisku Luton pod Londynem. Nie miała pojęcia, że wkrótce w jej życiu zajdzie wielka zmiana.

W drzwiach hotelu Claridges powitał Larę osobiście jego dyrektor, Ronald Jones.
- Cieszymy się, że możemy panią gościć, panno Cameron. Proszę pozwolić, że zaprowadzę panią do jej apartamentu. Czeka na panią kilka depesz.

Apartament okazał się wspaniały. Były w nim kwiaty od Briana MacIntosha i Paula Martina, a także szampan i przekąski od kierownictwa hotelu. Ledwo przekroczyła próg pokoju, rozległ się dźwięk telefonu. Dzwoniono z całych Stanów.

– Architekt chce wprowadzić pewne zmiany w projekcie. Będą kosztowały majątek...

– Nie dostarczyli na czas cementu...

– First National Savings & Loan chce finansować nasze następne przedsięwzięcie...

– Burmistrz prosi o potwierdzenie, czy przyjedzie pani do Los Angeles. Chciałby urządzić wielką uroczystość...

– Roboty posuwają się wolniej, gdyż jest brzydka pogoda. Nie nadążamy za harmonogramem...

Każdy problem wymagał decyzji i kiedy Lara wreszcie załatwiła wszystkie telefony, była wykończona. Zjadła obiad w pokoju, a potem usiadła w oknie i obserwowała rolls-royce'y i bentleye podjeżdżające pod hotel od strony Brook Street. Ogarnęło ją uczucie dumy.

Widzisz, tatusiu, jak dużo osiągnęła mała dziewczynka z Glace Bay – pomyślała.

Następnego dnia Lara udała się z Brianem MacIntoshem na oględziny oferowanej nieruchomości. Był to bardzo rozległy obszar. Jedna z granic ciągnęła się trzy kilometry wzdłuż rzeki. Znajdowały się tam stare, zrujnowane budynki i hale magazynowe.

– Rząd brytyjski udzieli nam znacznych ulg podatkowych – wyjaśnił Brian MacIntosh – ponieważ dzięki nam te tereny odzyskają dawną świetność.

– Chciałabym się nad tym zastanowić – rzekła, choć już podjęła decyzję.

– Mam bilety na koncert – zaproponował Brian MacIntosh. – Moja żona ma akurat dziś wieczorem spotkanie w klubie. Czy lubi pani muzykę poważną?

Lara nie interesowała się muzyką poważną.

– Tak.

– Philip Adler będzie grał utwory Rachmaninowa. – Spojrzał na nią tak, jakby oczekiwał, że coś powie. Nigdy przedtem nie słyszała o Philipie Adlerze.

– Zapowiada się interesująco – odparła Lara.

– Po koncercie pójdziemy na kolację do Scottsa. Przyjadę po panią o siódmej.

Dlaczego powiedziałam, że lubię muzykę poważną? – zastanowiła się Lara.

Zanosiło się na nudny wieczór. Wolałaby wziąć gorącą kąpiel i iść spać.

No, trudno, tych kilka godzin nie zrobi mi żadnej różnicy. Polecę do Nowego Jorku rano.

Festival Hall wypełniony był po brzegi miłośnikami muzyki. Mężczyźni przyszli w smokingach, a kobiety w wytwornych kreacjach wieczorowych. Był to koncert galowy i w ogromnej sali panował nastrój pełnego podniecenia oczekiwania.

Brian MacIntosh kupił u szatniarza dwa programy i kiedy zajęli miejsca, wręczył jeden Larze. Ledwo na niego zerknęła. Orkiestra Filharmonii Londyńskiej... III Koncert fortepianowy d-moll op. 30 w wykonaniu Philipa Adlera.

Muszę zadzwonić do Howarda i przypomnieć mu o skorygowanych szacunkach dotyczących nieruchomości przy Piątej Alei, pomyślała.

Na scenie pojawił się dyrygent. Powitano go oklaskami. Lara nie zwracała uwagi na to, co się działo w sali.

Ta firma budowlana z Bostonu jest strasznie powolna. Potrzebna im jakaś zachęta. Powiem Howardowi, by zaproponował im premię – planowała.

Na sali znów rozbrzmiały głośne oklaski. Solista zajmował miejsce przy fortepianie stojącym na środku sceny. Dyrygent dał znak batutą i rozległy się dźwięki muzyki.

Palce Philipa Adlera przebiegły po klawiaturze.

– Czyż nie jest fantastyczny? Mówiłam ci, Agnes! – szeptała kobieta siedząca za Larą. Miała silny akcent teksaski.

Lara znów spróbowała się skoncentrować na swoich problemach.

Ta londyńska oferta jest do niczego. Fatalny punkt, pomyślała Lara. Ludzie nie będą chcieli tam zamieszkać. Lokalizacja, lokalizacja i jeszcze raz lokalizacja. A jeśli chodzi o parcelę w pobliżu Culumbus Circle – tam to i owszem, są szanse na sukces – uznała.

Kobieta siedząca z tyłu powiedziała głośno:

– Jego sposób ekspresji... jest fantastyczny! Jest jednym z najbardziej...

Lara próbowała się wyłączyć.

Nakłady na budowę biurowca wyniosą około czterech tysięcy dolarów za metr kwadratowy powierzchni użytkowej. Jeśli uda mi się utrzymać koszty budowy na poziomie stu pięćdziesięciu milionów, cenę działki na poziomie stu dwudziestu pięciu milionów, koszty projektu... – kalkulowała.

– Mój Boże! – wykrzyknęła kobieta tuż za Larą, wyrywając ją z zamyślenia. – On jest genialny!

Zagrzmiał werbel, następnie Philip Adler wykonał cztery takty solo, po czym znów zaczęła grać orkiestra, zwiększając stopniowo tempo. Uderzono w bębny...

Kobieta nie była w stanie zapanować nad sobą.

– Posłuchaj tego! Muzyka przechodzi od *piu vivo* do *piu mosso*. Czy kiedykolwiek słyszałaś coś równie podniecającego?

Lara zacisnęła zęby.

Powinno się udać osiągnąć minimalny zysk, pomyślała. Koszt wybudowania powierzchni użytkowej zamknąłby się kwotą trzystu pięćdziesięciu milionów, dziesięcioprocentowe odsetki wyniosłyby trzydzieści pięć milionów, jeśli dodać do tego dziesięć milionów na koszty eksploatacyjne...

Całą salę wypełniały coraz szybsze takty muzyki, która w pewnej chwili osiągnęła punkt kulminacyjny, po czym zapanowała cisza. Słuchacze powstali z miejsc, nagradzając solistę gorącą owacją. Wznoszono okrzyki: „Brawo!" Pianista wstał od fortepianu i kłaniał się publiczności.

Lara nawet nie uniosła głowy.

Podatki wyniosą jakieś sześć milionów – liczyła – za powierzchnię wynajmowaną bez opłat wypadnie około dwóch milionów. Czyli mówimy o jakichś pięćdziesięciu ośmiu milionach.

– Jest genialny, prawda? – zapytał Brian MacIntosh.

– Tak. – Była zła, że znów przerwano jej rozważania.

– Chodźmy za kulisy. Philip jest moim przyjacielem.

– Naprawdę nie…

Ujął ją pod ramię i ruszyli w stronę wyjścia.

– Cieszę się, że będę miał przyjemność mu panią przedstawić – powiedział Brian MacIntosh.

W Nowym Jorku jest szósta rano, zastanawiała się Lara. Będę mogła zadzwonić do Howarda i poprosić go, by przystąpił do negocjacji.

– Taką grę wystarczy usłyszeć raz, by ją zapamiętać na całe życie, prawda?

W zupełności wystarczy mi ten raz, pomyślała.

– Tak.

Dotarli do wejścia dla artystów. Kłębił się tu spory tłum. Brian MacIntosh zapukał do drzwi. Otworzył je woźny.

– Słucham pana?

– Lord MacIntosh do pana Adlera.

– Tak jest, milordzie. Proszę wejść. – Otworzył drzwi na tyle szeroko, by przepuścić Briana MacIntosha i Larę, po czym ponownie je zamknął przed napierającym tłumem.

– Co robią tutaj ci wszyscy ludzie? – spytała Lara.

Spojrzał na nią zdumiony.

– Przyszli zobaczyć Philipa.

Nie rozumiała, dlaczego im na tym aż tak zależało.

– Proszę iść za kulisy, milordzie – poinformował woźny.

– Dziękuję.

Pięć minut, pomyślała, i powiem, że muszę już iść.

W kuluarach było gwarno i tłoczno. Zebrani skupili się wokół pianisty, zasłaniając go przed oczami Lary.

Tłum przesunął się i przez ułamek sekundy mignęła jej postać głównego bohatera wieczoru. Na jego widok zamarła i wydało jej się, że na moment serce przestało jej bić. Niewyraźna, efemeryczna zjawa, która przez tyle lat błąkała się gdzieś w zakamarkach jej umysłu, nagle się zmaterializowała. Lochinvar, jej wymyślony ideał, ożył! Mężczyzna otoczony tłumem wielbicieli był wysokim blondynem o delikatnych, subtelnych rysach. Miał na sobie biały krawat i biały frak. Larę ogarnęło uczucie déjá vu: stała przy zlewozmywaku w pensjonacie, gdy nagle podszedł do niej przystojny młodzieniec w białym krawacie i fraku i szepnął: „Czy mogę pani pomóc?"

Brian MacIntosh z zaniepokojeniem obserwował Larę.

– Dobrze się pani czuje?

– Tak… świetnie. – Miała trudności z oddychaniem.

Philip Adler szedł w ich kierunku uśmiechając się i był to ten sam ciepły uśmiech, który widywała w swoich marzeniach. Wyciągnął rękę.

– Brian! Cieszę się, że cię widzę.

– Nie mogłem przepuścić takiej okazji – powiedział MacIntosh. – Byłeś po prostu cudowny.

– Dziękuję.

– Och, Philipie, poznaj, proszę, Larę Cameron.

Lara patrzyła mu w oczy i z jej ust spontanicznie wyrwało się:

– Czy potrafi pan wycierać naczynia?

– Słucham?

Zaczerwieniła się.

– Nie, nic. Właśnie… – zaczęła się jąkać.

Wokół Philipa Adlera tłoczyli się ludzie, zasypując go pochwałami.

– Nigdy jeszcze nie grał pan lepiej…

– Myślę, że dziś u pana boku był sam Rachmaninow…

Komplementom nie było końca. Kobiety napierały na pianistę, dotykając go i ciągnąc za ubranie. Lara stała, przyglądając mu się jak zahipnotyzowana. Jej dziecięce marzenie się spełniło. Senna zjawa przekształciła się w osobę z krwi i kości.

– Czy możemy już iść? – spytał Brian MacIntosh.

Nie. Jedyne, czego pragnęła, to zostać tu. Chciała znów przemówić do niego, dotknąć go, upewnić się, że nie jest złudzeniem.

– Oczywiście – odparła z ociąganiem.

Następnego ranka odleciała do Nowego Jorku. Zastanawiała się, czy jeszcze kiedykolwiek zobaczy Philipa Adlera.

Nie była w stanie o nim zapomnieć. Tłumaczyła sobie, że próby ożywienia dziecinnego snu są śmieszne, ale na nic się to nie zdawało. Wciąż widziała jego twarz, słyszała jego głos.

Muszę go znów zobaczyć, postanowiła.

Nazajutrz z samego rana zadzwonił Paul Martin.

– Cześć, mała. Tęskniłem za tobą. Jak było w Londynie?

– Świetnie – powiedziała Lara, kontrolując swój głos. – Wprost bajecznie.

Kiedy skończyli rozmowę, znów zaczęła myśleć o Philipie Adlerze.

– Panno Cameron, czekają na panią w sali konferencyjnej.

– Już idę.

– Straciliśmy kontrakt w Queens – oznajmił Keller.

– Dlaczego? Myślałam, że wszystko było załatwione.

– Ja też, ale samorząd mieszkańców odmówił zgody na wprowadzenie zmian w planie przestrzennego zagospodarowania tych terenów.

Lara spojrzała na twarze zebranych w pokoju członków dyrekcji. Byli wśród nich architekci, prawnicy, ludzie od reklamy, inżynierowie budowlani.

– Nie rozumiem – zdumiała się. – Tamtejsi mieszkańcy mają przeciętny dochód w wysokości dziewięciu tysięcy dolarów rocznie i płacą mniej niż dwieście dolarów miesięcznie czynszu. Chcieliśmy zmodernizować ich mieszkania, nie podnosząc czynszu, i w sąsiedztwie wznieść nowe lokale. Dajemy im prezent gwiazdkowy w środku lata, a oni odmawiają? W czym problem?

– Sprzeciwia się nie tyle rada, ile jej przewodnicząca, niejaka Edith Benson.

– Zorganizuj z nią jeszcze jedno spotkanie. Pójdę na nie osobiście.

Poszła na zebranie razem ze swoim głównym specjalistą od spraw budowlanych, Billem Whitmanem.

– Mówiąc szczerze, byłam zaskoczona, kiedy się dowiedziałam, że rada odrzuciła naszą propozycję, zaczęła Lara. – Zamierzamy zainwestować ponad sto milionów dolarów, by zmodernizować ten fragment miasta, a mimo to odmówili państwo...

Edith Benson przerwała jej.

– Panno Cameron, bądźmy szczerzy. Nie inwestuje pani, by poprawić warunki życia mieszkańców, ale po to, żeby mogło zarobić Cameron Enterprises.

– Naturalnie, że spodziewamy się zysków – odparła Lara. – Ale jednocześnie chcemy polepszyć warunki życia w tej dzielnicy i...

– Przykro mi, ale się nie zgadzam. Nasze osiedle jest ciche. Jeśli dopuścimy panią na te tereny, zwiększy się zaludnienie – przybędzie samochodów, co pociągnie za sobą wzrost skażenia środowiska. Nie chcemy tego.

– Ja też nie – powiedziała Lara. – Nie zamierzamy wybudować tu bud, które...

– Bud?

– Tak, tych okropnych, dwupiętrowych pudełek ze stiukowymi ozdóbkami. Propagujemy architekturę, która nie zwiększy poziomu hałasu, nie obniży ilości światła ani nie zmieni charakteru tej okolicy. Nie jesteśmy też zainteresowani budowaniem na pokaz. Zatrudniłam już Stantona Fieldinga, czołowego architekta w kraju, by przygotował plany domów, oraz Andrewa Burtona z Waszyngtonu, by zaprojektował całą infrastrukturę osiedla.

Edith Benson wzruszyła ramionami.

– Przykro mi, ale to wszystko na nic. Nie wydaje mi się, byśmy mieli jeszcze o czym rozmawiać. – Zaczęła się zbierać do wyjścia.

Nie mogę stracić tego interesu, myślała gorączkowo Lara. Czy nie widzą, że to dla ich dobra? Próbuję coś dla nich zrobić, a oni mi nie pozwalają.

Nagle przyszedł jej do głowy szalony pomysł.

– Chwileczkę. Rozumiem, że to pani wszystko blokuje, pozostali członkowie rady są skłonni się zgodzić.

– Tak.

Lara wzięła głęboki oddech.

– Jest jeszcze coś, o czym powinnyśmy porozmawiać. – Zawahała się. – To sprawa osobista. – Była wyraźnie zdenerwowana. – Powiedziała pani, że przystępując do prac budowlanych, nie dbam o poziom skażenia ani o to, co się stanie ze środowiskiem naturalnym? Powiem pani coś, ale proszę, by zachowała to pani w tajemnicy. Mam dziesięcioletnią córkę, którą kocham do szaleństwa. Zamieszka w tym nowym kompleksie razem ze swym ojcem, sprawującym nad nią opiekę.

Edith Benson patrzyła na nią zdumiona.

– Nie... nie wiedziałam, że ma pani córkę.

– Nikt o tym nie wie – wyznała cicho Lara. – Nigdy nie byłam mężatką. Dlatego proszę, by zachowała pani wszystko w tajemnicy. Jeśli ta wiadomość się rozejdzie, może mi bardzo zaszkodzić. Jestem pewna, że mnie pani rozumie.

– Oczywiście.

– Bardzo kocham swoją córkę i zapewniam panią, że nigdy nie zrobiłabym nic, czym mogłabym ją skrzywdzić. Zamierzam uczynić wszystko, by ta inwestycja przyniosła radość mieszkańcom tego osiedla. A jednym z nich będzie moja córka.

Zapanowało milczenie pełne zrozumienia.

– Muszę przyznać, że... że to rzuca zupełnie inne światło na całą sprawę, panno Cameron. Chciałabym mieć trochę czasu do namysłu.

– Oczywiście. Rozumiem to.

Gdybym miała córkę, pomyślała Lara, mogłaby tu mieszkać zupełnie bezpiecznie.

Trzy tygodnie później Lara otrzymała zgodę z wydziału planowania przestrzennego na rozpoczęcie inwestycji...

– Wspaniale – ucieszyła się. – Teraz porozmawiamy ze Stantonem Fieldingiem oraz Andrewem Burtonem i przekonamy się, czy są zainteresowani pracą przy tym projekcie.

Howard Keller wprost nie mógł uwierzyć, że im się udało.

– Wiem, jak przebiegało to spotkanie – powiedział. – Oszukałaś ją! Przecież nie masz córki!

– Tym ludziom potrzebna jest moja inwestycja – usprawiedliwiała się Lara. – To była jedyna rzecz, która przyszła mi do głowy, żeby skłonić ją do zmiany decyzji.

Ich rozmowie przysłuchiwał się Bill Whitman.

– Jeśli kiedykolwiek się o tym dowiedzą, słono będzie nas to kosztowało.

W styczniu zakończono prace przy nowym budynku na Wschodniej Sześćdziesiątej Trzeciej ulicy. Był to czterdziestoczteropiętrowy dom mieszkalny, w którym Lara zarezerwowała dla siebie dwupoziomowy apartament na samej górze. Pokoje były przestronne, a wzdłuż nich ciągnęły się tarasy. Zatrudniła najznakomitszego dekoratora wnętrz, żeby zaprojektował jej mieszkanie. Zorganizowano przyjęcie dla stu gości.

– Brakuje tu tylko mężczyzny – zauważyła złośliwie jedna z obecnych dam.

Pomyślała o Philipie Adlerze. Ciekawiło ją, gdzie jest i co robi.

Lara i Howard Keller byli pogrążeni w rozmowie, kiedy do gabinetu wszedł Bill Whitman.

– Cześć, szefowo. Masz chwilę czasu?

Uniosła wzrok znad biurka.

– Tak, Bill. O co chodzi?

- O moją żonę.
- Jeśli masz problemy małżeńskie...
- Nie, nie. Uważa, że powinniśmy wyjechać na urlop. Może na parę tygodni do Paryża.

Zmarszczyła brwi.

- Do Paryża? Przecież jesteśmy w trakcie realizacji kilku inwestycji.
- Wiem, ale ostatnio dużo pracowałem po godzinach i rzadko się widywałem z żoną. Wiesz, co mi powiedziała dziś rano? Oświadczyła: „Bill, gdybyś dostał awans i podwyżkę, nie musiałbyś tak ciężko pracować".

Lara odchyliła się do tyłu, przypatrując mu się uważnie.

- Podwyżka przysługuje ci dopiero w przyszłym roku.

Whitman wzruszył ramionami.

- Kto wie, co się może zdarzyć w ciągu dwunastu miesięcy. Na przykład możemy mieć kłopoty z inwestycją w Queens, jeśli ta stara Edith Benson dowie się o czymś, co spowoduje, że zmieni decyzję, prawda?

Lara siedziała bez ruchu.

- Rozumiem.

Bill Whitman wstał.

- Pomyśl nad tym i daj mi znać.

Zmusiła się do uśmiechu.

- Oczywiście.

Obserwowała z zawziętą miną, jak wychodził z gabinetu.

- Jezu – powiedział Keller. – O co tu chodzi?
- To się nazywa szantaż.

Następnego dnia Lara poszła z Paulem Martinem na lunch.

- Paul, mam kłopot – zwierzyła mu się. – Nie bardzo wiem, jak go rozwiązać. – Powtórzyła mu rozmowę z Billem Whitmanem.
- Myślisz, że naprawdę pójdzie do tej starszej pani? – spytał Paul Martin.

– Nie wiem. Ale jeśli to zrobi, mogę mieć masę kłopotów z wydziałem mieszkaniowym.

Wzruszył ramionami.

– Nie przejmowałbym się tym facetem. Najprawdopodobniej blefuje.

Lara westchnęła.

– Mam nadzieję.

– A co byś powiedziała na wypad do Reno? – spytał.

– Bardzo bym chciała, ale nie mogę się teraz wyrwać.

– Nie proszę cię, abyś się wyrywała. Pytam, czy nie chciałabyś kupić tam hotelu i kasyna.

Przyjrzała mu się uważnie.

– Mówisz poważnie?

– Dostałem cynk, że jeden z hoteli straci niebawem licencję. Taki hotel to kopalnia złota. Kiedy wiadomość o tym się rozejdzie, wszyscy będą się ubiegali o to, by go kupić. Zostanie ogłoszony przetarg, ale wydaje mi się, że mógłbym pomóc ci go wygrać.

Lara wahała się chwilę.

– Nie wiem. Jestem poważnie zadłużona. Howard Keller mówi, że banki nie pożyczą mi już ani centa, póki nie spłacę choć części zaciągniętych kredytów.

– Nie musisz się wcale zwracać do banku.

– W takim razie gdzie…?

– Mnóstwo firm z Wall Street oferuje tandetne obligacje. Nie zapominaj też o kasach oszczędnościowo-pożyczkowych. Ty dasz pięć procent akcji zwykłych, a kasy oszczędnościowo-pożyczkowe sześćdziesiąt pięć procent w papierach obarczonych dużym ryzykiem. Zostanie ci jeszcze do sfinansowania trzydzieści procent. Potrzebne środki możesz uzyskać od jakiegoś banku zagranicznego, który zainwestuje w kasyno. Możesz wybierać między Szwajcarią, Niemcami, Japonią. Jest co najmniej kilka banków, które chętnie pokryją te trzydzieści procent.

Lara zaczęła się podniecać.

– Interesujące. Naprawdę myślisz, że udałoby ci się załatwić dla mnie ten hotel?

– Potraktuj to jako prezent gwiazdkowy – powiedział z uśmiechem Paul.

– Jesteś cudowny. Dlaczego jesteś dla mnie taki dobry?

– Nie mam najmniejszego pojęcia – oświadczył żartobliwie. Ale dobrze znał odpowiedź. Opętała go. Sprawiła, że poczuł się młodo i znów wszystko stało się ekscytujące.

Nigdy nie mogę cię stracić, pomyślał.

Kiedy Lara weszła do swojego gabinetu, Keller już na nią czekał.

– Gdzie się podziewałaś? – spytał. – O drugiej było spotkanie, które...

– Howardzie, powiedz mi coś o tandetnych obligacjach. Nigdy się nimi nie zajmowaliśmy. Jak dzielą się obligacje?

– No więc na samej górze mamy AAA. To obligacje takich firm, jak AT &T. Nieco niżej mamy AA, A, BBB, a na samym dole drabiny – BB. To właśnie tandetne obligacje. Certyfikaty inwestycyjne oprocentowane są w wysokości dziewięciu procent. Tandetne obligacje oprocentowane są w wysokości czternastu procent. A dlaczego pytasz?

Wyjaśniła mu.

– Kasyno? Jezu! Stoi za tym Paul Martin, prawda?

– Nie, Howardzie. Jeśli się zdecyduję, to ja będę za tym stała. Czy otrzymaliśmy odpowiedź na naszą ofertę dotyczącą nieruchomości w Battery Park?

– Tak. Nie sprzedadzą nam.

– Ta nieruchomość jest na sprzedaż, prawda?

– W pewnym sensie tak.

– Przestań mówić ogródkami.

– Należy do wdowy po lekarzu, Eleanor Royce. Wszyscy inwestorzy w mieście złożyli oferty na zakup tej nieruchomości.

– Czy ktoś zaproponował więcej od nas?

– Nie w tym rzecz. Staruszce nie chodzi o pieniądze. Ma szmalu w bród.

– W takim razie, o co jej chodzi?

– Pragnie wznieść pewnego rodzaju pomnik swemu mężowi. Najwidoczniej wydaje się jej, że była żoną Alberta Schweitzera. Pragnie, by pamięć o doktorze Roysie nie przeminęła. Nie chce, by na tej ziemi zbudowano coś wyłącznie o charakterze komercyjnym, coś, co będzie pozbawione smaku. Słyszałem, że między innymi Steve Murchinson próbuje nakłonić ją do sprzedaży.

– Tak?

Lara przez całą minutę siedziała bez słowa.

– Howardzic, u kogo się leczysz? – spytała w końcu.

– Słucham?

– U kogo się leczysz?

– U Seymoura Bennetta. Jest ordynatorem szpitala Midtown.

Nazajutrz rano do doktora Seymoura Bennetta udał się Terry Hill, radca prawny Lary.

– Sekretarka powiedziała mi, że chce się pan pilnie ze mną spotkać, ale że nie ma to nic wspólnego z kłopotami zdrowotnymi.

– W pewnym sensie dotyczy to kwestii zdrowia – odparł Terry Hill. – Doktorze Bennett, reprezentuję grupę inwestorów, którzy chcą wybudować klinikę nieobliczoną na zysk. Chcielibyśmy zająć się tymi nieszczęsnymi ludźmi, których nie stać na systematyczną opiekę lekarską.

– To wspaniała idea – ucieszył się doktor Bennett. – Co mogę zrobić, by państwu pomóc?

Terry Hill wyjaśnił mu.

Następnego dnia doktor Bennett złożył wizytę Eleanorze Royce.

– Pani Royce, zwrócono się do mnie z prośbą, bym porozmawiał z panią w imieniu pewnej grupy inwestorów. Pragnie ona zbudować piękną klinikę i nazwać ją imieniem pani zmarłego męża. Wyobrażają to sobie jako rodzaj pomnika ku jego czci.

Pani Royce wyraźnie się ożywiła.

– Naprawdę?

Przez godzinę dyskutowali nad owym zamierzeniem, a pod koniec rozmowy pani Royce oznajmiła:

– George byłby zachwycony tym projektem. Proszę powiedzieć, że się zgadzam.

Sześć miesięcy później rozpoczęto budowę. Po ukończeniu prac inwestycja przedstawiała się imponująco. Cały kwartał zajmowały olbrzymie bloki mieszkalne, wielkie centrum handlowe i kompleks teatralno-widowiskowy. W odległym zakątku stanął mały, parterowy dom z cegły. Nad drzwiami umieszczono skromną tabliczkę: „Lecznica im. George'a Royce'a".

Rozdział 18

Pierwszy dzień świąt Bożego Narodzenia Lara spędziła w domu. Wprawdzie kilka osób zapraszało ją do siebie, ale odmówiła wszystkim, bo miał do niej wpaść Paul Martin.

– Muszę dziś być z Niną i dzieciakami – tłumaczył się – ale wstąpię, żeby się z tobą zobaczyć.

Ciekawa była, co porabia w święta Philip Adler.

Dzień zupełnie jak ze świątecznej pocztówki. Nowy Jork okryty białym całunem śniegu był dziwnie cichy. Paul Martin pojawił się z całą torbą prezentów dla Lary.

– Musiałem wstąpić po nie do biura – wyjaśnił.

Żeby przypadkiem nie zobaczyła ich żona, pomyślała Lara.

– Tyle mi już dałeś – powiedziała – że naprawdę nie musisz mi nic więcej kupować.

– Ale chcę. Rozpakuj je.

Larę wzruszyło pragnienie Paula, by ujrzeć jej reakcję.

213

Prezenty były przemyślane i kosztowne. Naszyjnik od Cartiera, szale od Hermes'a, albumy z księgarni Rizzollego, antyczny zegar i mała biała koperta. Otworzyła ją. W środku była kartka, a na niej wypisane dużymi, drukowanymi literami Hotel i Kasyno Cameron Reno. Spojrzała na niego zaskoczona.

– A więc mam hotel?

Skinął głową z przekonaniem.

– Będziesz miała. Przetarg rozpoczyna się w przyszłym tygodniu. Zobaczysz, jaka to frajda być właścicielką kasyna – obiecał Paul Martin.

– Nie znam się na prowadzeniu kasyna.

– Tym się nie martw. Zatrudnię fachowców, którzy nim za ciebie pokierują. Z hotelem poradzisz sobie sama.

– Nie wiem, jak ci dziękować. Tyle dla mnie robisz.

Ujął ją za ręce.

– Nie ma na tym świecie rzeczy, której bym dla ciebie nie zrobił. Zapamiętaj to sobie.

– Zapamiętam – obiecała uroczyście.

Spojrzał na zegarek.

– Muszę wracać do domu. Chciałbym... – Zawahał się.

– Tak?

– Nieważne. Wesołych świąt.

– Wesołych świąt, Paul.

Lara wyjrzała przez okno. Niebo przypominało delikatną zasłonę, utkaną z tańczących płatków. Włączyła radio. Spiker właśnie zapowiadał:

– „...a teraz w naszym programie świątecznym przedstawimy państwu V Koncert fortepianowy Esdur Beethovena w wykonaniu Bostońskiej Orkiestry Symfonicznej. Solistą będzie Philip Adler".

Słuchała, wyobrażając go sobie przy fortepianie, przystojnego i eleganckiego.

Muszę go znów zobaczyć, postanowiła, kiedy ucichła muzyka.

Bill Whitman należał do najlepszych fachowców w branży budowlanej. Wybił się i był rozchwytywany.

Pracował sumiennie i dużo zarabiał, ale nie dawało mu to satysfakcji. Od lat obserwował przedsiębiorców budowlanych zbijających fortuny, podczas gdy on otrzymywał tylko pensję.

Można powiedzieć, myślał, że robią pieniądze dzięki mnie. Tyle tylko, że oni zagarniają wszystko, a mnie zostają nędzne okruchy.

Ale tego dnia, kiedy Lara spotkała się z radą osiedla, wszystko nagle się zmieniło. Skłamała, by uzyskać zgodę rady, i to kłamstwo mogło ją zniszczyć.

Jeśli pójdę do nich i powiem im prawdę, na zawsze wyleci z interesu.

Ale Bill Whitman wcale nie miał zamiaru wyjawiać im prawdy. Wpadł na lepszy pomysł. Zamierzał wykorzystać to, co wiedział, dla swoich własnych celów. Jego szefowa da mu wszystko, o co ją tylko poprosi. Od ich poprzedniego spotkania, podczas którego zwrócił się do niej o awans i podwyżkę, czuł, że ma Larę w garści. Nie miała wyboru.

Zacznę skromnie, myślał Bill Whitman, wielce z siebie zadowolony, a potem wycisnę ją jak cytrynę.

Dwa dni po świętach przystąpiono do prac na budowie Eastside Plaza. Whitman rozglądał się po rozległym placu.

To będzie prawdziwa maszynka do robienia pieniędzy, dumał. Tyle że tym razem ja też coś na tym skorzystam.

Na budowie zgromadzono mnóstwo ciężkiego sprzętu. Potężne koparki wydobywały ziemię i ładowały ją na czekające ciężarówki. Z jedną z koparek najwidoczniej były jakieś problemy. Potężne ramię tkwiło nieruchomo w powietrzu. Whitman podszedł bliżej, zatrzymując się tuż pod wielkim stalowym czerpakiem.

– Hej! – krzyknął. – Co się tam stało?

Człowiek siedzący w kabinie coś powiedział, ale Whitman nie dosłyszał.

Podszedł bliżej.

– Co?

Wszystko wydarzyło się w ułamku sekundy. Łańcuch niespodziewanie puścił i ciężki stalowy czerpak runął z hurkotem prosto na Whitmana. Robotnicy zbiegli się na miejsce wypadku, ale Whitmanowi nic już nie można było pomóc.

– Puścił hamulec bezpieczeństwa – wyjaśnił później operator koparki. – Rany, naprawdę czuję się strasznie.

Dowiedziawszy się o wypadku, Lara natychmiast zadzwoniła do Paula Martina.

Słyszałeś o Billu Whitmanie?

– Tak. Mówili w telewizji.

– Paul, ty chyba nie...?

Roześmiał się.

– Laro, cóż za szalone pomysły przychodzą ci do głowy! Oglądasz za dużo filmów. Ale pamiętaj, że na końcu zawsze zwycięża bohater pozytywny.

Czy aby na pewno jestem bohaterem pozytywnym? – pomyślała.

Do przetargu o hotel w Reno przystąpiło kilkanaście firm.

– Kiedy mam złożyć ofertę? – spytała Lara Paula.

– Nic nie rób, póki ci nie powiem. Niech najpierw inni odkryją karty.

Wszystkie oferty składano w zalakowanych kopertach. Ich otwarcie miało nastąpić w następny piątek. Do środy Lara wciąż jeszcze nie złożyła swojej propozycji kupna. Zadzwoniła do Paula Martina.

– Siedź spokojnie. Powiem ci, kiedy masz złożyć ofertę.

O piątej, na godzinę przed zamknięciem przetargu, zadzwonił telefon.

– Teraz czas na nas! Najwyższa oferta opiewa na sto dwadzieścia milionów. Chcę, byś dała pięć milionów więcej.

Larę aż zatkało.

– Jeśli tak zrobię, stracę na tym całym interesie.

216

– Zaufaj mi – poprosił Paul. – Kiedy już będziesz miała hotel i przystąpisz do remontu, zmienisz pierwotny projekt, żeby zredukować wydatki. Wszystkie poprawki zostaną zaakceptowane przez inżyniera nadzorującego prace. Odzyskasz te pięć milionów i to z nawiązką.

Następnego dnia Larę poinformowano, że jej oferta okazała się najlepsza.

Razem z Kellerem poleciała do Reno.

Hotel nazywał się Reno Palace. Był to prawdziwy kolos, który miał tysiąc pięćset pokoi. Po olbrzymim kasynie, teraz zupełnie opustoszałym, oprowadzał ich Tony Wilkie.

– Poprzedni właściciele zaczęli robić brudne interesy – wyjaśnił Wilkie.

– Jakie brudne interesy? – spytał Keller.

– Zdaje się, że niektórzy chłopcy podbierali pieniądze z kasy...

– Ukrywali rzeczywistą wysokość dochodów – wtrącił Keller.

– Tak. Oczywiście właściciele o niczym nie wiedzieli.

– Naturalnie.

– Ale doniesiono komu trzeba i komisja gier hazardowych położyła temu kres. Niedobrze się stało. Kasyno to niezwykle zyskowny interes.

– Wiem. – Keller przestudiował już kilka książek na ten temat.

Po zakończeniu oględzin, kiedy zostali sami, Lara odezwała się do Howarda:

– Paul miał rację. To kopalnia złota. – Spostrzegła wyraz twarzy Howarda. – O co ci chodzi?

Wzruszył ramionami.

– Nie wiem. Po prostu nie podoba mi się, że angażujemy się w coś takiego.

– Co to znaczy „coś takiego"? To dojna krowa, Howardzie.

– Kto poprowadzi kasyno?

– Znajdziemy ludzi – odparła wymijająco.

– Gdzie? Wśród skautów? Takie przedsięwzięcia muszą być prowadzone przez hazardzistów. Znasz jakichś? Bo ja nie.

Milczała.

– Założę się, że Paul Martin zna kilku.

– Zostaw go w spokoju – powiedziała Lara.

– Zrobiłbym to z największą przyjemnością. Z taką samą, z jaką przyjąłbym informację, że się wycofałaś z całego tego interesu. Nie uważam, żeby to kasyno było najlepszym pomysłem.

– Tak samo nie podobał ci się projekt inwestycji w Queens, pamiętasz? I centrum handlowego przy Houston Street. A przynoszą nam pieniądze, prawda?

– Laro, nigdy nie mówiłem, że to kiepskie interesy. Wyraziłem jedynie swoje zastrzeżenia co do tego, że działamy trochę na zbyt dużą skalę. Rzucasz się na wszystko, co znajdzie się w zasięgu twojego wzroku, zanim jeszcze skończysz jedno.

Poklepała go po policzku.

– Odpręż się trochę.

Członkowie komisji gier hazardowych przyjęli Larę z wyszukaną grzecznością.

– Nieczęsto mamy do czynienia z pięknymi, młodymi damami – powitał ją przewodniczący. – Dzięki pani ten dzień zamienił się w święto.

Lara wyglądała ślicznie. Ubrana była w kostium z beżowej wełenki od Donny Karan i kremową jedwabną bluzkę. Na ramiona zarzuciła jeden z szali podarowanych jej przez Paula na Gwiazdkę. Uśmiechnęła się promiennie.

– Dziękuję panu.

– Czym możemy pani służyć? – spytał jeden z członków komisji, choć wszyscy doskonale zdawali sobie sprawę z tego, co mogą dla niej zrobić.

– Jestem tutaj, bo pragnę coś uczynić dla Reno – powiedziała z przejęciem. – Chciałabym podarować temu miastu największy i najpiękniejszy hotel w całej Nevadzie. Myślę o dobudowaniu do Reno Palace pięciu pięter, a także o stworzeniu centrum kongresowego, by ściągnąć tu więcej gości.

Członkowie komisji spojrzeli po sobie. Przewodniczący powiedział:

– Myślę, że taka inwestycja może mieć zbawienny wpływ na miasto. Oczywiście naszym zadaniem jest pilnowanie, aby całe przedsięwzięcie prowadzone było całkowicie uczciwie.

– Proszę mi wierzyć, nie jestem zbiegiem z Alcatraz. – Lara uśmiechnęła się znowu.

Przyjęli jej żart z rozbawieniem.

– Znamy pani dotychczasowe osiągnięcia, panno Cameron, i przyznajemy, że są one godne podziwu. Jednak nie ma pani doświadczenia w prowadzeniu kasyna.

– To prawda – przyznała. – Jestem jednak pewna, że bez trudu znajdę dobrych specjalistów, którzy uzyskają panów akceptację. Zresztą z chęcią skorzystam z wszelkich wskazówek komisji w tym zakresie.

Głos zabrał jeden z członków komisji.

– Jeśli chodzi o finanse, czy może pani zagwarantować...?

– Wszystko w porządku, Tom – przerwał mu przewodniczący. – Panno Cameron przedstawiła odpowiednie dokumenty. Przypilnuję, by wszyscy otrzymali ich kopie.

Lara czekała na decyzję komisji.

– Panno Cameron – powiedział przewodniczący – nie jestem w stanie w tej chwili nic pani obiecać, ale już teraz mogę zapewnić, że nie widzę żadnych przeszkód, by udzielić pani licencji.

– To wspaniale. Chciałabym jak najszybciej przystąpić do prac.

– Obawiam się, że nie działamy tutaj aż tak szybko, jak się pani spodziewa. Upłynie co najmniej miesiąc, nim będziemy mogli udzielić pani ostatecznej odpowiedzi.

Lara była wyraźnie rozczarowana.

– Miesiąc?

– Tak. Musimy parę rzeczy sprawdzić.

– Rozumiem – odparła. – Cóż, muszę się z tym pogodzić.

W hotelowym centrum handlowym był sklep muzyczny. W jego witrynie wisiał duży plakat Philipa Adlera reklamujący jego nową płytę kompaktową.

Lara nie interesowała się muzyką. Kupiła płytę ze względu na zdjęcie Philipa na okładce.

W drodze powrotnej do Nowego Jorku spytała:

– Howardzie, co wiesz o Philipie Adlerze?

– To, co wszyscy. Jest prawdopodobnie najwybitniejszym obecnie pianistą na świecie. Gra z najlepszymi orkiestrami symfonicznymi. Czytałem gdzieś, że niedawno utworzył fundusz stypendialny dla uzdolnionych muzyków wywodzących się z mniejszości narodowych.

– Jak się nazywa ten fundusz?

– Zdaje się, że Fundacja Philipa Adlera.

– Chciałabym ją wesprzeć – powiedziała Lara. – Wyślij im czek na dziesięć tysięcy dolarów.

Keller spojrzał na nią zdziwiony.

– Myślałem, że nie lubisz muzyki poważnej.

– Zaczynam ją lubić – oznajmiła.

W którejś z codziennych gazet Lara zobaczyła wielki tytuł: „Śledztwo prokuratury okręgowej przeciwko Paulowi Martinowi – adwokatowi, podejrzanemu o związki z mafią".

Przeczytała artykuł i natychmiast zadzwoniła do Paula.

– Co się dzieje? – spytała.

Zaśmiał się krótko.

– Prokurator okręgowy znów wyruszył na łowy. Próbują powiązać mnie z mafią od lat, jak na razie, bez powodzenia. Przed każdymi wyborami chcą ze mnie zrobić chłopca do bicia. Nie denerwuj się tym. Co byś powiedziała na wspólny obiad?

– Świetny pomysł – odparła.

– Znam mały lokal przy Mulberry Street, gdzie nikt nam nie będzie przeszkadzał.

– Słyszałem, że spotkanie z komisją gier hazardowych przebiegło dobrze – zainteresował się Paul Martin.

– Wydaje mi się, że tak. Sprawiali wrażenie sym-
patycznych. Tylko że jeszcze nigdy się czymś takim
nie zajmowałam.

– Nie przypuszczam, żebyś miała jakieś problemy.
Wyszukam ci do prowadzenia kasyna kilku dobrych
fachowców. Facet, który poprzednio miał licencję,
zrobił się zbyt zachłanny. Jak przebiegają prace na budowach? – zmienił temat.

– Świetnie. Obecnie prowadzę trzy inwestycje.

– Mam nadzieję, że nie porywasz się na coś, co
przerasta twoje możliwości?

Zupełnie jakby słyszała Howarda Kellera.

– Nie. Wszystkie inwestycje przebiegają zgodnie
z harmonogramem i mieszczą się we wstępnym kosz-
torysie.

– To dobrze, moja mała. Nie chciałbym, aby ci się
kiedykolwiek coś nie powiodło.

– Wszystko będzie dobrze. – Położyła dłoń na jego
ręku. – Jesteś moim zabezpieczeniem.

– Zawsze będę. – Ścisnął jej palce.

Minęły dwa tygodnie, a Lara nie otrzymała żadnej wiadomości od Philipa Adlera. Posłała po Kellera.

– Wysłałeś ten czek na dziesięć tysięcy do Fundacji Adlera?

– Tak, tego samego dnia, kiedy mnie o to poprosiłaś.

– Dziwne. Sądziłam, że Adler do mnie zadzwoni.

Keller wzruszył ramionami.

– Prawdopodobnie gdzieś wojażuje.

– Prawdopodobnie. – Starała się ukryć swoje rozczarowanie. – Porozmawiajmy o budowie w Queens.

– Poważnie nadweręży nasze zasoby finansowe –
oświadczył Keller.

– Wiem, jak się przed tym uchronić. Chcę podpisać
kontrakt z jednym użytkownikiem.

– Masz już kogoś na oku?

221

– Tak. Mutual Security Insurance. Prezesem firmy jest niejaki Horace Guttman. Słyszałam, że szukają nowej siedziby. Chcę, by wybrali nasz budynek.

– Sprawdzę to – powiedział Keller.

Zauważyła, że Howard nie robi żadnych notatek.

– Ciągle mnie czymś zaskakujesz. Wszystko zapamiętujesz bez notowania?

Keller uśmiechnął się zadowolony.

– Mam fenomenalną pamięć. Kiedyś przechowywałem w niej wszystko, co dotyczyło bejsbolu.

Jakie to się wydaje odległe, pomyślał. Dzieciak z czarodziejską ręką, gwiazda mniejszej ligi Chicago Cubs. Czy to naprawdę byłem ja?

– Czasem to prawdziwe przekleństwo. Jest parę rzeczy w moim życiu, o których pragnąłbym zapomnieć.

– Howardzie, niech architekt wyrysuje plany budynku w Queens. Dowiedz się, ilu pięter i jakiej powierzchni biurowej potrzebuje Mutual Security.

Dwa dni później Keller wszedł do gabinetu Lary.

– Mam złe wiadomości.

– O co chodzi?

– Powęszyłem trochę. Miałaś rację, jeśli chodzi o Mutual Security Insurance. Szukają nowej siedziby, ale Guttman myśli o budynku przy Union Square. To gmach należący do twojego dobrego znajomego, Steve'a Murchinsona.

Znów Murchinson!

Była pewna, że pudełko z ziemią to jego sprawka.

Nie pozwolę mu się nastraszyć, pomyślała.

– Czy Guttman podjął już jakieś zobowiązania? – spytała.

– Jeszcze nie.

– Dobrze. Zajmę się tym.

Po południu Lara wykonała kilkanaście telefonów. Ostatni, do Barbary Roswell, okazał się strzałem w dziesiątkę.

– Horace Guttman? Oczywiście, że go znam, Laro. Dlaczego się nim interesujesz?

- Chciałabym się z nim spotkać. Jestem jego wielbicielką. Czy mogłabyś mi zrobić przysługę? Zaproś go na obiad w przyszłą sobotę, dobrze, Barbaro?

- Załatwione.

Przyjęcie było skromne, ale eleganckie. Do rezydencji Roswellów przybyło czternastu gości. Alice Guttman nie czuła się tego dnia dobrze, więc Horace Guttman pojawił się na przyjęciu sam.

Larę posadzono obok niego. Miał sześćdziesiąt parę lat, ale wyglądał na znacznie więcej. Miał surową, zniszczoną twarz i podbródek znamionujący upór. Lara wyglądała czarująco i prowokująco. Włożyła głęboko wyciętą czarną suknię od Halstona i prostą, ale oszałamiającą biżuterię. Po podaniu koktajli zasiedli do stołu.

- Chciałam się z panem spotkać – wyznała Lara. – Tyle o panu słyszałam.

- Ja również wiele o pani słyszałem, młoda damo. Wywołała pani w naszym mieście niezłą sensację.

- Mam nadzieję, że przyczynię się do jego rozwoju – powiedziała skromnie. – To takie wspaniałe miasto.

- Skąd pani pochodzi?

- Z Gary w Indianie.

- Naprawdę? – Spojrzał na nią zdumiony. – Ja też się tam urodziłem. A więc pani również jest góralką ze stanu Indiana?

Lara uśmiechnęła się promiennie.

- Mam takie miłe wspomnienia z Gary. Mój ojciec pracował dla „Post-Tribune". Uczęszczałam do szkoły Roosevelta. W weekendy chodziliśmy do parku Gleason na pikniki i koncerty na świeżym powietrzu albo na kręgle do Twelve and Twenty. Z żalem się stamtąd wyprowadziłam.

- Osiągnęła pani sukces, panno Cameron.

- Proszę mi mówić Lara.

- Laro. Nad czym obecnie pracujesz?

- Jestem teraz całkowicie pochłonięta budową biurowca w Queens – oświadczyła. – Będzie miał trzydzieści pięter i dwadzieścia tysięcy metrów kwadratowych powierzchni.

– To ciekawe – powiedział Guttman w zamyśleniu.

– Tak? Dlaczego? – spytała niewinnym tonem.

– Szukamy gmachu właśnie takiej wielkości na naszą nową siedzibę.

– Naprawdę? Czy już sobie coś upatrzyłeś?

– Niezupełnie, ale...

– Jeśli chcesz, pokażę ci plany naszego nowego budynku. Zostały już sporządzone.

Przez chwilę przyglądał się jej uważnie.

– Chętnie zobaczę.

– Przyniosę ci je do biura w poniedziałek rano.

– Będę oczekiwał twojej wizyty.

Reszta wieczoru upłynęła bardzo miło.

Kiedy Horace Guttman wrócił wieczorem do domu, poszedł do sypialni żony.

– Jak się czujesz? – spytał.

– Lepiej, kochanie. Jak tam przyjęcie?

Usiadł na brzegu łóżka.

– Cóż, wszyscy żałowali, że nie mogłaś przyjść. Ale bardzo miło spędziłem czas. Słyszałaś kiedyś o Larze Cameron?

– Oczywiście. Wszyscy słyszeli o Larze Cameron.

– To niezwykła kobieta. Trochę dziwna. Mówi, że urodziła się w Gary w Indianie, tak jak ja. Wie wszystko o Gary – o parku Gleason, o Twelve and Twenty.

– I cóż w tym dziwnego?

Guttman uśmiechnął się i spojrzał na żonę.

– Ta młoda dama pochodzi z Nowej Szkocji.

W poniedziałek z samego rana Lara pojawiła się w biurze Horace'a Guttmana. Przyniosła plany budynku w Queens. Natychmiast wprowadzono ją do gabinetu.

– Miło mi znów cię widzieć, Laro. Proszę, usiądź.

Położyła plany na biurku i usiadła naprzeciwko niego.

– Horace, zanim na nie spojrzysz – powiedziała – muszę ci coś wyznać.

Guttman odchylił się na krześle.

– Słucham.

– Ta historyjka, którą ci przedstawiłam w sobotę o Gary w Indianie...

– Tak, pamiętam.

– Nigdy nawet nie byłam w Gary. Chciałam wywrzeć na tobie wrażenie.

– No, teraz jestem zupełnie zdezorientowany – rzekł ze śmiechem. – Nie wiem, młoda damo, czy mi się dotrzymać ci kroku. Spójrzmy na te plany.

Skończył je oglądać pół godziny później.

– Wiesz – powiedział zadumany – byłem prawie zdecydowany na inny gmach.

– Tak?

– Dlaczego miałbym zmieniać decyzję i wprowadzić się do twojego budynku?

– Bo u mnie będzie ci lepiej. Dopilnuję, żebyś miał wszystko, co tylko ci będzie potrzebne. – Uśmiechnęła się. – Poza tym będzie cię kosztował dziesięć procent mniej.

– Naprawdę? Przecież nie znasz szczegółów mojej umowy na drugi biurowiec.

– To nie ma znaczenia. Uwierzę ci na słowo.

– Naprawdę mogłabyś pochodzić z Gary w Indianie – powiedział Guttman. – Umowa stoi.

Po powrocie do biura Lara zastała wiadomość, że dzwonił Philip Adler.

Rozdział 19

Salę balową w Waldorf-Astorii wypełniali sponsorzy Carnegie Hall. Lara przeciskała się przez tłum, wypatrując Philipa. Przypomniała sobie rozmowę telefoniczną, jaką odbyli kilka dni temu.

– Panna Cameron? Mówi Philip Adler.

Nagle zaschło jej w gardle.

– Przepraszam, że nie podziękowałem pani wcześniej za hojny dar dla fundacji. Dopiero co wróciłem z Europy i dowiedziałem się o tym.

– Cała przyjemność po mojej stronie – odparła. Musiała jakoś podtrzymać rozmowę. – Szczerze mówiąc, chciałabym dowiedzieć się czegoś więcej o tej fundacji. Może moglibyśmy się spotkać, by o niej pomówić.

Nastąpiła chwila ciszy.

– Czy ma pani czas w sobotę wieczorem? W Waldorf-Astorii będzie obiad na cele dobroczynne. Może wówczas się spotkamy?

Lara szybko zerknęła do planu swych zajęć. Tego wieczoru była akurat umówiona na obiad z bankierem z Teksasu.

Błyskawicznie podjęła decyzję.

– Tak. Chętnie przyjdę.

– Cudownie. Poproszę, aby bilet dla pani zostawiono przy wejściu.

Kiedy odłożyła słuchawkę, była rozpromieniona.

Philipa Adlera nie było nigdzie widać. Lara szła przez olbrzymią salę balową, przysłuchując się rozmowom.

– ...więc pierwszy tenor powiedział: „Doktorze Klemperer, zostały mi już tylko dwa wysokie C. Czy chce je pan usłyszeć teraz czy wieczorem, na przedstawieniu?"...

– ...och, przyznaję, że świetnie prowadzi smyczek. Jego dynamika i cieniowanie toniczne są wyborne... ale *tempi! Tempi!* Na Boga!...

– ...oszalałeś! Strawiński jest zbyt strukturalny. Jego muzyka mogłaby być napisana przez roboty. Ukrywa swoje uczucia. Natomiast Bartok otwiera zapory i wprost pławimy się w emocjach...

– ...zwyczajnie nie mogę słuchać, jak gra. Chopin w jej wykonaniu to idealny przykład wymęczonego *rubato* i zarżniętych struktur. Czysta męka...

Był to żargon zupełnie dla Lary niezrozumiały. Nagle dostrzegła Philipa, otoczonego wianuszkiem wielbicieli. Przecisnęła się przez tłum.

– Kiedy grał pan Sonatę b-moll, czułam, że Rachmaninow się uśmiecha. Pański ton i harmonika, sposób interpretacji... Są cudowne! – mówiła z zachwytem młoda atrakcyjna kobieta.

Philip uśmiechnął się uprzejmie.

– Dziękuję.

– W kółko słucham pana płyty z nagraniem *Hammerklavier*. Mój Boże! Ta żywość stylu jest nieprawdopodobna! Sądzę, że jest pan jedynym żyjącym pianistą na świecie, który naprawdę rozumie tę sonatę Beethovena... – tokowała dama w średnim wieku.

Philip dostrzegł Larę.

– Proszę mi wybaczyć – powiedział.

Podszedł do niej i ujął jej dłoń. Jego dotyk podniecił Larę.

– Witam. Cieszę się, że mogła pani przyjść, panno Cameron.

– Dziękuję. – Rozejrzała się wkoło. – Ależ tłum.

Skinął głową.

– Tak. Przypuszczam, że jest pani miłośniczką muzyki poważnej.

Pomyślała o muzyce, przy dźwiękach której wzrastała: *Annie Laurie, Comin' through the Rye, The Hills of Home...*

– Naturalnie – odparła. – Wychowałam się na niej.

– Chciałbym jeszcze raz podziękować za pani dar. Był naprawdę niezwykle hojny.

– Pańska fundacja wydała mi się bardzo ciekawa. Pragnęłabym dowiedzieć się o niej czegoś więcej. Może byśmy...

– Philipie, mój drogi! Wprost brak mi słów! Grałeś cudownie! – Znów otoczyli go wielbiciele.

Lara starała się ich przekrzyczeć.

– Jeśli ma pan czas w przyszłym tygodniu...

Philip pokręcił głową.

– Przykro mi, ale jutro wylatuję do Rzymu.

Lara poczuła nagle, że wszystko stracone.

– Och.

– Ale wrócę za trzy tygodnie. Może wtedy moglibyśmy...

– Świetnie! – odparła.

– ...spędzić wieczór, rozmawiając o muzyce.

– Tak. Z góry się na to cieszę – powiedziała z uśmiechem.

W tym momencie przerwali im dwaj mężczyźni w średnim wieku. Jeden miał włosy związane w koński ogon, a drugi kolczyk w uchu.

– Philipie! Musisz rozstrzygnąć nasz spór. Kiedy wykonujesz utwory Liszta, co jest dla ciebie ważniejsze – grać na instrumencie o mocnym uderzeniu, który daje wyrazisty dźwięk, czy też wolisz fortepian o lekkim uderzeniu, pozwalający ci na operowanie barwą?

Lara nie miała pojęcia, o czym mówią. Pogrążyli się w dyskusji o neutralnej dźwięczności, długich tonach i przejrzystości. Obserwowała ożywienie na twarzy Philipa, kiedy mówił.

To jest jego świat. Muszę znaleźć do niego drogę, pomyślała.

Nazajutrz Lara pojawiła się w Manhattańskiej Szkole Muzycznej i oznajmiła siedzącej za biurkiem kobiecie:

– Chciałabym się spotkać z jednym z profesorów muzyki.

– Czy ma pani kogoś konkretnego na myśli?

– Nie.

– Jedną chwileczkę. – Zniknęła za drzwiami do drugiego pokoju.

Parę minut później pojawił się drobny, siwowłosy mężczyzna.

– Dzień dobry. Nazywam się Leonard Meyers. W czym mogę pani pomóc?

– Interesuję się muzyką poważną.

– Aha, chciała się pani zapisać do szkoły. Na jakim instrumencie pani gra?

– Nie gram na żadnym instrumencie. Chcę tylko zdobyć podstawowe wiadomości z dziedziny muzyki poważnej.

– Obawiam się, że źle pani trafiła. To nie jest szkoła dla początkujących.

– Zapłacę panu pięć tysięcy dolarów za dwa tygodnie lekcji.

Profesor Meyers zamrugał gwałtownie.

– Przepraszam, panno... Nie dosłyszałem pani nazwiska.

– Cameron. Lara Cameron.

– Chce mi pani zapłacić pięć tysięcy dolarów za dwa tygodnie rozmowy na temat muzyki poważnej? – Miał kłopoty z wyrażeniem swoich myśli.

– Tak. Jeśli sobie pan życzy, może pan przeznaczyć te pieniądze na fundusz stypendialny.

Profesor Meyers zniżył głos.

– To nie będzie potrzebne. Niech to pozostanie między nami.

– Świetnie.

– Kiedy... kiedy chciałaby pani przystąpić do nauki?

– Natychmiast.

– W tej chwili mam lekcje, ale proszę mi dać pięć minut...

Siedziała z profesorem Meyersem w pustej klasie.

– Zacznijmy od początku. Czy wie pani coś o muzyce poważnej?

– Bardzo niewiele.

– Rozumiem. No więc są dwa sposoby odbierania muzyki – rozpoczął profesor. – Rozumowy i emocjonalny. Ktoś kiedyś powiedział, że muzyka odsłania przed człowiekiem jego ukrytą duszę. Każdy wielki kompozytor potrafi to osiągnąć.

Lara słuchała w skupieniu.

– Panno Cameron, czy zna pani utwory jakiegoś kompozytora?

– Obawiam się, że nie.

Profesor zmarszczył brwi.

– Naprawdę nie rozumiem pani zainteresowania...

– Chcę zdobyć wystarczające wiadomości, by móc rozmawiać z zawodowym muzykiem o klasykach. Jestem... szczególnie zainteresowana muzyką fortepianową.

– Rozumiem. – Meyers pomyślał chwilę. – Powiem pani, od czego zaczniemy. Dam pani do przesłuchania kilka płyt.

Lara obserwowała, jak podszedł do półki i wyciągnął parę płyt kompaktowych.

– Zaczniemy od tych. Chcę, by uważnie wysłuchała pani allegra z *Koncertu fortepianowego numer 21 c-moll KV 467* Mozarta, adagia z *I Koncertu fortepianowego* Brahmsa, moderata z *II Koncertu fortepianowego c-moll op. 18* Rachmaninowa i wreszcie romanzę z *I Koncertu fortepianowego* Chopina. Wszystkie są zaznaczone.

– Dobrze.

– Proszę sobie tego posłuchać i przyjść do mnie za kilka dni...

– Przyjdę jutro.

Kiedy Lara pojawiła się następnego dnia, trzymała pod pachą kilkanaście płyt z nagraniami z recitali i koncertów Philipa Adlera.

– Ach, wspaniale! – wykrzyknął profesor Meyers. – Maestro Adler jest najlepszy. Czy interesuje się pani szczególnie jego grą?

– Tak.

– Maestro nagrał wiele pięknych sonat.

– Sonat?

Westchnął.

– Nie wie pani, co to jest sonata?

– Nie.

– Sonata to składająca się z kilku części forma muzyczna na instrument solo – na przykład fortepian czy skrzypce. Symfonia natomiast jest formą muzyczną o budowie sonaty, lecz przeznaczoną na orkiestrę.

– Rozumiem.

– Fortepian początkowo nazywano pianoforte. To po włosku cicho-głośno...

Następnych kilka dni poświęcili rozmowom o nagranych przez Philipa na płytach utworach Beethovena, Liszta, Bartoka, Mozarta, Chopina.

Lara słuchała, chłonęła i zapamiętywała.

– Adler lubi Liszta. Proszę mi o nim opowiedzieć.

– Franciszek Liszt był genialnym dzieckiem. Wszyscy go podziwiali. Był znakomity. Arystokracja traktowała go jak ulubione zwierzątko, aż w końcu zaczął się skarżyć, że stoi na równi z kuglarzem lub psem cyrkowym...

– Proszę mi coś powiedzieć o Beethovenie.

– Był trudnym i bardzo nieszczęśliwym człowiekiem. Kiedy święcił największe triumfy, doszedł do wniosku, że nie podobają mu się jego dotychczasowe kompozycje, i zaczął tworzyć utwory dłuższe i bardziej poruszające uczucia, jak *Eroica* czy *Patetyczna*...

– A Chopin?

– Chopina krytykowano za kompozycje na fortepian, współcześni mu znawcy muzyki uważali go za ograniczonego...

– ...uważam, że Liszt grał Chopina lepiej niż sam Chopin...

– ...istnieje różnica między pianistami francuskimi i amerykańskimi. Francuzi przede wszystkim cenią klarowność i elegancję. Ich wyszkolenie techniczne tradycyjnie już opiera się na *jeu perlé* – doskonale perlistej, jednostajnej artykulacji, ręką sztywną w nadgarstku...

Codziennie słuchali jednego z nagrań Philipa i omawiali je.

– Muszę wyznać, że jestem pod wrażeniem, panno Cameron. Okazała się pani nadzwyczaj pilną uczennicą. Może powinna pani zdecydować się na grę na jakimś instrumencie – powiedział profesor Meyers pod koniec owych dwóch tygodni nauki.

Lara roześmiała się wesoło.

– Nie dajmy się ponieść wyobraźni. – Wręczyła mu czek. – Proszę, oto pańskie wynagrodzenie.

Nie mogła się doczekać powrotu Philipa do Nowego Jorku.

Rozdział 20

Dzień zaczął się pomyślnie. Zadzwonił Terry Hill.

– Lara?

– Słucham?

– Właśnie przyszła wiadomość od komisji gier hazardowych. Otrzymałaś licencję.

– To cudownie, Terry!

– Szczegóły opowiem ci, kiedy się zobaczymy. Najważniejsze, że możemy działać. Musiałaś zrobić na nich piorunujące wrażenie.

– Z miejsca przystępujemy do remontu – powiedziała Lara. – Dziękuję, że zadzwoniłeś.

Przekazała nowinę Kellerowi.

– Wspaniale! Przyda nam się stały dopływ gotówki. Zaoszczędzi nam to wielu kłopotów...

Zajrzała do kalendarza.

– Polecimy tam we wtorek i wprawimy machinę w ruch.

Rozległ się dzwonek interkomu.

– Na dwójce jakiś pan Adler – oznajmiła Kathy. – Czy mam mu powiedzieć, że...?

Lara nagle stała się dziwnie spięta.

– Sama z nim porozmawiam. – Podniosła słuchawkę. – Philip?

– Cześć. Wróciłem.

– Cieszę się.

Tęskniłam za tobą, dodała w myślach.

– Nie uprzedziłem cię wcześniej, ale jeśli masz czas dziś wieczorem, może poszlibyśmy na obiad.

Była umówiona z Paulem Martinem.

– Tak, mam czas.

– Cudownie. Gdzie chciałabyś pójść?

– Nieważne.

– La Cote Basque?

– Świetnie.

– Może się spotkamy na miejscu? Powiedzmy, o ósmej?

– Dobrze.

– A więc do zobaczenia wieczorem.

Lara, uśmiechając się, odłożyła słuchawkę.

– Czy to dzwonił Philip Adler? – spytał Keller.

– Mhm. Zostanie moim mężem.

Keller patrzył na nią oszołomiony.

– Mówisz poważnie?

– Tak.

Był to prawdziwy wstrząs.

Stracę ją, przemknęło Kellerowi przez głowę. I co wtedy? Kogo próbuję oszukać? I tak nigdy nie byłaby moja.

– Laro… przecież prawie go nie znasz!

Znałam go całe życie, pomyślała.

– Nie chcę, byś popełniła błąd.

– Nie bój się. Ja… – Zadzwonił prywatny telefon, ten który zainstalowała specjalnie dla Paula Martina. Podniosła słuchawkę. – Cześć, Paul.

– Cześć, Laro. O której chciałabyś pójść dziś na obiad? O ósmej?

Nagle ogarnęło ją poczucie winy.

– Paul… Niestety, nie możemy się dzisiaj spotkać. Niespodziewanie coś mi wypadło. Właśnie miałam do ciebie dzwonić.

– Rozumiem. Ale wszystko w porządku?

– Naturalnie. Po prostu przyleciał ktoś z Rzymu – przynajmniej to było prawdą – i muszę się z nim spotkać.

– Cóż, mam pecha. Zobaczymy się kiedy indziej.

– Oczywiście.

– Słyszałem, że otrzymałaś licencję na ten hotel w Reno.

– Tak.

– Będziemy mieli z nim niezłą zabawę.

– Nie mogę się już doczekać, kiedy go otworzymy. Przykro mi, że tak to dzisiaj wypadło. Zadzwonię do ciebie jutro.

Połączenie zostało przerwane.

Lara wolno odłożyła słuchawkę.

Keller obserwował ją z dezaprobatą.

– Coś ci się nie podoba?

– Owszem. Cała ta nowoczesna aparatura.

– To znaczy co?

– Masz w swoim gabinecie za dużo telefonów. Laro, to niebezpieczny człowiek.

– Ten niebezpieczny człowiek kilka razy ratował nam skórę, Howardzie – stwierdziła cierpko Lara. – Masz jeszcze jakieś uwagi?

Keller pokręcił głową.

– Nie.

– Dobrze. W takim razie wracajmy do pracy.

Kiedy pojawiła się w La Cote Basque, Philip już na nią czekał. Gdy weszła do restauracji, ludzie odwrócili się, by na nią popatrzeć. Philip wstał na jej powitanie i serce Lary zabiło mocniej.

– Mam nadzieję, że się nie spóźniłam? – zapytała.

– Ależ skądże. – Patrzył na nią wzrokiem pełnym podziwu, a spojrzenie to było dziwnie ciepłe. – Wyglądasz wspaniale.

Przebierała się kilka razy.

Czy powinnam włożyć coś skromnego, eleganckiego czy też seksownego? – dumała.

Ostatecznie zdecydowała się na prostą suknię od Diora.

– Dziękuję.

Kiedy zajęli miejsca, Philip powiedział:

– Czuję się jak ostatni idiota.

– Tak? Dlaczego?

– Nigdy nie kojarzyłem twojego nazwiska z Cameron Enterprises. Nie przyszło mi do głowy, że to ty jesteś ową słynną panną Cameron.

– Przyznaję się do winy – odparła ze śmiechem.

– Mój Boże! Jesteś właścicielką sieci hoteli, kilkunastu budynków mieszkalnych i biurowców. Kiedy podróżuję po kraju, wszędzie widzę twoje nazwisko.

– To dobrze. – Lara uśmiechnęła się znowu. – Dzięki temu nie zapomnisz o mnie.

Przyglądał się jej uważnie.

– Nie wydaje mi się, bym potrzebował czegoś, co by mi o tobie przypominało. Czy masz już dosyć ludzi mówiących ci, że jesteś prześliczna?

Chciała powiedzieć: „Cieszę się, że uważasz mnie za piękną".

– Jesteś żonaty? – zapytała nagle, i w tej samej chwili pożałowała, że nie ugryzła się w język.

– Nie. W mojej sytuacji to zupełnie niemożliwe.

– Dlaczego? – Wstrzymała na moment oddech.

Chyba nie jest... – pomyślała zaniepokojona.

– Bo przez większą część roku podróżuję. Jednego dnia jestem w Budapeszcie, następnego w Londynie, Paryżu lub Tokio.

Ogarnęło ją uczucie ulgi.

– Ach, o to chodzi. Philipie, opowiedz mi coś o sobie.

– A co chcesz wiedzieć?

– Wszystko.

– To zajmie przynajmniej pięć minut – powiedział rozbawiony.

– Ale ja naprawdę chcę się czegoś o tobie dowiedzieć.

Nabrał głęboko powietrza.

– Moi rodzice pochodzą z Wiednia. Ojciec był dyrygentem, a matka nauczycielką gry na fortepianie. Opuścili Wiedeń, uciekając przed Hitlerem, i osiedlili się w Bostonie, gdzie się urodziłem.

– Czy zawsze wiedziałeś, że zostaniesz pianistą?

– Tak.

Miał sześć lat. Wykonywał ćwiczenia na fortepianie, kiedy do pokoju wtargnął jak burza ojciec.

– Nie, nie, nie! Nie odróżniasz akordu dur od moll? – Stuknął owłosionym palcem w nuty. – To tonacja moll. Moll. Rozumiesz?

– Ojcze, czy mogę wyjść na dwór? Czekają na mnie koledzy.

– Nie. Będziesz tu siedział, póki się tego nie nauczysz.

Miał osiem lat. Rano ćwiczył cztery godziny i stoczył walkę z rodzicami.

– Nienawidzę fortepianu! – krzyczał. – Nigdy go już nie tknę!

– Świetnie – powiedziała matka. – A teraz zagraj mi jeszcze raz to andante.

Miał dziesięć lat. Całe mieszkanie pełne było gości, w większości starych znajomych jego rodziców z Wiednia. Wszyscy byli muzykami.

– A teraz Philip nam coś zagra – zapowiedziała matka.

– Z wielką ochotą posłuchamy gry małego Philipa – odezwały się protekcjonalne głosy.

– Wykonaj coś Mozarta, Philipie.

Philip popatrzył na ich znudzone miny i zły zasiadł do fortepianu. Goście nie przerwali rozmów.

Zaczął grać, jego palce przemykały szybko po klawiaturze. Nagle rozmowy ucichły. Grał sonatę Mozarta, która w jego wykonaniu stała się pełna życia. W tej chwili wcielił się w samego Wolfganga Amadeusza, wypełniając pokój czarownymi dźwiękami mistrzowskiej muzyki.

Kiedy Philip zagrał ostatni akord, zaległa głęboka cisza. Po chwili znajomi rodziców skierowali się w stronę fortepianu, nie kryjąc przejęcia, zasypując chłopca pochwałami. Słuchał ich braw i pochlebstw i właśnie wtedy doznał olśnienia: odkrył, kim jest, i czego chce w życiu.

– Tak, zawsze wiedziałem, że zostanę pianistą – powiedział Philip Larze.

– Gdzie uczyłeś się gry na pianinie?
– Do czternastego roku życia uczyła mnie matka, potem studiowałem w Instytucie Curtisa w Filadelfii.
– Lubiłeś naukę?
– Nawet bardzo.

Miał czternaście lat, był zupełnie sam w obcym mieście. Instytut Muzyczny Curtisa mieścił się w czterech budynkach, wzniesionych na przełomie stulecia w pobliżu filadelfijskiego placu Rittenhouse. Stanowił amerykański odpowiednik konserwatorium moskiewskiego Viardo, Jegorowa i Toradze. Wśród jego absolwentów byli Samuel Barber, Leonard Bernstein, Gian Carlo Menotti, Rudolf Serkin i kilkunastu innych genialnych muzyków.

– Nie czułeś się tam samotny?
– Nie.

Był nieszczęśliwy. Nigdy przedtem nie opuszczał domu. Miał próbne przesłuchanie w Instytucie Curtisa i kiedy został przyjęty, nagle uświadomił sobie, że w jego życiu zacznie się nowy rozdział, że już nigdy nie wróci do domu. Pedagodzy natychmiast poznali się na talencie chłopca. Jego nauczycielami gry na pianinie zostali Isabelle Vengerova i Rudolf Serkin. Philip studiował grę na pianinie, teorię muzyki, harmonię, orkiestrację. Kiedy nie miał lekcji, razem z innymi studentami wykonywał utwory kameralne. Fortepian, na którym kazano mu grać od trzeciego roku życia, stał się teraz celem jego egzystencji, magicznym instrumentem. Potrafił z niego wyczarować romans, pasję i gniew.

– Pierwszy koncert dałem w wieku osiemnastu lat, z Orkiestrą Symfoniczną Detroit.
– Miałeś tremę?

Był sparaliżowany ze strachu. Nagle odkrył, że grać dla grupki przyjaciół to jedno, natomiast stanąć w olbrzymiej sali pełnej ludzi, którzy zapłacili, by posłuchać jego gry, to zupełnie co innego. Nerwowo przechadzał się za kulisami, kiedy impresario chwycił go za ramię i powiedział: „No, idź. Zaczynamy". Nigdy nie zapomni, co czuł, kiedy po wejściu na estradę usłyszał oklaski. Usiadł do fortepianu i w tej chwili całe zdenerwowanie zniknęło. Potem jego życie stało się jedną serią koncertów. Zjeździł całą Europę i Azję, a po każdym tournée jego sława rosła. William Ellerbee, znany impresario, zgodził się go reprezentować. Wszędzie chciano słuchać Philipa Adlera.

Philip spojrzał na Larę, uśmiechając się do swoich myśli.

– Tak. Ciągle jeszcze mam tremę przed koncertem.

– A jak to jest podczas tournée?

– Nigdy nie narzekam na nudę. Kiedyś pojechałem na tournée z Filadelfijską Orkiestrą Symfoniczną. Byliśmy w Brukseli, w drodze na koncert do Londynu. Z powodu mgły zamknięto miejscowe lotnisko, więc zawieziono nas autobusem na lotnisko Schiphol w Amsterdamie. Tam jakiś człowiek wyjaśnił, że wyczarterowany dla nas samolot jest bardzo mały i muzycy mogą zabrać albo instrumenty, albo bagaż osobisty. Naturalnie wszyscy wzięli instrumenty. Dotarliśmy do Londynu tuż przed koncertem. Graliśmy nieogoleni, w dżinsach i adidasach.

– Założę się, że publiczność była zachwycona.

– Była. Kiedyś miałem dać koncert w Indianie. Okazało się, że fortepian zamknięty jest w magazynie, do którego nikt nie ma klucza. Musieliśmy wyważyć drzwi.

Lara zachichotała.

– W ubiegłym roku miałem dać w Rzymie koncert muzyki Beethovena. Jeden z krytyków muzycznych napisał: Adler grał ociężale, a jego frazowanie w finale było zupełnie chybione. Zbyt rozwlekłe tempo zakłócało rytm utworu.

– To straszne! – powiedziała Lara ze współczuciem.

– Tylko że ja nigdy nie dałem tego koncertu. Spóźniłem się na samolot!

Lara pochyliła się, prosząc gorąco:

– Opowiedz mi coś jeszcze.

– No więc pewnego razu w Sao Paulo w środku recitalu szopenowskiego od fortepianu odpadły pedały.

– No i co zrobiłeś?

– Dokończyłem sonatę bez pedałów. Innym razem fortepian zjechał ze sceny.

Kiedy Philip mówił o swej pracy, jego głos pełen był pasji.

– Jestem szczęściarzem. To cudownie móc wzruszać ludzi i przenosić ich w inny świat. Dzięki muzyce pogrążają się w krainie fantazji. Czasem odnoszę wrażenie, że muzyka to jedyna normalna rzecz, która jeszcze istnieje na tym zwariowanym świecie. – Roześmiał się z zażenowaniem. – Nie chciałem, by zabrzmiało to pompatycznie.

– Wcale tak nie zabrzmiało. Naprawdę sprawiasz ludziom radość. Bardzo lubię słuchać twojej gry. – Wzięła głęboki oddech. – Kiedy słyszę, jak grasz *Voiles* Debussy'ego, wydaje mi się, że znajduję się na pustej plaży, a w oddali widzę maszt żaglowca...

– Ja też.

– A kiedy słucham twojej interpretacji Scarlattiego, odnoszę wrażenie, że jestem w Neapolu, widzę ludzi przemierzających ulice pełne koni i powozów... – Spostrzegła zadowolenie malujące się na jego twarzy, gdy jej słuchał.

Przypominała sobie wszystko ze swoich lekcji z profesorem Meyersem.

– Kiedy grasz Bartoka, zabierasz mnie do wiosek środkowej Europy, wydaje mi się, że jestem wśród węgierskich wieśniaków. Malujesz obrazy, w których się zanurzam.

– Bardzo mi schlebiasz – powiedział Philip.

– Nie. Naprawdę tak się czuję.

Podano obiad: chateaubriand z frytkami, sałatkę Waldorf, świeże szparagi, a na deser tartę z owocami. Do każdego dania było odpowiednie wino.

– Laro, cały czas mówimy o mnie – zauważył Philip. – Powiedz mi coś o sobie. Jak to jest wznosić olbrzymie gmachy w całym kraju?

Przez moment milczała.

– Trudno to opisać. Ty tworzysz za pomocą rąk. Ja tworzę głową. Nie buduję domów sama, ale sprawiam, że staje się to możliwe. Kreuję w myślach marzenie ze szkła, betonu i stali, które później staje się rzeczywistością. Daję zatrudnienie setkom ludzi: architektom i murarzom, projektantom wnętrz, cieślom i hydraulikom. Dzięki mnie są w stanie utrzymać swoje rodziny. Daję ludziom piękne osiedla, w których wygodnie mieszkają. Buduję eleganckie sklepy, w których mogą się zaopatrywać w potrzebne im rzeczy. Wznoszę pomniki dla potomności. – Uśmiechnęła się nieśmiało. – Nie zamierzałam wygłaszać przemówienia.

– Jesteś zupełnie wyjątkowa, wiesz o tym?

– Chcę, żebyś tak uważał.

Był to cudowny wieczór i zanim się skończył, Lara wiedziała, że po raz pierwszy w życiu jest zakochana. Tak się bała, że się rozczaruje, że żaden mężczyzna nie dorówna wytworowi jej wyobraźni. Ale oto spotkała Lochinvara z krwi i kości i była poruszona do głębi.

Wróciła do domu tak podekscytowana, że nie mogła usnąć. W myślach jeszcze raz wracała do spotkania, w kółko odtwarzając ich rozmowę. Philip Adler był najbardziej fascynującym mężczyzną, jakiego kiedykolwiek spotkała. Zadzwonił telefon. Lara uśmiechnęła się i podniosła słuchawkę.

– Philipie... – zaczęła, ale przerwał jej głos Paula Martina.

– Sprawdzam tylko, czy bezpiecznie dotarłaś do domu.

– Tak – powiedziała Lara.

– Jak przebiegło spotkanie?

– Świetnie.

– To dobrze. Zjedzmy jutro razem obiad.

- Dobrze - odpowiedziała po chwili wahania.

Ciekawa jestem, czy będą jakieś problemy, pomyślała.

Rozdział 21

Następnego ranka do apartamentu Lary przyniesiono tuzin czerwonych róż.

A więc jemu również spodobał się wczorajszy wieczór, uradowała się Lara.

Pośpiesznie otworzyła dołączony do kwiatów liścik i przeczytała: „Najdroższa, nie mogę się doczekać naszego obiadu dziś wieczorem. Paul".

Poczuła niemiłe ukłucie rozczarowania. Przez cały ranek czekała na telefon od Philipa. Miała dużo zajęć, ale nie mogła się skupić na pracy.

O drugiej Kathy powiedziała:

- Przyszły na rozmowę kandydatki na sekretarki.

- Zacznij je wpuszczać.

Było ich kilka, wszystkie miały wysokie kwalifikacje. Trzydziestokilkuletnia Gertruda Meeks okazała się najlepsza. Była bystra, pełna zapału i najwyraźniej trochę się bała.

Lara przejrzała jej życiorys. Wywoływał wrażenie.

- Widzę, że pracowała już pani w tego typu firmach.

- Tak, proszę pani. Ale nigdy jeszcze nie pracowałam dla kogoś takiego jak pani. Mówiąc szczerze, podjęłabym się tej pracy nawet bez wynagrodzenia.

- To nie będzie konieczne. Ma pani dobre referencje. Zatrudnimy panią na okres próbny.

- Dziękuję. - Lekko się zarumieniła.

- Musi pani podpisać dokument, w którym zobowiąże się pani nie udzielać żadnych wywiadów i nigdy nie rozmawiać o tym, co dzieje się w firmie. Czy zgadza się pani na to?

– Oczywiście.
– Kathy wskaże pani biurko.

O jedenastej spotkała się z szefem biura prasowego, Jerrym Townsendem.
– Jak tam twój ojciec? – spytała.
– Jest w Szwajcarii. Lekarze mówią, że ma szanse na całkowite wyleczenie. – Głos mu nagle ochrypł. – Jeśli tak się stanie, to wyłącznie dzięki tobie.
– Każdy zasługuje na szansę w życiu, Jerry. Mam nadzieję, że stan twego ojca się poprawi
– Dziękuję. – Odchrząknął. – Nie wiem... nie wiem, jak ci wyrazić swoją wdzięczność...
Lara wstała.
– Jestem już spóźniona – powiedziała i wyszła, zostawiając go w gabinecie.

Spotkała się z architektami pracującymi nad projektem budynku w New Jersey.
– Dobra robota – pochwaliła ich – ale chciałabym wprowadzić kilka korekt. Proszę tutaj zrobić arkady w kształcie elipsy, do których przylegać będą z trzech stron hole o marmurowych ścianach. Zmieńcie kształt dachu na miedzianą piramidę z czerwonym światełkiem na szczycie. Czy sprawi wam to jakieś problemy?
– Nie sądzę, panno Cameron.
Kiedy narada zakończyła się, usłyszała brzęczyk interkomu.
– Panno Cameron, dzwoni Raymond Duffy, jeden z kierowników budowy. Mówi, że to pilne.
Lara podniosła słuchawkę.
– Dzień dobry, Raymondzie.
– Panno Cameron, mamy kłopot.
– Mów.
– Właśnie przyszedł transport bloków cementowych. Nie przejdą kontroli jakości. Są popękane. Zamierzam je odesłać, ale najpierw chciałem zawiadomić panią.

Lara zastanowiła się chwilę.

– Absolutnie się nie nadają?

– Niestety, nie. Rzecz w tym, że nie zgadzają się z naszym zamówieniem i...

– Nie można ich dostosować?

– Chyba można, ale będzie to kosztowna zabawa.

– Zróbcie to – powiedziała.

Po drugiej stronie słuchawki zapanowała cisza.

– Dobrze. Pani jest tu szefową.

Lara odłożyła słuchawkę. W mieście było tylko dwóch dostawców cementu i rozpoczęcie wojny z którymś z nich byłoby samobójstwem.

Do piątej Philip nie zadzwonił. Lara wykręciła numer do jego fundacji.

– Poproszę z Philipem Adlerem.

– Pan Adler wyjechał na tournée. Czy mogę pani w czymś pomóc?

Podczas kolacji nie wspominał nic o wyjeździe.

– Nie, dziękuję.

A więc to tak, pomyślała. Na razie.

Pod koniec dnia złożył jej wizytę Steve Murchinson. Był to potężny mężczyzna o kanciastej sylwetce. Wtargnął do gabinetu Lary.

– Czym mogę panu służyć, panie Murchinson? – spytała.

– Może pani nie wtykać nosa w nie swoje sprawy – powiedział Murchinson.

Lara spojrzała na niego spokojnie.

– O co panu chodzi?

– O panią. Nie lubię, gdy ktoś wtrąca się w moje sprawy.

– Jeśli ma pan na myśli pana Guttmana...

– Zgadła pani.

– ...wolał mój budynek od pańskiego.

– Przekabaciłaś go, moja panno. Dość już włażenia mi w drogę. Ostrzegłem cię raz i nie zamierzam robić tego ponownie. W Nowym Jorku nie ma miejsca dla nas obojga. Nie wiem, gdzie trzymasz swoje jaja, ale schowaj je, bo jeśli jeszcze raz zrobisz mi coś podobnego, to ci je utnę.

I wybiegł z gabinetu.

Tego wieczoru podczas obiadu, który jadła w swoim mieszkaniu razem z Paulem, zachowywała się nienaturalnie.

– Sprawiasz wrażenie, jakbyś była czymś zaabsorbowana, mała – powiedział Paul. – Masz jakieś kłopoty?

Lara zmusiła się do uśmiechu.

– Nie. Wszystko przebiega świetnie.

Dlaczego Philip nie powiedział mi, że wyjeżdża? – myślała gorączkowo.

– Kiedy rozpoczniesz remont hotelu w Reno?

– Polecimy tam z Howardem w przyszłym tygodniu. Otwarcie powinno nastąpić za jakieś dziewięć miesięcy.

– Za dziewięć miesięcy możesz urodzić dziecko.

Spojrzała na niego zdumiona.

– Słucham?

Paul Martin ujął jej dłoń.

– Laro, wiesz, że za tobą szaleję. Zmieniłaś cały mój świat. Żałuję, że moje życie nie ułożyło się inaczej. Pragnąłbym mieć z tobą dzieci.

Lara zamilkła.

– Mam dla ciebie małą niespodziankę. – Sięgnął do kieszeni i wyciągnął pudełeczko. – Otwórz je.

– Paul, podarowałeś mi już tyle rzeczy...

– Otwórz.

W środku znajdował się piękny naszyjnik z brylantów.

– Jaki wspaniały.

Wstał. Poczuła dotyk jego dłoni, kiedy zapinał jej naszyjnik. Przesunął ręce niżej, pieszczotliwie głaszcząc jej piersi. Kiedy prowadził ją do sypialni, myślała gorączkowo, jak postąpić. Nigdy go nie kochała, a pójście z nim do łóżka traktowała jako formę odwdzięczenia się za to, co dla niej czynił. Teraz było inaczej. Była zakochana.

Jestem głupia, zganiła siebie. Prawdopodobnie już nigdy nie spotkam Philipa.

Rozbierała się wolno, z wyraźnym ociąganiem. Po chwili już byli w łóżku. Paul Martin leżał na niej, szepcząc:

– Szaleję za tobą, mała.

Spojrzała na niego, ale ujrzała twarz Philipa.

Wszystko przebiegało gładko. Remont hotelu w Reno postępował szybko, Cameron Towers miano zakończyć zgodnie z harmonogramem, a sława Lary wciąż rosła. W ciągu ostatnich kilku miesięcy parę razy dzwoniła do Philipa Adlera, ale nigdy nie udało jej się go zastać.

– Pan Adler jest w Pekinie...

– Pan Adler jest w Paryżu...

– Pan Adler jest w Sydney...

Do diabła z nim, pomyślała Lara.

W ciągu następnych sześciu miesięcy udało jej się trzy razy przelicytować Steve'a Murchinsona podczas przetargów na nieruchomości, w których oboje startowali.

Keller był zaniepokojony.

– Po mieście krążą pogłoski, że Murchinson ci grozi. Chyba powinniśmy spasować. To niebezpieczny wróg, Laro.

– Ja też jestem niebezpieczna – odparła. – Może powinien zająć się czymś innym.

– Laro, ten temat nie nadaje się do żartów. On...

– Zapomnij o nim, Howardzie. Właśnie otrzymałam poufną informację na temat pewnej nieruchomości w Los Angeles. Oferta nie pojawiła się jeszcze na rynku. Jeśli się pospieszymy, myślę, że uda nam się kupić tę parcelę. Polecimy z samego rana.

Działka miała powierzchnię dwóch hektarów i znajdował się na niej stary Baltimore Hotel. Agent pośredniczący w obrocie nieruchomościami oprowadzał Larę i Howarda.

– Pierwszorzędny punkt – mówił. – Tak, proszę państwa. Niepodobna na nim stracić. Można tu wybudować całe piękne miasteczko... domy mieszkalne, centrum handlowe, kina...

– Nie.

Spojrzał zdumiony na Larę.

– Słucham?

– Nie jestem zainteresowana.

– Nie? A dlaczego?

– Z uwagi na położenie – powiedziała. – Nie wydaje mi się, żeby ktokolwiek chciał tu zamieszkać. Los Angeles rozrasta się na zachód. Ludzie są jak lemingi. Nie można zmienić kierunku ich migracji.

– Ale...

– Powiem panu, co mnie interesuje. Domy mieszkalne. Proszę znaleźć dobry punkt pod ich budowę.

Lara odwróciła się do Howarda.

– Przykro mi, że przeze mnie zmarnowaliśmy tyle czasu. Jeszcze dziś po południu wracamy do domu.

Kiedy przyjechali do hotelu, Keller kupił w kiosku gazetę.

– Spójrzmy, co się dziś dzieje na świecie.

Przejrzeli gazetę. W dziale imprez kulturalnych umieszczono duże ogłoszenie: „Dziś wieczorem w The Hollywood Bowl – Philip Adler".

Serce Lary zabiło mocniej.

– Polecimy jutro – zdecydowała.

Keller przyglądał się jej przez moment.

– Interesujesz się muzyką czy muzykiem?

– Kup dwa bilety.

Lara jeszcze nigdy nie była w Hollywood Bowl. Największy naturalny amfiteatr świata, otoczony przez wzgórza Hollywood znajduje się w parku i czynny jest przez okrągły rok. Wszystkie miejsca w amfiteatrze, który może pomieścić osiemnaście tysięcy ludzi, były zajęte. Larze udzieliło się pełne podniecenia oczekiwanie zebranych. Na estradzie zaczęli się pojawiać muzycy. Powitano ich oklaskami. Po chwili wyszedł André Previn i brawa stały się bardziej gorące. Nastąpiła chwila ciszy, a następnie rozległa się burza oklasków, kiedy na estradzie ukazał się Philip Adler, niezwykle elegancki w białym krawacie i fraku.

Lara ścisnęła ramię Kellera.

– Czyż nie jest przystojny? – szepnęła.

Keller nic nie odpowiedział.

Philip zasiadł do fortepianu i zaczął się koncert. Magia jego gry natychmiast zawładnęła publicznością. Było w niej coś mistycznego. Gwiazdy migotały, oświetlając ciemne wzgórza otaczające amfiteatr. Tysiące ludzi siedziało w milczeniu, chłonąc czarowną muzykę. Kiedy ucichły ostatnie akordy koncertu, widownia wprost oszalała. Słuchacze zerwali się z miejsc, bijąc brawo i krzycząc z zachwytu. Philip kłaniał się raz za razem.

– Chodźmy za kulisy – powiedziała Lara.

Keller odwrócił się, by na nią spojrzeć. Głos aż jej drżał z podniecenia.

Wejście za kulisy znajdowało się z boku kanału dla orkiestry. Przy drzwiach stał strażnik, nie wpuszczając tłumów.

– Panna Cameron do pana Adlera – oznajmił mu Keller.

– Czy oczekuje państwa? – spytał strażnik.

– Tak – odparła Lara.

– Proszę zaczekać. – Po chwili wrócił. – Mogą państwo wejść.

Skierowali się do kuluarów. Philipa otaczał tłum gratulujących mu wielbicieli.

– Mój drogi, jeszcze nigdy nie słyszałam, by ktoś tak pięknie grał Beethovena. Byłeś niewiarygodnie...

– Dziękuję... – mówił Philip.

– ...dziękuję... kiedy się gra taką muzykę, łatwo o natchnienie...

– ...dziękuję... André to taki genialny dyrygent...

– ...dziękuję... Zawsze z przyjemnością występuję w Bowl...

Uniósł wzrok i ujrzał Larę. Na jego twarzy znów pojawił się ten uśmiech.

– Przepraszam – powiedział. Utorował sobie drogę przez tłum i podszedł do niej.

– Nie miałem pojęcia, że jesteś w mieście.

– Przylecieliśmy dziś rano. To Howard Keller, mój wspólnik.

– Miło mi – przywitał się oschle Keller.

Philip odwrócił się do niskiego, otyłego mężczyzny stojącego tuż za nim.

– A to mój impresario, William Ellerbee. – Wymienili ukłony.

Philip patrzył na Larę.

– Dziś wieczorem w Beverly Hilton jest przyjęcie. Pomyślałem sobie, czy przypadkiem...

– Przyjdziemy z największą przyjemnością – ucieszyła się Lara.

Kiedy wraz z Kellerem weszła do wielkiej sali balowej Beverly Hilton, sala zapełniona już była muzykami i miłośnikami muzyki rozprawiającymi o muzyce.

– ...czy zauważyłeś, że im bliżej równika, tym bardziej wylewni i pełni temperamentu są słuchacze...

– ...kiedy grał Franciszek Liszt, fortepian stawał się całą orkiestrą...

– ...nie zgadzam się z tobą. De Groote ma lepsze predyspozycje, by wykonywać utwory Beethovena niż Liszta czy etiudy Paganiniego...

– ...musisz panować nad emocjonalnym krajobrazem koncertu...

Muzycy, rozmawiający swoim językiem, pomyślała Lara.

Philip, jak zwykle, otoczony był adorującymi go wielbicielami. Larę od samego patrzenia na niego ogarnęła fala przyjemnego ciepła.

Philip zauważył ją i powitał szerokim uśmiechem.

– Cieszę się, że przyszłaś.

– Nie mogłam ominąć takiej okazji.

Howard Keller obserwował ich, jak rozmawiali.

Może powinienem nauczyć się grać na pianinie. Albo wreszcie trzeźwo spojrzeć na świat, pomyślał.

Wydawało mu się, że już tyle czasu upłynęło od dnia, kiedy po raz pierwszy spotkał tę bystrą, ambitną, pełną entuzjazmu, młodą dziewczynę. Czas działał na jej korzyść, podczas gdy dla niego zatrzymał się w miejscu.

– Muszę jutro wracać do Nowego Jorku, ale może zjemy razem śniadanie – mówiła do Philipa.

– Bardzo bym chciał, ale skoro świt wylatuję do Tokio.

Poczuła ukłucie rozczarowania.

– Dlaczego?

– Laro, na tym polega moja praca. Daję sto pięćdziesiąt koncertów rocznie. Czasem nawet dwieście.

– Jak długo cię tym razem nie będzie?

– Osiem tygodni.

– Będę za tobą tęskniła – szepnęła.

Nie masz nawet pojęcia, jak bardzo, dodała w myślach.

Rozdział 22

W ciągu następnych kilku tygodni Lara i Keller dużo podróżowali. Polecieli do Atlanty, by obejrzeć dwie nieruchomości w Ainsley Park i jedną w Dunwoody.

– Dowiedz się o ceny działek w Dunwoody – poprosiła Lara. – Może wybudujemy tam parę domów mieszkalnych.

Z Atlanty udali się do Nowego Orleanu. Spędzili dwa dni, oglądając śródmieście, i jeden dzień nad jeziorem Pontchartrain. Larze spodobały się dwie nieruchomości.

Nazajutrz po powrocie do biura Keller wszedł do jej gabinetu.

– Mamy pecha z tymi nowymi inwestycjami w Atlancie – powiedział.

– Jak to?

– Ktoś nas uprzedził.

Lara spojrzała na niego zdumiona.

– Jak to możliwe? Przecież tych nieruchomości nie wystawiono jeszcze na sprzedaż.

– Wiem. Widocznie ktoś się wygadał.

Wzruszyła ramionami.

– Cóż, nie zawsze można wygrywać.

Tego popołudnia Keller przyniósł kolejne złe wiadomości.

– Nie udało nam się z tą nieruchomością nad jeziorem Pontchartrain.

W następnym tygodniu polecieli do Seattle, by obejrzeć wyspę Mercer i Kirkland. Jedna działka szczególnie zainteresowała Larę i kiedy wrócili do Nowego Jorku, zaproponowała Kellerowi:

– Postarajmy się o nią. Myślę, że może to być prawdziwa maszynka do robienia pieniędzy.

– Zgadzam się.

Następnego dnia spytała:

– Złożyłeś ofertę na zakup Kirkland?

Keller pokręcił przecząco głową.

– Ktoś nas uprzedził.

Lara zamyśliła się głęboko.

– Rozumiem. Howardzie, może uda ci się dowiedzieć, kto jest taki prędki.

Zajęło mu to niespełna dwadzieścia cztery godziny.

– Steve Murchinson.

– Czy znał wszystkie szczegóły?

– Tak.

– To znaczy, że ktoś w naszym biurze ma za długi język.

– Wszystko na to wskazuje.

Twarz miała zaciętą, gdy następnego dnia zlecała agencji detektywistycznej, żeby odnaleźli winowajcę. Ale im się nie udało.

– Możemy z całą pewnością oświadczyć, panno Cameron, że pani personel jest poza wszelkimi podejrzeniami. W żadnym pokoju nie zainstalowano podsłuchu, a pani rozmowy telefoniczne nie są nagrywane.

Znaleźli się w ślepym zaułku.

Może to zwykły zbieg okoliczności, pomyślała Lara. Ale sama w to nie wierzyła.

Sześćdziesięciosiedmiopiętrowy wieżowiec mieszkalny w Queens był wybudowany do połowy i Lara zaprosiła bankierów, by przyszli i obejrzeli postęp prac. Im większa liczba pięter, tym droższe były mieszkania. Sześćdziesięciosiedmiokondygnacyjny dom Lary miał w rzeczywistości tylko pięćdziesiąt sześć pięter. Sztuczki tej nauczył ją Paul Martin.

– Wszyscy tak robią – roześmiał się Paul. – Trzeba jedynie zmienić numerację kondygnacji.

– W jaki sposób?

– To bardzo proste. Budynek posiada przecież dwa szyby. W jednym kursuje winda z parteru do dwudziestego trzeciego piętra. W drugim zaś jeździ winda, która zatrzymuje się dopiero na dwudziestym trzecim piętrze, ale oznacza się je jako trzydzieste trzecie. To nagminna praktyka.

Ze względu na związki zawodowe, na liście płac w przedsiębiorstwach budowlanych zawsze widnieje kilka martwych dusz – ludzi, którzy w rzeczywistości nie istnieją. Można było na niej znaleźć dyrektora do spraw BHP, koordynatora prac budowlanych, inspektora dostaw materiałów i jeszcze kilka równie poważnie brzmiących stanowisk. Początkowo Lara kwestionowała takie praktyki.

– Nie przejmuj się tym – uspokoił ją Paul. – To wszystko część KPP, Kosztów Prowadzenia Przedsięwzięcia.

Howard Keller zajmował niewielkie mieszkanko przy placu Waszyngtona. Kiedy pewnego razu Lara go odwiedziła, rozejrzała się po maciupeńkim apartamencie i powiedziała:

– To mysia dziurka. Musisz się stąd wyprowadzić.
Kapitulując wobec nalegań Lary, przeprowadził się do domu w eleganckiej dzielnicy miasta.

Pewnego razu pracowali do późna w nocy.

– Wyglądasz na wykończonego. Może pójdziesz do domu i się prześpisz, Howardzie? – zaproponowała.

– Dobry pomysł. – Keller ziewnął. – Do zobaczenia rano.

– Nie śpiesz się – powiedziała Lara.

Wsiadł do samochodu i skierował się w stronę domu. Myślał o nowym nabytku i o tym, jak dobrze Lara rozegrała sprawę. Praca z nią była niezwykle emocjonująca: podniecająca, ale także frustrująca. Gdzieś tam w głębi duszy wciąż miał nadzieję, że zdarzy się jakiś cud.

Howardzie, mój najdroższy, ale byłam ślepa. Nie interesuje mnie Paul Martin ani Philip Adler. To ciebie od dawna już kocham.

Słaba szansa.

Kiedy dotarł do domu, wyjął klucz i włożył go do zamka. Nie pasował. Zaintrygowany znów spróbował. Nagle ktoś otworzył drzwi od wewnątrz. Na progu mieszkania stał nieznajomy.

– Co pan tu, u diabła, robi? – spytał mężczyzna.

Keller spojrzał na niego oszołomiony.

– Ja tu mieszkam.

– Akurat.

– Ależ... – Nagle przypomniał sobie. – Przepraszam wyjąkał, czerwony jak burak. – Mieszkałem tu kiedyś i...

Nieznajomy zatrzasnął mu drzwi przed nosem. Howard stał zmieszany.

Jak mogłem zapomnieć, że się przeprowadziłem? Za dużo pracuję, zganił się w myślach.

Lara miała właśnie konferencję, kiedy zadzwonił prywatny telefon.

– Ostatnio jesteś strasznie zajęta, moja mała. Stęskniłem się za tobą.

– Dużo podróżowałam, Paul. – Nie mogła się zdobyć na powiedzenie mu, że za nim tęskniła.

– Zjedzmy dziś razem lunch.

Lara pomyślała o tym wszystkim, co dla niej zrobił.

– Chętnie – zgodziła się. Ostatnią rzeczą, której pragnęła, było zrazić go do siebie.

Poszli na lunch do chińskiej restauracji.

– Wyglądasz wspaniale – powiedział Paul. – Bez względu na to, co robisz, służy ci to. Jak tam prace przy hotelu w Reno?

– Wszystko idzie świetnie – odparła z entuzjazmem. Przez następne piętnaście minut opisywała postęp prac. – Za dwa miesiące powinniśmy być gotowi z otwarciem.

Właśnie wychodziła jakaś para siedząca w drugim końcu sali. Mężczyzna odwrócony był do Lary tyłem, ale jego sylwetka wydała jej się znajoma. Kiedy odwrócił się na moment, ujrzała w przelocie twarz. Steve Murchinson. Towarzysząca mu kobieta też kogoś jej przypominała. Gdy pochyliła się, by wziąć torebkę, serce Lary zamarło na moment.

Gertruda Meeks, uświadomiła sobie, moja sekretarka.

– Bingo! – szepnęła Lara.

– Czy coś się stało? – spytał Paul.

– Nie, wszystko w porządku.

Powróciła do rozmowy na temat hotelu.

Po powrocie z lunchu posłała po Kellera.

– Pamiętasz tę nieruchomość w Phoenix, którą oglądaliśmy kilka miesięcy temu?

– Tak, zrezygnowaliśmy z zakupu. Doszłaś do wniosku, że nie jest nic warta.

– Zmieniłam zdanie. – Nacisnęła guzik interkomu. – Gertrudo, czy mogłabyś do mnie przyjść?

– Tak jest, panno Cameron.

Do gabinetu weszła Gertruda Meeks.

– Chcę podyktować pismo – powiedziała Lara. – Do „Braci Baron" w Phoenix.

Gertruda zaczęła notować:

„Panowie, rozważyłam waszą propozycję dotyczącą nieruchomości Scottsdale i postanowiłam natychmiast ją zakupić. Myślę, że z czasem stanie się moim najcenniejszym nabytkiem".

Keller uważnie przyglądał się Larze.

„Skontaktuję się z panami w kwestii ceny w ciągu kilku najbliższych dni. Z poważaniem"

– Sama podpiszę.

– Dobrze, panno Cameron. Czy to wszystko?

Tak.

Keller obserwował, jak Gertruda opuszcza pokój. Odwrócił się do Lary.

– Laro, co ty robisz? Ta nieruchomość jest bezwartościowa! Jeśli...

– Uspokój się. Wcale jej nie kupimy.

– W takim razie, dlaczego...

– Jeśli mnie przeczucie nie myli, kupi ją Steve Murchinson. Widziałam dziś, jak Gertruda jadła z nim lunch.

Keller spojrzał na Larę.

– Nie do wiary!

– Chcę, byś odczekał kilka dni, a potem zadzwonił do Barona i spytał go o tę nieruchomość.

Dwa dni później Keller wszedł uśmiechnięty do jej gabinetu.

– Miałaś rację! – wykrzyknął. – Murchinson dał się złapać jak dziecko. Jest teraz dumnym właścicielem dwudziestu hektarów bezwartościowych terenów.

Lara posłała po Gertrudę Meeks.

– Słucham, panno Cameron?

– Jesteś zwolniona.

Gertruda spojrzała na nią ze zdumieniem.

– Zwolniona? Dlaczego?

– Nie podoba mi się towarzystwo, w którym się obracasz. Idź do Steve'a Murchinsona i powtórz mu to.

Gertruda zbladła.

– Ależ...

– To wszystko.

254

O północy Lara zadzwoniła do Maksa, swojego kierowcy.

– Zajedź samochodem przed główne wejście – poleciła mu.

– Tak jest, panno Cameron.

Po chwili samochód już na nią czekał.

– Gdzie życzy sobie pani jechać, panno Cameron? – spytał Max.

– Pojedziemy na Manhattan. Chcę zobaczyć, czego dokonałam.

Patrzył na nią zdezorientowany.

– Słucham?

– Chcę popatrzeć na swoje budynki.

Pojechali do śródmieścia i zatrzymali się przed centrum handlowym, osiedlem mieszkaniowym i drapaczem chmur. Było tu Cameron Square, Cameron Plaza, Cameron Center i szkielet Cameron Towers. Lara siedziała w samochodzie, patrząc na wszystkie te gmachy, myśląc o mieszkających i pracujących w nich ludziach. Zmieniła ich życie.

Uczyniłam to miasto lepszym, pomyślała. Osiągnęłam wszystko, czego chciałam. Więc dlaczego jestem niespokojna? Czego mi brak?

Dobrze wiedziała czego.

Następnego ranka zadzwoniła do Williama Ellerbee'ego, impresaria Philipa.

– Dzień dobry, panie Ellerbee.

– Dzień dobry, panno Cameron. Czym mogę pani służyć?

– Chciałabym się dowiedzieć, gdzie w tym tygodniu gra Philip Adler.

– Philip ma dość napięty plan koncertów. Jutro będzie w Amsterdamie, potem jedzie do Mediolanu, Wenecji i... czy chce pani poznać resztę jego...?

– Nie, nie. To mi wystarczy. Byłam po prostu ciekawa. Dziękuję panu.

– Proszę bardzo.

Lara weszła do gabinetu Kellera.

– Howardzie, muszę lecieć do Amsterdamu.

Spojrzał na nią zdziwiony.

– Czy w coś tam będziemy inwestować?

– Mam pewien pomysł – odparła wymijająco. – Powiem ci, jeśli coś z tego wyjdzie. Poproś, by przygotowali mój odrzutowiec, dobrze?

– Zapomniałaś, że wysłałaś nim Berta do Londynu? Powiem, by wrócili jutro i...

– Chcę lecieć dzisiaj. – Z jej głosu biła stanowczość, która Ją samą zdumiała. – Skorzystam z lotu rejsowego.

Wróciła do siebie i powiedziała do Kathy

– Załatw mi miejsce w pierwszym samolocie KLM do Amsterdamu.

– Tak jest, panno Cameron.

– Długo cię nie będzie? – spytał Keller. – Mamy zaplanowanych kilka spotkań, które...

– Wrócę za dzień lub dwa.

– Chcesz, żebym leciał z tobą?

– Dziękuję, Howardzie. Tym razem nie.

– Rozmawiałem ze znajomym senatorem w Waszyngtonie. Uważa, że istnieje duże prawdopodobieństwo przeforsowania ustawy, która zlikwidowałaby większość ulg podatkowych w budownictwie.

– To byłaby głupota – stwierdziła Lara. – Zostałoby sparaliżowane całe budownictwo.

– Wiem. Nasz znajomy senator jest przeciwnikiem projektu tej ustawy.

– Wielu ludzi będzie przeciw niej. Nigdy nie przejdzie – oświadczyła z przekonaniem. – Po pierwsze...

Zadzwonił prywatny telefon. Lara spojrzała na aparat. Znów zadzwonił.

– Nie masz zamiaru podnieść słuchawki? – spytał Keller.

Poczuła, że zaschło jej w gardle.

– Nie.

Paul Martin przez dłuższą chwilę słuchał głuchego dźwięku dzwonka, nim zdecydował się odłożyć słuchawkę. Siedział, myśląc o Larze. Wydawało mu się, że ostatnio nie miała dla niego czasu i zachowywała się z pewną rezerwą.

Czyżby miała kogoś innego? Nie, pomyślał. Należy do mnie. Zawsze będzie należała tylko do mnie.

Lot samolotem KLM przebiegł bardzo przyjemnie. Fotele w pierwszej klasie szerokokadłubowego boeinga 747 były wygodne, a obsługa uprzedzająco grzeczna.

Lara była zbyt zdenerwowana, by cokolwiek jeść czy pić.

Co ja robię? – zadawała sobie raz za razem pytanie. Lecę do Amsterdamu bez zaproszenia, a on będzie prawdopodobnie zbyt zajęty, żeby się ze mną zobaczyć. Uganianie się za nim przekreśli wszelkie moje szanse. Ale już za późno.

Zatrzymała się w Grand Hotelu przy Oudezijds Voorburgwal 197, jednym z najpiękniejszych hoteli w Amsterdamie.

– Mamy dla pani piękny apartament, panno Cameron – powiedział recepcjonista.

– Dziękuję. Słyszałam, że dziś wieczorem jest recital Philipa Adlera. Czy wie pan, gdzie się odbędzie?

– Oczywiście, panno Cameron. W Concertgebouw.

– Czy może pan zamówić dla mnie bilet?

– Z największą przyjemnością.

Kiedy Lara wchodziła do apartamentu, zadzwonił telefon. W słuchawce rozległ się głos Howarda Kellera.

– Dobry miałaś lot?

– Tak, dziękuję.

– Pomyślałem, że może zainteresuje cię, że rozmawiałem z dwoma bankami w sprawie tej nieruchomości przy Siódmej Alei.

– No i?

– Skwapliwie skorzystali z oferty – oświadczył z przejęciem.

Lara nie posiadała się z radości.

– A nie mówiłam! To będzie niezły interes. Chcę, żebyś przystąpił do tworzenia zespołu architektów, specjalistów budowlanych, no wiesz – naszej grupy roboczej.

– Dobrze. Zadzwonię jutro.

Odłożyła słuchawkę i pomyślała o Howardzie Kellerze. Był taki kochany.

Mam prawdziwe szczęście. Zawsze mogę na nim polegać. Muszę mu znaleźć kogoś odpowiedniego, postanowiła.

Philip Adler zawsze denerwował się przed koncertem. Rano miał próbę z orkiestrą, potem zjadł lekki lunch, później, by nie myśleć o występie, poszedł na film. Kiedy go oglądał, jego głowę wypełniała muzyka, którą miał grać tego wieczoru. Nie zdawał sobie sprawy z tego, że bębni palcami w poręcz fotela, póki siedząca obok niego osoba nie zwróciła mu uwagi:

– Czy mógłby pan przestać tak walić?

– Proszę mi wybaczyć – przeprosił Philip.

Wstał i wyszedł z kina, by powłóczyć się ulicami Amsterdamu. Wybrał się do Rijksmuseum, potem przeszedł się alejkami ogrodu botanicznego przy uniwerstytecie, oglądał wystawy. O czwartej wrócił do hotelu, by się zdrzemnąć. Nie zdawał sobie sprawy z tego, że apartament bezpośrednio nad nim zajmuje Lara Cameron.

O siódmej wieczorem Philip pojawił się przed wejściem dla artystów w Concertgebouw, ślicznym, starym teatrze w samym sercu Amsterdamu. W środku kręcili się już pierwsi słuchacze.

Kiedy Philip przebierał się w swojej garderobie we frak, do pokoju wszedł dyrektor Concertgebouw.

– Panie Adler, wszystkie miejsca wyprzedane! A ile osób odprawiliśmy z kwitkiem! Gdyby mógł pan zostać jeszcze dzień czy dwa, mógłbym... Wiem, że nie dysponuje pan wolnym wieczorem... Porozmawiam z panem Ellerbee o pańskim ponownym przyjeździe do nas w przyszłym roku i może...

Philip nie słuchał. Wszystkie myśli skupił na oczekującym go recitalu. W końcu dyrektor, zawiedziony, wzruszył ramionami i ukłoniwszy się, wyszedł. Philip w kółko odtwarzał w myślach muzykę. Do drzwi garderoby zapukał inspicjent.

– Panie Adler, czekamy na pana.

– Dziękuję.

A więc nadeszła pora. Philip wstał. Wyciągnął ręce. Lekko drżały. Zawsze czuł przed koncertem tremę. Podobnie jak wszyscy wielcy pianiści – Horowitz, Rubinstein, Serkin. Żołądek mu się skręcał, a serce waliło jak oszalałe.

Dlaczego wciąż narażam się na te męczarnie? – pytał sam siebie.

Ale znał odpowiedź. Ostatni raz spojrzał w lustro, po czym wyszedł z garderoby i ruszył długim korytarzem, a następnie zaczął schodzić po trzydziestu trzech stopniach prowadzących na estradę. Kiedy kroczył w stronę fortepianu, oświetlił go snop światła z reflektora. Rozległa się burza oklasków. Zasiadł do fortepianu i jakby za dotknięciem czarodziejskiej różdżki całe jego zdenerwowanie zniknęło. Zupełnie jakby jego miejsce zajął ktoś inny, ktoś spokojny, zrównoważony i odpowiedzialny. Zaczął grać.

Siedząca na widowni Lara poczuła dreszcz na widok Philipa wchodzącego na estradę. Było coś hipnotyzującego w jego postaci.

Poślubię go, pomyślała. Wiem to.

Usiadła wygodniej i poddała się magii jego gry.

Recital okazał się, jak zwykle, sukcesem i po koncercie w kuluarach było tłoczniej niż zwykle. Philip już dawno temu nauczył się dzielić osoby zapraszane za kulisy na dwie kategorie: wielbicieli i muzyków. Wielbiciele zawsze byli pełni entuzjazmu. Jeśli występ się udał, muzycy zachowywali się serdecznie. Jeśli kończył się klapą, gratulowali mu szczególnie wylewnie.

Philip miał w Amsterdamie wielu zagorzałych fanów i tego wieczoru kuluary pękały w szwach. Stał w samym środku, uśmiechając się, rozdając autografy i świadcząc cierpliwie grzeczności setce nieznajomych. Jak zwykle znalazło się wśród nich kilka osób, pytających: „Czy pamięta mnie pan?" Philip udawał, że pamięta. „Pani twarz wydaje mi się znajoma..."

Przypomniał sobie przygodę sir Thomasa Beechama, który, by ukryć to, jak złą ma pamięć, postanowił, że kiedy ktoś będzie go pytał: „Czy mnie pan pamięta?", odpowie: „Naturalnie, że tak! Co u pana słychać, jak się ma ojciec i co teraz porabia?" Metoda ta sprawdzała się bardzo dobrze do czasu koncertu w Londynie, po którym za kulisami podeszła do niego jakaś młoda dama i powiedziała: „Maestro, dzisiejszy koncert był wspaniały. Czy przypomina sobie mnie pan?" Beecham szarmancko odpowiedział: „Oczywiście, że panią pamiętam, moja droga. Jak się czuje pani ojciec i co teraz porabia?" Kobieta odparła: „Dziękuję, ojciec ma się świetnie. I nadal jest królem Anglii".

Philip, zajęty rozdawaniem autografów, wysłuchiwał wielekroć słyszane zwroty: „Sprawił pan, że Brahms ożył dla mnie!"... „Nie mogę wprost wyrazić, jak byłam poruszona!"... „Mam wszystkie pana nagrania"... „Czy mogłabym otrzymać autograf również dla mojej matki? Jest pana zagorzałą wielbicielką..." Nagle coś sprawiło, że podniósł głowę. W drzwiach stała Lara i wpatrywała się w niego. Oczy zrobiły mu się okrągłe ze zdumienia.

– Proszę mi wybaczyć.

Utorował sobie drogę przez tłum i ujął jej dłoń.

– Cóż za wspaniała niespodzianka! Co robisz w Amsterdamie?

Uważaj, Laro, przemknęło jej przez myśl.

– Miałam tu coś do załatwienia i kiedy się dowiedziałam, że dajesz recital, musiałam przyjść.

Zabrzmiało to zupełnie niewinnie, oceniła.

– Byłeś cudowny, Philipie.

– Dziękuję... Chętnie... – Urwał, by dać komuś autograf. – Słuchaj, jeśli masz czas dziś wieczorem...

– Mam – szybko powiedziała Lara.

Poszli na kolację do restauracji Bali przy Leidsestraat. Kiedy weszli na salę, wszyscy wstali z miejsc i zaczęli klaskać.

W Stanach Zjednoczonych, pomyślała Lara, to ja zwracałabym na siebie powszechną uwagę.

Ale stojąc przy boku Philipa, poczuła falę ciepła.

– Panie Adler, to dla nas wielki zaszczyt pana gościć – powiedział szef lokalu, prowadząc ich do stolika.

– Dziękuję.

Kiedy usiedli, Lara przyglądała się ludziom patrzącym z zachwytem na Philipa.

– Widać, że cię szczerze kochają.

Pokręcił głową.

– Kochają muzykę. Ja jestem jedynie posłańcem. Odkryłem to już dawno temu. Pamiętam pewien koncert, który dałem, kiedy byłem jeszcze bardzo młody i może trochę zarozumiały. Gdy zakończyłem partię solową, rozległy się gorące oklaski. Zacząłem się kłaniać publiczności i uśmiechać się do niej z zadowoleniem. Wtedy dyrygent odwrócił się w stronę audytorium i uniósł do góry partyturę, by przypomnieć wszystkim, że w rzeczywistości biją brawo Mozartowi. Na zawsze zapamiętałem sobie tę nauczkę.

– Czy nigdy nie jesteś zmęczony graniem, dzień po dniu, tego samego?

– Nie, ponieważ nie ma dwóch identycznych recitali. Muzyka może być ta sama, ale inny jest dyrygent, inna orkiestra.

Zamówili rijsttafel.

– Staramy się, by każdy recital był grany perfekcyjnie – ciągnął Philip – ale nie istnieje interpretacja doskonała, ponieważ mamy do czynienia z muzyką, która jest zawsze lepsza od nas. Za każdym razem musimy ją przemyśleć na nowo, żeby próbować odtworzyć to, co zamyślił kompozytor.

– Nigdy nie jesteś z siebie zadowolony?

– Nigdy. Każdy kompozytor ma swoje własne, charakterystyczne brzmienie. Obojętnie czy gramy

Debussy'ego, Brahmsa, Haydna, Beethovena... naszym celem jest uchwycenie tego szczególnego brzmienia.

Przyniesiono potrawy. Rijsttafel to indonezyjska uczta składająca się z dwudziestu jeden dań, w tym rozmaitych mięs, ryb, drobiu, klusek i dwóch deserów.

– Czy to możliwe, by jedna osoba zdołała tyle zjeść? – zdziwiła się Lara.

– Holendrzy mają niezłe apetyty.

Philipowi trudno było oderwać wzrok od Lary. Odkrył, że odczuwa niezrozumiałe zadowolenie, iż siedzi obok niego. Miał do czynienia z wieloma pięknymi kobietami, ale Lara była inna niż wszystkie, które spotkał do tej pory. Była silna, a jednocześnie bardzo kobieca i absolutnie nieświadoma swej urody. Lubił jej gardłowy, zmysłowy głos.

Właściwie wszystko mi się w niej podoba, przyznał w duchu.

– Dokąd jedziesz z Amsterdamu? – spytała Lara.

– Jutro będę w Mediolanie. Potem Wenecja i Wiedeń, Paryż i Londyn, w końcu Nowy Jork.

– Brzmi to niezwykle romantycznie.

– Nie jestem pewien, czy to odpowiednie słowo. Mówimy o zawodnych połączeniach lotniczych, nieprzytulnych hotelach i codziennym jadaniu w restauracjach. Niezbyt mi to przeszkadza, bo samo granie jest cudowne. Nie znoszę całej reszty.

– To znaczy?

– Wiecznego przebywania na oczach tłumu, uśmiechania się do ludzi, którzy są ci absolutnie obojętni, spędzania życia wśród nieznajomych.

– Znam to uczucie – odparła wolno Lara.

– Zawsze po koncercie jestem spięty. Czy nie chciałabyś popływać kanałami? – zaproponował Philip, gdy kończyli kolację.

– Z największą przyjemnością.

Wsiedli do tramwaju wodnego kursującego po Amstel. Noc była bezksiężycowa, ale miasto rozbłyskiwało tysiącem świateł. Z głośnika dobiegały informacje w czterech językach.

– Obecnie mijamy stuletnie domy kupców z bogato zdobionymi frontonami. Przed nami wieże kościoła. Nad kanałami przerzucono tysiąc dwieście mostów, a wzdłuż nich ciągną się wspaniałe aleje wysadzone wiązami...

Minęli Smalste Huis – najwęższy dom w Amsterdamie, szerokości drzwi wejściowych, i Westerkerk z koroną habsburskiego cesarza Maksymiliana, przepłynęli pod starym drewnianym mostem zwodzonym i pod słynnym Magere Burg, mijali dziesiątki łodzi mieszkalnych.

– Jakie to piękne miasto – zachwyciła się Lara.

– Nigdy przedtem tu nie byłaś?

– Nie.

– I przyjechałaś tu w interesach?

Wzięła głęboki oddech.

– Nie.

Spojrzał na nią zaintrygowany.

– Wydawało mi się, że mówiłaś...

– Przyjechałam do Amsterdamu, by zobaczyć się z tobą.

Przejął go nagły dreszcz zadowolenia.

– Bardzo... bardzo mi to schlebia.

– Muszę ci wyznać coś jeszcze. Powiedziałam ci, że interesuję się muzyką poważną. To nieprawda.

Przez twarz Philipa przemknął cień uśmiechu.

– Wiem.

Lara spojrzała na niego zdumiona.

– Wiesz?

– Profesor Meyers to mój stary przyjaciel – wyjaśnił. – Zadzwonił, by mnie poinformować, że udziela ci skróconego kursu na temat Philipa Adlera. Bał się, że możesz mieć względem mnie jakieś niecne zamiary.

– Miał rację. Czy masz kogoś? – zapytała cicho.

– Chodzi ci o kogoś, o kim myślę poważnie?

Nagle ogarnęło ją zażenowanie.

– Jeśli nie jesteś zainteresowany, odjadę i...

Ujął jej dłoń.

– Wysiądźmy na następnym przystanku.

Kiedy wrócili do hotelu, na Larę czekało kilka wiadomości od Howarda Kellera. Wsunęła je do torebki, nie czytając. W tej chwili w jej życiu nie liczyło się nic poza jednym.

– U ciebie czy u mnie? – spytał lekko Philip.

– U ciebie.

Płonęła wprost z niecierpliwości.

Wydawało się, że całe życie czekała na ten moment. Oto, czego jej brakowało. W końcu spotkała swojego Lochinvara. Kiedy znaleźli się w pokoju, oboje czuli podniecenie. Philip wziął ją w ramiona i pocałował delikatnie i czule, a Lara szepnęła:

– O mój Boże.

Zaczęli się nawzajem rozbierać.

Ciszę panującą w pokoju zakłócił nagle głuchy grzmot. Zaczął mżyć drobny deszcz. Z początku krople spadały cicho i delikatnie, zmysłowo pieszcząc rozgrzane powietrze, liżąc ściany budynków, gładząc miękką trawę, całując ciemne zakątki nocy. Był to gorący deszcz, figlarny i zmysłowy. Zrazu padał wolno, ale stopniowo tempo zaczęło narastać, aż zmienił się w siekącą, łomoczącą nawałnicę, gwałtowną i niszczącą, w orgiastyczne uderzenia w stałym, dzikim rytmie. Strumienie deszczu zacinały coraz mocniej i mocniej, spływając coraz szybciej i szybciej, aż w końcu ulewa eksplodowała zygzakiem błyskawicy. Skończyła się równie niespodziewanie, jak się zaczęła.

Leżeli w objęciach wyczerpani. Philip przytulił Larę. Czuł bicie jej serca. Przypomniał sobie zdanie, które usłyszał kiedyś na jakimś filmie:

„Czy ziemia obraca się dla ciebie?"

Na Boga, obraca się, pomyślał.

Gdyby Lara była muzyką, byłaby *Barkarolą* Chopina lub *Fantazją* Schumanna.

Czuł miękkie linie jej ciała i znów ogarnęło go podniecenie.

– Philipie… – Głos miała zachrypnięty.

– Słucham?

– Czy chcesz, żebym pojechała z tobą do Mediolanu?

– Och, mój Boże, pewnie, że tak! – rozmarzył się Philip.

– Dobrze – mruknęła Lara. Pochyliła się nad nim i jej miękkie włosy zaczęły przesuwać się wzdłuż szczupłego, silnego ciała Philipa.

Znów zaczęło padać.

Kiedy w końcu wróciła do swojego pokoju, zadzwoniła do Kellera.

– Howardzie, czy cię obudziłam?

– Cóż znowu! – odpowiedział zaspanym głosem. – Zawsze wstaję o czwartej nad ranem! Co się tam dzieje?

Lara chciała mu powiedzieć wszystko, ale oświadczyła jedynie:

– Nic. Wybieram się do Mediolanu.

– Jak to? Przecież nic nie robimy w Mediolanie.

Mylisz się, pomyślała szczęśliwa.

– Czytałaś wiadomości ode mnie?

Zapomniała o nich na śmierć.

– Jeszcze nie – powiedziała z poczuciem winy.

– Dotarły do mnie pewne plotki na temat kasyna.

– Co mówią ludzie?

– Wpłynęły jakieś skargi dotyczące przetargu.

– Nic się nie martw. Jeśli będą problemy, Paul Martin się tym zajmie.

– Ty tu jesteś szefową.

– Chcę, żebyś wysłał samolot do Mediolanu. Niech pilot tam na mnie zaczeka. Skontaktuję się z nim na lotnisku.

– Dobrze, ale…

– A teraz dalej smacznie śpij.

Była czwarta rano, ale Paul Martin leżał zupełnie rozbudzony. Zostawił kilka wiadomości na automatycznej sekretarce w mieszkaniu Lary, ale Lara nie oddzwoniła. Dawniej zawsze go informowała, kiedy miała zamiar gdzieś wyjechać. Coś było nie w porządku. Co zamierzała?

– Uważaj, moja mała – szepnął. – Bardzo uważaj.

Rozdział 23

W Mediolanie Lara i Philip zatrzymali się w Antica Locanda Solferino, czarującym hotelu z dwunastoma pokojami, i spędzili ranek, namiętnie się kochając. Potem pojechali do Cernobbii i zjedli lunch nad jeziorem Como, w przepięknej Villa d'Este.

Wieczorny koncert okazał się wielkim sukcesem, a w kuluarach La Scali tłoczyli się miłośnicy muzyki.

Lara stała z boku i obserwowała wielbicielki otaczające Philipa, dotykające go, adorujące, proszące o autografy, wręczające mu drobne upominki. Poczuła ostre ukłucie zazdrości. Niektóre kobiety były młode i ładne i Larze wydawało się, że ich zachowanie jest jednoznaczne. Jakaś Amerykanka w eleganckiej sukni od Fendiego mówiła nieśmiało:

– Panie Adler, jutro wydaję w mojej willi intymny obiad. Bardzo intymny. Jeśli miałby pan czas...

Lara z chęcią by ją udusiła.

Philip uśmiechnął się uprzejmie.

– Dziękuję, ale niestety jestem zajęty.

Inna próbowała wsunąć Philipowi klucz do swojego pokoju, ale pokręcił głową.

Philip spojrzał na Larę i uśmiechnął się do niej ciepło. Kobiety tłoczyły się wokół.

– Był pan wspaniały, *maestro*!

– To bardzo miłe z pani strony – odpowiedział Philip.

- Słuchalam pańskiej gry w zeszłym roku. *Bravo!*
- *Grazie.* – Uśmiechnął się.
Jakaś kobieta złapała go za ramię.
- Czy zjadłby pan ze mną kolację?
Philip pokręcił głową.
- Obawiam się, że to *impossibile*.
Larze wydawało się, że to się nigdy nie skończy.
Wreszcie Philip utorował sobie drogę do niej i szepnął:
- Chodźmy stąd.
- *Bene!*

Kiedy zjawili się u Biffy'ego, w restauracji w gmachu opery, goście w wieczorowych ubraniach, którzy
przyszli tu prosto po koncercie, wstali i zaczęli klaskać.
Kierownik lokalu zaprowadził Philipa i Larę do stolika
na samym środku sali.
- To dla nas wielki zaszczyt gościć pana, panie Adler.
Przyniesiono im butelkę szampana od kierownic-
twa restauracji. Wznieśli toast.
- Za nas – powiedział Philip ciepło.
- Za nas.
Philip zamówił specjalność zakładu: osso buco
i penne al arabiata. Cały wieczór rozmawiali i czuli się
tak, jakby znali się od zawsze.
Bez przerwy im przerywano. Ludzie podchodzili
do ich stolika, żeby pogratulować Philipowi i poprosić
go o autograf.
- Zawsze tak jest, prawda? – spytała Lara.
Philip wzruszył ramionami.
- To nieodłączna część mojej pracy. Na każde dwie
godziny, spędzone na estradzie, przypada nieskończe-
nie wiele czasu, kiedy rozdaję autografy lub udzielam
wywiadów.
Puentując to, co właśnie powiedział, odwrócił się,
by dać kolejny autograf.
- Dzięki tobie to tournée było cudowne. – Philip
westchnął. – Niestety, jutro muszę lecieć do Wenecji.
Będzie mi ciebie bardzo brakowało.

– Jeszcze nigdy nie byłam w Wenecji – oświadczyła Lara.

Samolot Lary czekał na nich na lotnisku Linate. Kiedy tam przyjechali, Philip ze zdumieniem spojrzał na olbrzymi odrzutowiec.

– To twój samolot?

– Tak. Zabierze nas do Wenecji.

– Rozpuszcza mnie pani, moja droga.

– Robię to z rozmysłem – przyznała.

Trzydzieści pięć minut później wylądowali na lotnisku Marco Polo w Wenecji. Czekała tam już na nich limuzyna, by zawieźć ich do pobliskiej przystani. Stamtąd motorówką udali się na wyspę Giudecca, gdzie znajdował się hotel Cipriani.

– Zarezerwowałam dla nas dwa apartamenty – powiedziała Lara. – Pomyślałam, że tak będzie lepiej.

– Jak długo tu zostaniemy? – spytała w drodze do hotelu.

– Niestety, tylko jedną noc. Daję recital w La Fenice, a potem lecimy do Wiednia.

To „my" spowodowało, że Lara poczuła dreszcz. Rozmawiali na ten temat poprzedniej nocy.

– Chciałbym, abyś ze mną została jak najdłużej – oświadczył Philip – ale czy na pewno nie odrywam cię od jakichś ważniejszych spraw?

– Nie istnieje nic ważniejszego od ciebie.

– Po południu mam próbę. Poradzisz sobie sama?

– Oczywiście – zapewniła go.

Na górze Philip wziął ją w ramiona.

– Muszę teraz iść do teatru, ale Wenecja to interesujące miasto. Baw się dobrze. Zobaczymy się później. – Musnął w przelocie jej usta, lecz znowu ogarnęła ich namiętność i zaczęli się całować. – Lepiej pójdę teraz, kiedy jeszcze jestem w stanie – wymamrotał Philip – bo inaczej nigdy nie dotrę do holu.

– Życzę udanej próby – powiedziała, uśmiechając się filuternie.

Philip wyszedł.

Lara zadzwoniła do Howarda Kellera.

– Gdzie jesteś? – spytał ją cierpko. – Próbowałem się z tobą skontaktować.

– Jestem w Wenecji.

Nastąpiła chwila ciszy.

– Czyżbyśmy kupowali kanał?

– Na razie się rozglądam – odparła Lara ze śmiechem.

– Naprawdę powinnaś już wrócić – oświadczył Keller. – W biurze panuje prawdziwy młyn. Młody Frank Rose przyniósł nowe projekty. Podobają mi się, ale potrzebna mi twoja zgoda, żebyśmy mogli...

– Jeśli ci się podobają – przerwała mu – przystępujcie do prac.

– Nie chcesz ich obejrzeć? – W głosie Kellera dosłyszeć można było zdumienie.

– Nie teraz, Howardzie.

– Dobrze. Jeśli chodzi o negocjacje w sprawie nieruchomości na West Side, muszę mieć twoją aprobatę, żeby...

– Masz ją.

– Laro... dobrze się czujesz?

– Nigdy w życiu nie czułam się lepiej.

– Kiedy wrócisz?

– Nie wiem. Będę z tobą w kontakcie. Do widzenia, Howardzie.

Wenecja była cudownym miastem, które z powodzeniem mógłby wykreować Prospero swoją czarodziejską różdżką. Lara spędziła resztę przedpołudnia i całe popołudnie na zwiedzaniu. Udała się na plac Świętego Marka, poszła do Pałacu Dożów i na Wieżę Zegarową, przespacerowała się wzdłuż zatłoczonego Riva degli Schiavoni, ale gdziekolwiek była – myślała o Philipie. Włóczyła się małymi, krętymi, bocznymi uliczkami, pełnymi restauracji, sklepów z wyrobami skórzanymi oraz biżuterią. Kupowała drogie swetry, szale i bieliznę dla sekretarek, portfele i krawaty dla Kellera i kilku innych pracowników. Weszła do jubilera, by obejrzeć zegarek Piageta ze złotą bransoletką.

– Czy mógłby pan wygrawerować na kopercie: „Dla Philipa od kochającej Lary"?

Na sam dźwięk jego imienia ogarnęła ją tęsknota.

Kiedy Philip wrócił z próby, poszli na kawę do tonącej w zieleni hotelowej kafejki pod gołym niebem.

Lara przyglądała się siedzącemu naprzeciwko niej mężczyźnie.

Cóż by to było za idealne miejsce na miesiąc miodowy, pomyślała.

– Mam dla ciebie prezent – powiedziała i wręczyła mu pudełeczko z zegarkiem.

Otworzył je i wykrzyknął:

– Mój Boże! Musiał kosztować majątek. Nie powinnaś tego robić, Laro.

– Nie podoba ci się?

– Oczywiście, że mi się podoba. Jest piękny, ale…

– Ciii… Noś go i myśl o mnie.

– Nie muszę go nosić, by o tobie myśleć. Dziękuję.

– O której godzinie musimy wyjść na koncert? – spytała Lara.

– O siódmej.

Spojrzała na nowy zegarek Philipa i powiedziała z miną niewiniątka:

– To znaczy, że zostały nam jeszcze dwie godziny.

Sala była wypełniona do ostatniego miejsca. Publiczność reagowała spontanicznie, bijąc brawo i wznosząc okrzyki po każdym punkcie programu.

Po koncercie Lara poszła za kulisy. Znów powtórzyło się to, co miało miejsce w Londynie, Amsterdamie i Mediolanie, tyle tylko, że kobiety wydawały się jej jeszcze bardziej prowokujące i gotowe do flirtu. W sali było co najmniej kilka urodziwych dam i Larę intrygowało, z którą z nich Philip spędziłby noc, gdyby jej tu nie było.

Kolację zjedli w słynnym Barze Harry'ego, gdzie ciepło ich powitał właściciel, Arrigo Cipriani.

– Jak miło widzieć pana, *signore*. I panią, *signorina*. Proszę!

Zaprowadził ich do stolika w rogu. Zamówili bellinis, specjalność lokalu.

– Zacznijmy od pasta e fagioli. Nigdzie na świecie nie podają lepszej – zaproponował Philip.

Później nie pamiętał, co jadł tego dnia. Czuł się jak zahipnotyzowany. Wiedział, że się zakochał w Larze i przerażało go to.

Nie wolno mi się angażować, pomyślał. To wykluczone. Jestem koczownikiem.

Nienawidził myśli o chwili, kiedy będzie go musiała opuścić i wrócić do Nowego Jorku. Chciał, aby ten wieczór trwał w nieskończoność.

– Na Lido jest kasyno. Lubisz hazard? – zapytał Philip.

Lara roześmiała się głośno.

– Co w tym takiego zabawnego?

Pomyślała o setkach milionów dolarów, którymi obracała przy okazji kolejnych inwestycji.

– Nie, nic – powiedziała. – Pójdę z największą przyjemnością.

Popłynęli motorówką na wyspę Lido. Minęli hotel Excelsior i weszli do olbrzymiego białego budynku, w którym mieściło się kasyno. Zapełnione było graczami.

– Marzyciele – ocenił Philip.

Zasiadł do ruletki i w ciągu pół godziny wygrał dwa tysiące dolarów. Odwrócił się do Lary.

– Nigdy przedtem nie wygrałem. Przynosisz mi szczęście.

Grali do trzeciej nad ranem. Znów poczuli głód.

Motorówka zabrała ich z powrotem na plac Świętego Marka. Poszli bocznymi uliczkami, aż trafili do Cantina di Mori.

– To jeden z najlepszych *bacaros* w Wenecji – powiedział Philip.

– Wierzę ci – zgodziła się Lara. – A co to jest *bacaro*?

– To winiarnia, gdzie podają *cicchetti* – malutkie kieliszki z miejscowymi specjałami.

Drzwi z butelkowego szkła prowadziły do ciemnego, wąskiego pomieszczenia, w którym u sufitu zawieszone były miedziane rondle, a na długiej półce stały połyskujące naczynia.

Do hotelu wrócili o świcie.

Wczesnym rankiem odlecieli do Wiednia.

– Podróż do Wiednia to jak wyprawa do innego stulecia – wyjaśnił Philip. – Podobno piloci linii lotniczych mówią: „Proszę państwa, za chwilę wylądujemy na lotnisku w Wiedniu. Proszę złożyć stoliki i ustawić oparcia foteli w pozycji pionowej, powstrzymać się od palenia, póki nie znajdą się państwo w hali lotniska, i przesunąć zegarki sto lat do tyłu".

Lara parsknęła śmiechem.

– Tutaj urodzili się moi rodzice. Lubili opowiadać o dawnych czasach. Zazdrościłem im tych wspomnień.

Pojechali wzdłuż Ringstrasse. Philip był podniecony jak mały chłopiec dzielący się z kimś swymi najdroższymi skarbami.

– Wiedeń to miasto Mozarta, Haydna, Beethovena, Brahmsa. – Spojrzał na Larę i uśmiechnął się porozumiewawczo. – Och, zapomniałem – przecież jesteś znawczynią muzyki poważnej.

Zatrzymali się w hotelu Imperial.

– Muszę teraz iść na próbę – usprawiedliwiał się Philip – ale postanowiłem, że jutro cały dzień spędzimy razem. Pokażę ci Wiedeń.

– To mi się podoba, Philipie.

Wziął Larę w ramiona.

– Żałuję, że teraz nie mamy więcej czasu – powiedział smutno.

– Ja też.

Pocałował ją lekko w czoło.

– Odbijemy sobie to dziś wieczorem.

Przytuliła się do niego.

– Obiecanki cacanki.

Tego wieczoru koncert odbył się w Musikverein. Na recital składały się utwory Chopina, Schumanna i Prokofiewa. Philip odniósł kolejny triumf.

Kuluary znów były pełne wielbicieli, ale tym razem wszędzie słyszało się język niemiecki.

– Był pan cudowny, *Herr Adler!*

Philip uśmiechnął się uprzejmie.

– Jest pani bardzo miła. *Danke.*

– Jestem pańską wielką wielbicielką.

Znów się uśmiechnął.

– Jest pani bardzo uprzejma.

Rozmawiał z otaczającymi go ludźmi, ale nie mógł oderwać oczu od Lary.

Po koncercie zjedli późną kolację w hotelu.

– Cóż za zaszczyt! – wykrzyknął kierownik sali. – Był pan dziś wspaniały! Wspaniały!

– Bardzo pan miły – skromnie powiedział Philip.

Oboje byli zbyt podnieceni, żeby delektować się wyborną kolacją. Kiedy kelner spytał:

– Czy życzą sobie państwo coś na deser?

Philip, patrząc na Larę, odpowiedział pośpiesznie:

– Tak.

Instynkt podpowiadał mu, że coś jest nie w porządku. Nigdy nie wyjeżdżała na tak długo, nie mówiąc mu, gdzie się wybiera. Czy rozmyślnie go unika? Jeśli tak – przyczyna może być tylko jedna.

Nie mogę na to pozwolić, pomyślał Paul Martin.

Promień bladego światła księżycowego wpadał przez okno, tworząc na suficie miękkie cienie. Lara i Philip leżeli w łóżku, nadzy, obserwując refleksy poruszające się nad ich głowami. Fałdy zasłon sprawiały, że cienie tańczyły wolnym, kołyszącym się ruchem. W pewnej chwili połączyły się, by za moment się rozdzielić, znów się połączyły, splotły, stając się jednością. Rytm ich tańca był coraz szybszy, aż przeszedł w dzikie, wściekłe spazmy, by niespodziewanie ustać. Znów widać było jedynie delikatne falowanie zasłon.

– Mamy dla siebie cały dzień i wieczór. Chcę ci pokazać wiele rzeczy – oznajmił rano Philip.

Śniadanie zjedli w restauracji hotelowej, a potem poszli na zamkniętą dla ruchu kołowego Karntnerstrasse. Sklepy pełne tu były pięknej odzieży, biżuterii i antyków.

Potem Philip wynajął fiakra i pojechali szerokimi ulicami miasta wokół centrum. Poszli do pałacu Schönbrunn i obejrzeli kolekcję cesarskich karet. Po południu kupili bilety do Hiszpańskiej Szkoły Jazdy, by obejrzeć ogiery ze stadniny w Lipizzy. Na Praterze zaś przejechali się na olbrzymim Diabelskim Młynie.

– A teraz trochę pogrzeszymy! – zaproponował Philip.

– Och?!

– Nie – roześmiał się. – Miałem co innego na myśli.

Zaprowadził Larę do Demela, na niezrównane ciastka i kawę.

Lara była zafascynowana wiedeńską architekturą: piękne, kilkusetletnie, barokowe gmachy sąsiadowały tu z nowoczesnymi budynkami ze stali i szkła.

Philip opowiadał jej o tworzących w Wiedniu kompozytorach.

– Wiesz, Laro, że Franciszek Schubert zaczynał tu jako śpiewak? Był członkiem chóru Kaplicy Cesarskiej, ale kiedy w wieku siedemnastu lat przeszedł mutację, został wyrzucony. Właśnie wtedy postanowił zająć się komponowaniem.

Nie śpiesząc się, zjedli obiad w małym bistro, a potem wstąpili do winiarni na Grinzigu.

– Czy chciałabyś popływać statkiem po Dunaju? – zapytał Philip.

– Nawet bardzo.

Noc była piękna, świecił księżyc w pełni, wiał lekki, letni wietrzyk. Niebo usiane było gwiazdami.

Świecą dla nas, pomyślała Lara, bo jesteśmy tacy szczęśliwi.

Weszli na pokład jednego ze statków wycieczkowych. Z głośników płynęły ciche dźwięki *Nad pięknym, modrym Dunajem*. W oddali ujrzeli spadającą gwiazdę.

– Szybko! Wypowiedz jakieś życzenie – ponaglił Philip.

Lara zamknęła oczy i przez chwilę milczała.

– Wypowiedziałaś jakieś życzenie?

– Tak.

– O czym pomyślałaś?

Spojrzała na niego i odrzekła z powagą:

– Nie mogę ci powiedzieć, bo moje marzenie by się nie spełniło.

A musi się spełnić, dodała w duchu.

Philip odchylił się do tyłu i uśmiechnął się do Lary.

– Jest cudownie, prawda?

– Już zawsze może tak być, Philipie.

– Jak to?

– Możemy się pobrać.

A więc zostało to powiedziane otwarcie. Przez ostatnie kilka dni nie myślał o niczym innym. Był po uszy zakochany, ale wiedział, że nie powinien się z nią wiązać.

– Laro, to niemożliwe.

– Dlaczego?

– Już ci to tłumaczyłem, najdroższa. Niemal bez przerwy jestem w rozjazdach. Przecież nie możesz cały czas podróżować ze mną?

– Nie – zgodziła się – ale…

– No widzisz. Nic by z tego nie wyszło. Jutro w Paryżu pokażę ci…

– Nie pojadę z tobą do Paryża, Philipie.

Myślał, że się przesłyszał.

– Słucham?

Lara wzięła głęboki oddech.

– Nigdy się już nie zobaczymy.

Było to jak cios prosto w żołądek.

– Dlaczego? Kocham cię, Laro, i…

– Jak też ciebie kocham. Ale nie chcę być jedną z wielu twoich wielbicielek uganiających się za tobą po całym świecie. Możesz mieć je wszystkie beze mnie.

– Laro, nie chcę nikogo oprócz ciebie. Musisz jednak zrozumieć, najdroższa, że nasze małżeństwo nie przetrwałoby próby czasu. Każde z nas ma własne życie, z którego nie zrezygnuje. Chciałbym, żebyśmy zawsze byli razem, ale to niemożliwe.

– Skończyłeś już? – zapytała przez zaciśnięte zęby. – Nie zobaczymy się więcej, Philipie.

– Zaczekaj. Proszę! Porozmawiajmy spokojnie. Chodźmy do twojego pokoju i...

– Nie, Philipie. Bardzo cię kocham, ale nie chcę żyć tak, jak teraz. Wszystko skończone.

– Nie chcę, żeby się to skończyło! – upierał się Philip.

– Przykro mi. Chcę mieć wszystko albo nic.

Przez resztę drogi do hotelu milczeli.

– Pozwól, że pójdę do twojego pokoju. Porozmawiamy i... – odezwał się, gdy byli już w holu.

– Nie, mój drogi. Nie mamy już o czym rozmawiać – przerwała mu i wsiadła do windy.

Wchodząc do swojego pokoju, usłyszała dzwonek telefonu. Pośpiesznie podniosła słuchawkę.

– Philipie...

– Mówi Howard. Przez cały dzień próbowałem się z tobą skontaktować.

Z trudem ukryła rozczarowanie.

– Czy coś się stało?

– Nie. Chciałem po prostu pogadać. Dzieje się tu dużo rzeczy. Kiedy zamierzasz wrócić?

– Jutro – odparła Lara. – Będę w Nowym Jorku jutro. – Wolno odłożyła słuchawkę.

Siedziała, wpatrując się w aparat i modląc się w duchu, by zadzwonił. Minęły dwie godziny, ale telefon milczał.

Popełniłam błąd, rozpaczała. Postawiłam ultimatum i straciłam Philipa. Gdybym tylko zaczekała... Gdybym pojechała z nim do Paryża... gdybym... gdybym...

Próbowała wyobrazić sobie życie bez niego, lecz myśl o tym była zbyt bolesna.

Ale przecież tak dłużej nie mogło trwać, pomyślała Lara.

Jutro będzie musiała wrócić do Nowego Jorku.

Położyła się w ubraniu na kanapie, telefon postawiła tuż obok. Czuła się wyczerpana. Wiedziała, że nie zdoła usnąć.

A jednak zmorzył ją sen.

Philip krążył po pokoju jak dzikie zwierzę w klatce. Był wściekły na Larę, wściekły na samego siebie. Nie mógł znieść myśli, że jej więcej nie ujrzy, nie weźmie jej w ramiona.

Diabli niech wezmą wszystkie kobiety! – złościł się.

Rodzice go ostrzegali:

„Twoim życiem jest muzyka. Jeśli chcesz być najlepszy, nie będzie w nim miejsca na nic innego". Póki nie spotkał Lary, wierzył w to. Ale teraz wszystko się zmieniło.

A niech to diabli! Było tak cudownie. Dlaczego musiała wszystko zepsuć? – myślał.

Kochał ją, ale wiedział, że nigdy nie będzie mógł jej poślubić.

Larę obudził dzwonek telefonu. Usiadła nieprzytomna na kanapie i spojrzała na ścienny zegar. Wskazywał piątą rano. Zaspana podniosła słuchawkę.

– Howard?

Usłyszała głos Philipa.

– Co powiesz na ślub w Paryżu?

Rozdział 24

Wiadomość o ślubie Lary Cameron i Philipa Adlera trafiła na pierwsze strony gazet całego świata. Kiedy

Howard Keller dowiedział się o tym, po raz pierwszy w życiu się upił. Powtarzał sobie, że zauroczenie Lary Philipem minie.

Tworzymy z Larą zespół. Należymy do siebie. Nikt nie może wejść między nas, myślał.

Pił przez dwa dni, a kiedy wytrzeźwiał, zadzwonił do Lary do Paryża.

– Jeśli to prawda – oświadczył – powiedz Philipowi, że jest najszczęśliwszym człowiekiem na świecie.

– Tak, to prawda – zapewniła go rozpromieniona Lara.

– Sprawiasz wrażenie szczęśliwej.

– Nigdy w życiu nie byłam szczęśliwsza!

– Bardzo się cieszę, Laro. Kiedy wracasz do domu?

– Jutro Philip ma koncert w Londynie, a potem wracamy do Nowego Jorku.

– Czy kontaktowałaś się przed ślubem z Paulem Martinem?

Zawahała się chwilę.

– Nie.

– Nie uważasz, że powinnaś z nim o tym porozmawiać?

– Tak, oczywiście. – Owa myśl dręczyła ją bardziej, niż chciała sama przed sobą przyznać. Nie była pewna, jak Paul przyjmie wiadomość o jej małżeństwie. – Pomówię z nim po powrocie.

– Z radością znów cię zobaczę. Brakowało mi ciebie.

– Mnie ciebie też, Howardzie. – Mówiła prawdę. Czuła, jak jest jej drogi. Był zawsze dobrym i lojalnym przyjacielem.

Nie wiem, co bym bez niego zrobiła, pomyślała.

Kiedy boeing 727 wylądował na nowojorskim lotnisku La Guardia, dziennikarze już na nich czekali. Przyszli reporterzy prasowi i telewizyjni.

Kierownik lotniska zaprowadził Larę i Philipa do recepcji.

– Mogą się państwo stąd niepostrzeżenie wymknąć – zaproponował – lub...

Lara odwróciła się do Philipa.

– Lepiej mieć to za sobą, kochanie. Inaczej nigdy nie zostawią nas w spokoju.

– Chyba masz rację.

Konferencja prasowa trwała dwie godziny.

– Gdzie się państwo poznali...?

– Czy zawsze interesowała się pani muzyką poważną, pani Adler...?

– Jak długo się państwo znają...?

– Czy zamieszkają państwo w Nowym Jorku...?

– Czy zrezygnuje pan z wyjazdów na tournées, panie Adler...?

W końcu było po wszystkim.

Czekały na nich dwie limuzyny. Druga przeznaczona była na bagaże.

– Nie jestem przyzwyczajony do takiego stylu podróżowania – zauważył Philip.

Lara się roześmiała.

– Szybko przywykniesz.

– Dokąd jedziemy? – zapytał Philip. – Mam apartament przy Pięćdziesiątej Siódmej...

– Myślę, że wygodniej ci będzie u mnie, kochanie. Obejrzysz sobie moje mieszkanie i jeśli ci się spodoba, każemy przenieść twoje rzeczy do mnie.

Dotarli do Cameron Plaza. Philip spojrzał na olbrzymi gmach.

– Należy do ciebie?

– Do mnie i do kilku banków.

– Jestem pod wrażeniem.

Lara ścisnęła mu ramię.

– To dobrze. Właśnie o to mi chodzi.

Hol ozdobiono kwiatami. Zebrało się w nim kilka osób personelu, by ich powitać.

– Witamy w domu, pani Adler, panie Adler.

Philip rozejrzał się wkoło.

– Mój Boże! – wykrzyknął. – I to wszystko jest twoje?

279

– Nasze, najdroższy.

Pojechali windą na samą górę. Apartament Lary zajmował całe czterdzieste czwarte piętro. Drzwi otworzył im lokaj.

– Witamy w domu, pani Adler.

– Dzień dobry, Simms.

Przedstawiła Philipowi resztę służby i oprowadziła go po mieszkaniu. Był tu olbrzymi biały salon pełen antyków, wielki, kryty taras, pokój stołowy, cztery sypialnie, nie licząc trzech dla służby, sześć łazienek, kuchnia, biblioteka i gabinet.

– Myślisz, że będzie ci tu wygodnie, najdroższy? – spytała Lara.

– Trochę tu ciasno, ale jakoś się przyzwyczaję.

Na środku salonu stał piękny fortepian Bechsteina. Philip podszedł do instrumentu i przebiegł palcami po klawiaturze.

– Jest wspaniały! – powiedział z uznaniem.

– To prezent ślubny dla ciebie.

– Naprawdę? – Był wzruszony. Usiadł do fortepianu i zaczął grać.

Lara słuchała kaskady dźwięków wypełniających pokój.

– Jak ci się podoba?

– Jest wspaniały! Dziękuję, Laro.

– Możesz sobie tu grać, ile dusza zapragnie.

Philip wstał.

– Muszę zadzwonić do Ellerbee'ego – powiedział. – Próbował się ze mną skontaktować.

– Telefon jest w bibliotece, kochanie.

Lara poszła do swojego gabinetu i włączyła automatyczną sekretarkę. Było kilka wiadomości od Paula Martina.

„Laro, gdzie jesteś? Tęsknię za tobą, mała"... „Laro, przypuszczam, że wyjechałaś z kraju, w przeciwnym razie zadzwoniłabyś"... „Laro, martwię się o ciebie. Zadzwoń..." Potem jego ton uległ zmianie. „Właśnie dowiedziałem się o twoim ślubie. Czy to prawda? Musimy porozmawiać".

Do pokoju wszedł Philip.

– Któż jest tym tajemniczym rozmówcą? – spytał.

Odwróciła się gwałtownie.

– To... to mój stary przyjaciel.

Philip objął Larę.

– Czy to ktoś, o kogo powinienem być zazdrosny?

– Nie musisz być zazdrosny o nikogo na całym świecie. Jesteś jedynym mężczyzną, jakiego kiedykolwiek kochałam – szepnęła.

Philip przytulił ją.

– A ty jesteś jedyną kobietą, którą kiedykolwiek kochałem.

Późnym popołudniem, kiedy Philip grał na fortepianie, Lara wróciła do swojego gabinetu i zadzwoniła do Paula Martina.

Niemal natychmiast podniósł słuchawkę.

– A więc wróciłaś – wycedził.

– Tak. – Bała się tej rozmowy.

– Muszę ci powiedzieć, Laro, że ta wiadomość bardzo mnie zaskoczyła.

– Przepraszam, Paul... To... to wszystko stało się tak nagle.

– Wyobrażam sobie.

– Naprawdę. – Próbowała poznać, w jakim jest nastroju.

– Myślałem, że coś nas łączyło. Coś wyjątkowego.

– Tak było, Paul, ale...

– Myślę, że powinniśmy o tym porozmawiać.

– Cóż, jestem...

– Może jutro podczas lunchu. U Vitello. O pierwszej. – Brzmiało to jak rozkaz.

Zawahała się chwilę. Głupotą byłoby bardziej go do siebie zrażać.

– Dobrze, Paul. Przyjdę.

Połączenie zostało przerwane. Lara siedziała zaniepokojona. Jak bardzo Paul był na nią zły? Co zamierza zrobić?

Rozdział 25

Nazajutrz rano, kiedy Lara pojawiła się w Cameron Center, czekali już na nią wszyscy pracownicy, by złożyć jej gratulacje.

– Cóż za wspaniała wiadomość!

– To była dla nas wszystkich wielka niespodzianka!...

– Jestem pewna, że będzie pani bardzo szczęśliwa... I tak dalej.

Howard Keller czekał na Larę w jej gabinecie. Uściskał ją serdecznie.

– Jak na osobę, która nie lubi muzyki poważnej, nieźle sobie poradziłaś!

Uśmiechnęła się zadowolona.

– Prawda?

– Muszę się przyzwyczaić do twojego nowego nazwiska.

Z twarzy Lary zniknął uśmiech.

– Myślę, że dla dobra naszych interesów, zachowam nazwisko panieńskie.

– Jak chcesz. Bardzo się cieszę, że wróciłaś. Nagromadziło się sporo spraw do załatwienia.

Usiadła na krześle naprzeciwko Howarda.

– No dobrze, powiedz mi, co się tu działo podczas mojej nieobecności.

– A więc zanosi się na to, że hotel na West Side będzie prawdziwą studnią bez dna. Wczoraj pojechałem go obejrzeć. Jest w fatalnym stanie. Trzeba zrobić remont generalny, który pochłonie pięć albo sześć milionów dolarów. Ale mamy na niego chętnego kupca z Teksasu.

– Czy widział już hotel?

– Nie. Powiedziałem, że mu go pokażę jutro.

– Pokaż mu go w przyszłym tygodniu. Sprowadź tam kilku malarzy. Musi być nieskazitelnie czysty. Kiedy go tam przywieziesz, postaraj się, żeby w holu było pełno ludzi.

– Dobrze. Przyszedł Frank Rose z kilkoma nowymi szkicami. Czeka w moim gabinecie.

– Rzucę na nie okiem.

– Pamiętasz Midland Insurance Company, która miała wynająć nowy budynek?

– Tak.

– Jeszcze nie podpisali umowy. Wciąż się wahają.

Lara zapisała sobie coś w notatniku.

– Porozmawiam z nimi. Co jeszcze?

– Sprawa tej pożyczki w wysokości siedemdziesięciu pięciu milionów dolarów z Gotham Bank na naszą nową inwestycję.

– Tak?

– Przeciągają rozmowy. Uważają, że przeinwestowałaś.

– Jakie nam proponują odsetki?

– Siedemnaście procent.

– Zorganizuj spotkanie z nimi. Zaoferujemy im dwadzieścia procent.

Spojrzał na nią zaszokowany.

– Dwadzieścia procent? Mój Boże, Laro! Przecież nikt nie daje dwudziestu procent.

– Wolę przeżyć, płacąc dwadzieścia procent, niż zginąć, upierając się, by płacić siedemnaście. Zrób, jak powiedziałam, Howardzie.

– Dobrze.

Ranek minął szybko. O wpół do pierwszej Lara oznajmiła:

– Idę na lunch z Paulem Martinem.

Howard spojrzał zaniepokojony.

– Jesteś pewna, że to nie ciebie będzie chciał zjeść?

– Co chcesz przez to powiedzieć?

– Tylko tyle, że jest Sycylijczykiem. Oni nie przebaczają i nie zapominają.

– Zachowujesz się melodramatycznie. Paul nie zrobi nic, żeby mnie skrzywdzić.

– Mam nadzieję, że się nie mylisz.

Kiedy Lara pojawiła się w restauracji, Paul Martin już czekał. Wychudł, zmizerniał, oczy miał podkrążone, jakby źle sypiał.

– Witaj, Laro – powiedział nie wstając.

– Dzień dobry, Paul. – Zajęła miejsce naprzeciwko.

– Zostawiłem automatycznej sekretarce kilka głupich wiadomości. Przepraszam. Nie miałem pojęcia, że... – Wzruszył ramionami.

– Powinnam ci o tym powiedzieć, Paul, ale to wszystko stało się tak niespodziewanie.

– Taaak? – Przyjrzał jej się uważnie. – Wyglądasz wspaniale.

– Dziękuję.

– Gdzie spotkałaś Adlera?

– W Londynie.

– I tak od razu się w nim zakochałaś? – W jego tonie słyszała gorycz.

– Paul, przeżyliśmy razem wiele wspaniałych chwil, ale mnie to nie wystarczało. Potrzebowałam czegoś więcej. Potrzebowałam kogoś, do kogo mogłabym co wieczór wracać.

Słuchał, przyglądając się jej.

– Nigdy nie zrobiłabym nic, by sprawić ci ból, ale to... po prostu samo się stało.

Milczał.

– Proszę, zrozum mnie.

– Taaak. – Na jego twarzy pojawił się lodowaty uśmiech. – Obawiam się, że nie mam żadnego wyboru, prawda? Co się stało, to się nie odstanie. Przeżyłem tylko swego rodzaju wstrząs, kiedy przeczytałem o tym w gazetach i zobaczyłem w telewizji. Myślałem, że coś dla ciebie znaczyłem.

– Masz rację – usprawiedliwiała się Lara. – Powinnam ci powiedzieć.

Wyciągnął rękę i pogłaskał ją po policzku.

– Szalałem za tobą, Laro. Nadal szaleję. Byłaś moim *miracolo*, moim cudem. Mogłem ci dać wszystko, co tylko istnieje na świecie, a czego byś zapragnęła, prócz tego, co dał ci on – obrączki. Ale kocham cię na tyle mocno, by pragnąć twego szczęścia.

Lara poczuła ogarniającą ją falę ulgi.

– Dziękuję, Paul.

– Kiedy przedstawisz mnie swojemu mężowi?

– W przyszłym tygodniu wydajemy przyjęcie dla przyjaciół. Przyjdziesz?

– Tak. Powiedz mu, żeby traktował cię jak należy, bo inaczej będzie się musiał tłumaczyć przede mną.

Lara uśmiechnęła się blado.

– Powiem mu.

Kiedy wróciła do biura, Howard Keller czekał na nią.

– No i jak tam lunch? – spytał niecierpliwie.

– Świetnie. Źle oceniałeś Paula. Zachował się wspaniale.

– To dobrze. Cieszę się, że się myliłem. Na jutro rano umówiłem kilka spotkań z twoim udziałem...

– Odwołaj je – poleciła Lara. – Kilka najbliższych dni spędzę w domu ze swoim mężem. Przecież to nasz miesiąc miodowy.

– Cieszę się, że jesteś szczęśliwa – powiedział.

– Howardzie, nawet nie wyobrażasz sobie, jaka jestem szczęśliwa! Aż mnie to przeraża. Boję się, że to tylko sen. Nigdy nie przypuszczałam, iż można być aż tak szczęśliwą.

– W porządku, sam pójdę na te spotkania – odparł.

– Dziękuję. – Pocałowała go w policzek. – Razem z Philipem wydajemy w przyszłym tygodniu przyjęcie. Spodziewamy się, że przyjdziesz.

Przyjęcie odbyło się w następną sobotę w ich mieszkaniu. Była ponad setka gości, dla których przygotowano suty bufet. Lara zaprosiła ludzi, z którymi pracowała: bankowców, przedsiębiorców budowlanych, architektów, kierowników budów, miejskich notabli, planistów i przewodniczących związków zawodowych. Philip zaś swych przyjaciół muzyków, mecenasów i sponsorów. Mieszanka ta okazała się niewypałem.

Obie grupy próbowały się wprawdzie porozumieć, lecz nie miały wspólnych zainteresowań. Przedsiębiorcy budowlani rozprawiali o budownictwie i architekturze, muzycy o muzyce i kompozytorach.

Lara przedstawiła grupie muzyków specjalistę od planowania przestrzennego z urzędu miasta. Planista próbował śledzić dyskusję muzyków.

– Wiecie, co Rossini sądził o muzyce Wagnera? Pewnego razu usiadł tyłkiem na klawiaturze i powiedział: „Oto, jak brzmi dla mnie muzyka Wagnera".

– Wagner sobie na to zasłużył. Kiedyś w wiedeńskim Ring Theater podczas przedstawienia *Opowieści* Hoffmanna wybuchł pożar, spłonęło czterysta osób. Wagner, usłyszawszy o tym, powiedział: „Oto kara za słuchanie opery Offenbacha".

Urzędnik oddalił się pośpiesznie.

Lara przedstawiła kilku przyjaciół Philipa grupie pośredników nieruchomościami.

– Problem polega na tym – powiedział jeden z nich – że aby utworzyć kondominium, swój akces musi zgłosić minimum trzydzieści pięć procent lokatorów.

– Jeśli chcesz znać moje zdanie, uważam ten przepis za bzdurny.

– Zgadzam się. Przerzucam się na hotele. Wiesz, że na Manhattanie każą sobie teraz przeciętnie płacić dwieście dolarów za pokój za dobę? W przyszłym roku...

Muzycy oddalili się czym prędzej.

Wydawało się, że rozmowy prowadzone są w dwóch różnych językach.

– Problem z wiedeńczykami polega na tym, że kochają zmarłych kompozytorów...

– Nowy hotel budowany jest na dwóch działkach, między Czterdziestą Siódmą i Czterdziestą Ósmą. Inwestycję finansuje Chase Manhattan...

– Może nie jest największym dyrygentem na świecie, ale jego technika jest *genau*..., bez zarzutu.

– ...wielu ekspertów twierdzi, że wielki krach na giełdzie w 1929 roku nie był wcale taki zły. Nauczył ludzi, by lokowali pieniądze w nieruchomościach...

– ...Horowitz nie grał całe lata, bo bał się o swoje ręce... Natomiast Einstein kochał fortepian. Czasem grywał z Rubinsteinem, ale Einstein zazwyczaj gubił takt. Wreszcie Rubinstein nie mógł tego dłużej znieść i wrzasnął: „Albercie, czy ty nie potrafisz liczyć?”...

– Kongresmani musieli być pijani, kiedy uchwalali reformę podatków. To zupełnie zniszczy budownictwo...

– ...pod koniec wieczoru Brahms, opuszczając przyjęcie, powiedział: „Jeśli jest tu jeszcze ktoś, kogo zapomniałem obrazić, przepraszam".

Prawdziwa wieża Babel.

Paul Martin przyszedł sam i Lara pośpieszyła do drzwi, by go powitać.

– Tak się cieszę, że przyszedłeś, Paul.

– Nie mogłem nie skorzystać z okazji. – Rozejrzał się po pokoju. – Chciałbym poznać twojego męża.

Lara podprowadziła go do grupki gości rozmawiających z Philipem.

– To mój stary przyjaciel, Paul Martin.

– Miło mi pana poznać – powitał go Philip.

Uścisnęli sobie ręce.

– Szczęściarz z pana, panie Adler. Lara to niezwykła kobieta.

– Wciąż mu to powtarzam – powiedziała mu z uśmiechem.

– Nie musisz – odparł Philip. – Sam wiem, jaki ze mnie szczęściarz.

Paul przyglądał mu się uważnie.

– Na pewno?

Lara poczuła w powietrzu nagłe napięcie.

– Chodź, zamówię jakiś koktajl dla ciebie – zwróciła się do Paula.

– Dziękuję. Zapomniałaś, że nie piję?

Lara zagryzła usta.

– Ach, prawda! Pozwól, że ci przedstawię parę osób.

– Leon Fleisher daje jutro recital. Nie opuściłbym go za nic w świecie – powiedział jeden z muzyków, po czym odwrócił się do Paula Martina stojącego obok Howarda Kellera i zapytał: – Słyszał pan jego grę?

– Nie.

– Jest niezrównany. Oczywiście gra tylko lewą ręką.

Paul Martin był zaintrygowany.

– A czemuż to?

– Jakieś dziesięć lat temu w prawej dłoni Fleishera stwierdzono zespół porażenia nerwu pośrodkowego.

– Ale jak można dać recital, grając tylko jedną ręką?

– Kilku kompozytorów napisało koncerty na lewą rękę. Między innymi Demuth, Franz Schmidt, Korngold, jest też przepiękny koncert Ravela.

Paru gości zwróciło się do Philipa z prośbą, by coś dla nich zagrał.

– Dobrze. To dla mojej żony. – Usiadł do fortepianu i zaczął grać temat z koncertu Rachmaninowa. W pokoju nastała cisza. Wszyscy zdawali się być zahipnotyzowani pięknymi dźwiękami. Kiedy Philip wstał, nagrodzono go głośnymi brawami.

Godzinę później goście zaczęli się rozchodzić.

– Udane przyjęcie – skwitował Philip, gdy ostatniego z nich odprowadził do drzwi.

– Nie znosisz wielkich przyjęć, prawda? – spytała Lara.

Wziął ją w ramiona.

– Widać to było po mnie?

– Będziemy wydawali przyjęcia raz na dziesięć lat – obiecała. – Philipie, czy nie odniosłeś wrażenia, że nasi goście pochodzili z dwóch różnych planet?

Musnął ustami jej policzek.

– To nieważne. Istotne, że my mamy naszą własną planetę. Wprawmy ją w ruch...

Rozdział 26

Lara postanowiła przedpołudniami pracować w domu.
– Chcę, byśmy jak najwięcej czasu spędzali razem – oznajmiła Philipowi.

Poprosiła Kathy, by przysłała do niej na rozmowę kilka kandydatek na sekretarki. Marian Bell była już którąś z kolei osobą ubiegającą się o tę pracę. Miała dwadzieścia kilka lat, jedwabiste jasne włosy, zgrabną figurę i biło od niej wewnętrzne ciepło.

Lara przejrzała jej życiorys.
– Jest pani absolwentką Wellesley College?
– Tak.
– Dlaczego chce pani pracować jako sekretarka?
– Myślę, że pracując u pani, mogę się dużo nauczyć. Bez względu na to, czy otrzymam tę pracę, czy nie, jestem pani wielką wielbicielką, panno Cameron.
– Taaak?
– Jest pani moim ideałem. Wiele pani osiągnęła i wszystko zawdzięcza pani wyłącznie sobie.

Lara przyjrzała się uważnie młodej kobiecie.
– Jeśli panią przyjmę, będzie pani musiała wcześnie wstawać. Zaczynam pracę o szóstej rano.
– To dla mnie żaden problem.

Marian wyraźnie się Larze spodobała.
– Zatrudnię panią na okres próbny – zdecydowała.

Pod koniec tygodnia wiedziała już, że znalazła prawdziwy skarb. Marian była pojętna, inteligentna, a przy tym bardzo sympatyczna. Po pewnym czasie Lara zupełnie zmieniła swój rozkład zajęć. Jeśli nie wypadło nic pilnego, przed południem pracowała w domu, a do biura szła po lunchu.

Rano jadła z Philipem śniadanie, potem on w podkoszulku i dżinsach zasiadał do fortepianu, by przez dwie, trzy godziny poćwiczyć, a ona w swoim gabinecie dyktowała Marian listy. Czasem Philip grał dla Lary stare szkockie melodie: *Annie Laurie* czy *Comin' through the Rye*. Była wzruszona. Później jedli razem lunch.

– Powiedz mi, jak wyglądało twoje życie w Glace Bay – poprosił ją.

– Na to potrzeba przynajmniej pięciu minut – odparła z uśmiechem.

– Naprawdę chciałbym wiedzieć.

Opowiedziała mu o pensjonacie, ale nie mogła się zmusić, by wspomnieć o ojcu. Philipowi spodobała się historia z Charlesem Cohnem.

– Zachował się bardzo ładnie. Chciałbym się z nim kiedyś spotkać – stwierdził.

– Jestem pewna, że do tego dojdzie.

Postępek Seana MacAllistera oburzył go do głębi.

– A to łobuz! Z chęcią bym go zabił! – wykrzyknął. Przytulił Larę i obiecał: – Już nikt nigdy cię nie skrzywdzi.

Philip przygotowywał się do koncertu. Słyszała, jak grał w kółko trzy takty, zanim przeszedł do następnych, dobierając tempo, póki poszczególne frazy nie zlały się w całość.

Początkowo Lara wchodziła do salonu, kiedy Philip grał, i przerywała mu.

– Kochanie, zostaliśmy zaproszeni na weekend na Long Island. Czy chcesz pójść?

Albo:

– Mam bilety na nową sztukę Neila Simona.

Lub:

– Howard Keller chce nas zaprosić na sobotę na obiad.

Philip starał się zachowywać cierpliwość. W końcu zwrócił jej uwagę.

– Laro, proszę, nie przerywaj mi, kiedy gram. Dekoncentrujesz mnie.

– Przepraszam – powiedziała Lara. – Ale nie rozumiem, dlaczego codziennie ćwiczysz. Przecież nie przygotowujesz się teraz do żadnego koncertu.

– Właśnie po to codziennie ćwiczę, żeby móc dawać koncerty. Widzisz, moja droga, kiedy wznosi się budynek i ktoś popełni błąd, wszystko jeszcze można naprawić: zmienić projekt albo poprawić instalację hydrauliczną czy elektryczną. Ale podczas koncertu nie istnieje coś takiego, jak druga szansa. Występuje się na żywo przed publicznością i każda nutka musi być zagrana idealnie.

– Przepraszam – powtórzyła. – Rozumiem.

Philip wziął ją w ramiona.

– Jest taki stary dowcip o człowieku idącym przez Nowy Jork z futerałem na skrzypce pod pachą. W pewnej chwili zgubił się, więc zaczepił jakiegoś nieznajomego i pyta: „Jak się mogę dostać do Carnegie Hall?" A nieznajomy na to: „Trzeba ćwiczyć, dużo ćwiczyć".

Lara zachichotała.

– Wracaj do swojej gry. Zostawiam cię samego.

Siedziała w swoim gabinecie, nasłuchując przytłumionych dźwięków fortepianu.

Szczęściara ze mnie, myślała. Tysiące kobiet zazdrości mi, że siedzę tutaj i słucham, jak gra Philip Adler.

Wolałaby tylko, żeby nie ćwiczył tak często.

Oboje lubili grać w tryktraka i wieczorami, po kolacji, siadali przed kominkiem i staczali zażarte pojedynki. Lara wielce sobie ceniła te chwile spędzone z Philipem sam na sam.

Kasyno w Reno było prawie gotowe. Sześć miesięcy wcześniej Lara oznajmiła Jerry'emu Townsendowi:

– Chcę, żeby o jego otwarciu przeczytano nawet w Timbuktu. Na inaugurację sprowadzę szefa kuchni od Maxima. Roześlij zaproszenia do wszystkich znakomitości. Zacznij od Franka Sinatry. Chcę, żeby wśród gości znalazły się sławy z Hollywood, Nowego Jorku i Waszyngtonu. Pragnę, żeby ludzie się bili o to, by ich umieścić na liście zaproszonych.

Teraz, przeglądając długi wykaz gości, pochwaliła Jerry'ego.

– Dobrze się spisałeś. Ile osób odmówiło?

– Dwadzieścia kilka – odpowiedział. – Zupełnie nieźle, jeśli wziąć pod uwagę, że wystosowaliśmy sześćset zaproszeń.

– Zupełnie nieźle – zgodziła się.

Rano do Lary zadzwonił Keller.

– Mam dobrą wiadomość – oznajmił. – Właśnie dzwonili do mnie bankierzy ze Szwajcarii. Przylatują, by jutro omówić z tobą wspólne przedsięwzięcie.

– Wspaniale – ucieszyła się. – Przyjmę ich o dziewiątej u siebie w gabinecie.

– W porządku.

Przy obiedzie Philip zapytał:

– Laro, jutro mam sesję nagraniową. Nigdy nie uczestniczyłaś w czymś takim, prawda?

– Nie.

– Nie chciałabyś przyjść i popatrzeć?

Lara zawahała się, przypomniawszy sobie o spotkaniu ze Szwajcarami.

– Z największą przyjemnością – odparła.

Zadzwoniła do Kellera.

– Rozpocznij spotkanie beze mnie. Przyjdę najszybciej, jak tylko będę mogła.

Studio nagrań mieściło się przy Zachodniej Trzydziestej Czwartej ulicy. Wielka hala wypełniona była najnowocześniejszym sprzętem elektronicznym. W sali siedziało stu trzydziestu muzyków, a w reżyserce za szybą pracowali inżynierowie dźwięku. Larze wydawało się, że nagranie postępuje bardzo wolno. Co chwilę przerywali i zaczynali od początku. Podczas jednej z przerw zadzwoniła do Kellera.

– Gdzie jesteś? – spytał Keller. – Robię, co mogę, ale koniecznie chcą się spotkać z tobą.

– Przyjadę za godzinę, dwie – powiedziała. – Przeciągaj rozmowę.

Dwie godziny później sesja nagraniowa wciąż trwała.

Lara znów zadzwoniła do Kellera.

– Przepraszam, Howardzie, ale nie mogę przyjść. Umów się z nimi na jutro.

– A cóż takiego ważnego stanęło ci dziś na przeszkodzie? – spytał Keller.

– Mój mąż – odparła i odłożyła słuchawkę.

– W przyszłym tygodniu jedziemy do Reno – oznajmiła Lara, gdy wrócili do domu.

– Z jakiej to okazji?

– Na otwarcie hotelu i kasyna. Polecimy w środę.

– Cholera! – wykrzyknął Philip szczerze zmartwiony.

– O co chodzi?

– Przepraszam, najdroższa, ale nie mogę jechać.

Spojrzała na niego.

– Jak to?

– Myślałem, że ci o tym wspomniałem. W poniedziałek wyjeżdżam na tournée.

– O czym ty mówisz?

– Ellerbee zorganizował sześciotygodniowe tournée. Lecę do Australii i...

– Do Australii?

– Tak. Później do Japonii i Hongkongu.

– Nie możesz, Philipie. Przecież... dlaczego to robisz? Przecież nie musisz. Chcę być z tobą.

– Więc jedź ze mną! Będzie cudownie.

– Wiesz, że nie mogę. Nie teraz. Dzieje się tu zbyt wiele rzeczy – powiedziała zrozpaczona Lara. – Nie chcę, żebyś mnie zostawiał samą.

– Ja też nie chcę, kochanie. Ale zanim się pobraliśmy, uprzedzałem cię, że tak wygląda moje życie.

– Owszem – zgodziła się – tak było kiedyś. Teraz jest inaczej. Wszystko się zmieniło.

– Nic się nie zmieniło – delikatnie zwrócił jej uwagę Philip. – Nadal szaleję na twoim punkcie i kiedy wyjadę, będę za tobą bardzo tęsknił.

Lara nie znalazła odpowiedzi.

293

Philip wyjechał i Lara jeszcze nigdy nie czuła się tak samotna. W środku spotkania przypominała sobie nagle o mężu i serce w niej topniało jak wosk.

Nie chciała, by rezygnował ze swojej kariery, ale jednocześnie pragnęła go mieć obok siebie. Wspominała cudowne chwile, jakie razem spędzili, jego silne ramiona, jego żarliwość i delikatność. Nigdy nie przypuszczała, że tak kogoś pokocha. Philip dzwonił do niej codziennie, ale to sprawiało, że jej samotność była jeszcze bardziej dokuczliwa.

– Gdzie jesteś, kochanie?

– Wciąż w Tokio.

– Jak przebiega tournée?

– Wspaniale. Tęsknię za tobą.

– Ja też. – Lara nie potrafiła mu powiedzieć, jak bardzo jej go brak.

– Jutro wylatuję do Hongkongu, a potem…

– Chciałabym, żebyś wrócił do domu. – Pożałowała tych słów w chwili, kiedy je wypowiedziała.

– Wiesz, że nie mogę.

Zapanowała cisza.

– Wiem.

Rozmawiali przez pół godziny i kiedy Lara odłożyła słuchawkę, czuła się bardziej samotna niż przedtem. Różnice czasu doprowadzały ją do szewskiej pasji. Gdy w Stanach był wtorek, u niego już była środa, czasem Philip dzwonił w środku nocy lub wczesnym rankiem.

– Jak tam Philip? – spytał Keller.

– Świetnie. Dlaczego on to robi, Howardzie?

– To znaczy co?

– Jeździ na tournées. Przecież nie musi. Chciałam powiedzieć, że na pewno nie musi tego robić dla pieniędzy.

– Ba! Jestem pewien, że nie chodzi mu o pieniądze. To jego zawód, Laro.

Te same słowa, których użył Philip. Rozumiała to, ale nie potrafiła się z tym pogodzić.

– Laro – powiedział Keller – poślubiłaś go, ale nie jest twoją własnością.

– Wcale nie chcę, aby był moją własnością. Miałam jedynie nadzieję, że jestem dla niego ważniejsza od… – urwała w połowie zdania. – Mniejsza o to. Wiem, że gadam głupstwa.

Lara zadzwoniła do Williama Ellerbee'ego.

– Czy ma pan dziś czas w porze lunchu? – spytała.

– Mogę mieć – powiedział Ellerbee. – Czy coś się stało?

– Nie, nie. Pomyślałam tylko, że powinniśmy porozmawiać.

Spotkali się w Le Cirque.

– Telefonowała pani ostatnio do Philipa? – zapytał Ellerbee.

– Dzwonię do niego codziennie.

– Odnosi podczas obecnego tournée wielkie sukcesy.

– Tak.

– Mówiąc szczerze, nigdy nie myślałem, że Philip się ożeni – powiedział Ellerbee. – Jest jak ksiądz – całkowicie oddany temu, co robi.

– Wiem. – Lara zawahała się przez moment. – Czy nie uważa pan, że zbyt wiele podróżuje?

– Nie rozumiem.

– Philip ma teraz dom. Nie musi jeździć po całym świecie. – Spostrzegła wyraz twarzy Ellerbee'ego. – Och, nie chcę przez to powiedzieć, że ma cały czas siedzieć w Nowym Jorku. Jestem pewna, że może mu pan zorganizować koncerty w Bostonie, Chicago, Los Angeles. Rozumie pan… żeby nie musiał podróżować tak daleko od domu.

– Czy omawiała to pani z Philipem? – spytał ostrożnie Ellerbee.

– Nie. Najpierw chciałam porozmawiać z panem. To byłoby możliwe, prawda? Chcę powiedzieć, że Philip nie potrzebuje pieniędzy, teraz już nie.

– Pani Adler, Philip dostaje trzydzieści pięć tysięcy dolarów za występ. W ubiegłym roku był na tournées przez czterdzieści tygodni.

– Rozumiem, ale...

– Czy ma pani jakieś wyobrażenie o tym, jak niewielu pianistom udaje się dotrzeć na sam szczyt albo jak ciężko muszą walczyć, by się tam dostać? Na świecie są tysiące pianistów grających tak zapamiętale, że aż zdzierają palce do kości, ale tylko trzy lub cztery supergwiazdy. Pani mąż jest jedną z nich. Niewiele pani wie o świecie muzyki. Panuje w nim bezlitosna konkurencja. Ludzie idą na recital i widzą na estradzie solistę we fraku, uśmiechniętego i pewnego siebie. Tymczasem ledwo go stać na zapłacenie czynszu albo na przyzwoity obiad. Philip długo pracował, nim stał się pianistą światowej sławy. A teraz prosi mnie pani, bym mu to wszystko odebrał.

– Wcale nie. Proponuję jedynie...

– To, co pan proponuje, zniszczy jego karierę. Chyba pani tego nie chce, prawda?

– Oczywiście, że nie – powiedziała Lara. – Rozumiem, że otrzymuje pan piętnaście procent od honorariów Philipa?

– Tak.

– Nie chciałabym, by poniósł pan jakieś straty, gdyby Philip dawał mniej koncertów – zaczęła ostrożnie. – Z radością wyrównam różnicę i...

– Pani Adler, myślę, że powinna pani porozmawiać o tym z Philipem. Co będziemy jedli?

Rozdział 27

Wielki tytuł w rubryce Liz Smith głosił: *Żelazny Motyl z podciętymi skrzydłami?*

„...Piękna potentatka z branży budowlanej podskoczy chyba aż pod sam sufit swego wytwornego apartamentu na wiadomość o tym, że Candlelight Press chce opublikować książkę autorstwa jej byłej pracowniczki. Zapowiada się prawdziwa sensacja wydawnicza".

Lara ze złością zmięła gazetę. To na pewno sprawka tej Gertrudy Meeks! Posłała po Jerry'ego Townsenda.

– Czy przeglądałeś dziś rano rubrykę Liz Smith?

– Tak, właśnie przeczytałem jej notatkę. Niestety, niewiele możemy zrobić. Jeśli...

– Możemy zrobić bardzo dużo. Wszyscy moi pracownicy podpisują zobowiązanie, że nie będą nic o mnie pisali ani podczas pracy u mnie, ani kiedy już przestaną pracować. Gertruda Meeks nie ma prawa niczego napisać. Zaskarżę tego wydawcę.

Jerry Townsend potrząsnął głową.

– Nie robiłbym tego.

– Dlaczego?

– Bo wywoła to mnóstwo krytycznych artykułów w prasie. Jeśli nie będziesz w tej sprawie nic robiła, wszystko szybko samo przycichnie. Jeśli spróbujesz ją zatuszować, wybuchnie prawdziwa sensacja.

Słuchała niewzruszona.

– Dowiedz się, kto jest właścicielem wydawnictwa – poleciła.

Godzinę później rozmawiała przez telefon z Henrym Seinfeldem, właścicielem Candlelight Press i wydawcą.

– Mówi Lara Cameron. Dowiedziałam się, że zamierza pan opublikować książkę o mnie.

– Przeczytała pani wzmiankę Liz Smith? Tak, to prawda, panno Cameron.

– Chcę pana ostrzec, że jeśli wyda pan tę książkę, zaskarżę pana o naruszenie mojego prawa do prywatności.

– Myślę, że powinna się pani najpierw poradzić swojego adwokata – odparł mężczyzna. – Panno Cameron, jest pani osobą publiczną. Nie ma pani prawa do prywatności. A sądząc po rękopisie Gertrudy Meeks, jest pani postacią niezwykle barwną.

– Gertruda Meeks podpisała dokument zabraniający jej pisania czegokolwiek na mój temat.

– Cóż, to już sprawa między panią i Gertrudą. Może pani ją zaskarżyć...

Ale do tego czasu książka już się ukaże, pomyślała Lara.

– Nie chcę, by ta książka została opublikowana. Jestem gotowa tak wszystko załatwić, by opłaciło się panu jej nie wydawać...

– Chwileczkę. Obawiam się, że wkroczyła pani na niebezpieczny grunt. Proponuję, byśmy zakończyli tę rozmowę. Do widzenia. – Połączenie zostało przerwane.

Niech go diabli! – pomyślała i posłała po Howarda Kellera.

– Co wiesz o Candlelight Press?

Wzruszył ramionami.

– To mała firma. Publikują książki pełne tanich sensacji o sławnych ludziach. Pisali już o Cher, Madonnie...

– Dziękuję. To wszystko.

Howarda Kellera bolała głowa. Ostatnio często cierpiał na migreny. Za mało sypiał. Żył w ciągłym stresie i czuł, że sprawy toczą się zbyt wartko. Musi znaleźć sposób na przyhamowanie Lary.

Może to ból wywołany głodem, dumał.

Zadzwonił na sekretarkę.

– Bess, zamów coś dla mnie na lunch, dobrze?

Odpowiedziało mu milczenie.

– Bess?

– Czy żartuje pan, panie Keller?

– Czy żartuję? Nie. Dlaczego pytasz?

– Dopiero co skończył pan jeść lunch.

Kellera przeszedł zimny dreszcz.

– Ale jeśli jest pan jeszcze głodny...

– Nie, nie. – Przypomniał sobie. Zjadł kanapkę z pieczoną wołowiną, sałatkę i...

Mój Boże, wpadł w popłoch, co się ze mną dzieje?
– Żartowałem, Bess – powiedział.
Kogo chcę oszukać? – zapytał sam siebie.

Otwarcie Cameron Palace w Reno było wielkim wydarzeniem. Wszystkie pokoje w hotelu były zajęte, a kasyno pełne graczy. Lara nie żałowała pieniędzy, żeby odpowiednio zajęto się zaproszonymi osobistościami. Przyszli wszyscy.

Brakuje tylko jednej osoby, pomyślała.

Philip przysłał olbrzymi bukiet kwiatów i liścik: „Jesteś muzyką mojego życia. Ubóstwiam cię i tęsknię za tobą. Uściski".

Pojawił się Paul Martin. Podszedł do Lary.

– Moje gratulacje. Przeszłaś samą siebie.

– Dzięki tobie, Paul. Nie osiągnęłabym tego wszystkiego bez ciebie.

Rozejrzał się wokół.

– Gdzie Philip?

– Nie mógł przylecieć. Jest na tournée.

– Pojechał sobie gdzieś brzdąkać? Laro, to twój wielki dzień. Powinien być u twojego boku.

Lara uśmiechnęła się blado.

– Bardzo tego chciał – wyjaśniła.

Podszedł do nich dyrektor hotelu.

– Wspaniały wieczór, prawda? Mamy zarezerwowane wszystkie miejsca w hotelu na trzy miesiące naprzód.

– Postaraj się, by zawsze tak było, Donaldzie.

Lara zatrudniła agentów z Japonii i Brazylii, by sprowadzili wielkich graczy z zagranicy. Wydała milion dolarów na każdy z luksusowych apartamentów, ale wyglądało na to, że się opłaciło.

– Miss Cameron, ma pani tutaj kopalnię złota – powiedział dyrektor. Rozejrzał się wkoło. – A gdzie pani mąż? Z niecierpliwością oczekiwałem spotkania z nim.

– Nie mógł przylecieć – odparła Lara.

„Pojechał sobie gdzieś brzdąkać".

Lara była gwiazdą wieczoru. Sammy Cahn napisał specjalny tekst do melodii *My kind of town*. Zaczynał się od słów: „Moim ideałem dziewczyny jest Lara..."

Wszyscy chcieli z nią zamienić choć kilka słów, dotknąć jej. Kiedy wstała, żeby wygłosić przemówienie, rozległy się entuzjastyczne brawa. Prasa stawiła się w komplecie; Lara udzieliła wywiadu telewizji, rozgłośni radiowej i gazetom. Wszystko szło dobrze, póki któryś z dziennikarzy nie zapytał: „Gdzie jest pani mąż?" Lara stłumiła irytację.

Powinien być u mojego boku. Ostatecznie koncert mógł poczekać, myślała.

Ale uśmiechnęła się słodko i powiedziała:

– Philip bardzo żałował, że nie mógł ze mną przylecieć.

Po występach artystycznych orkiestra zaczęła grać do tańca. Paul Martin podszedł do stolika Lary.

– Zatańczymy?

Lara podała mu rękę.

– Jakie to uczucie być właścicielką kasyna? – spytał Paul.

– Wspaniałe. Dziękuję za wszystko, co dla mnie zrobiłeś.

– Ostatecznie, od czego ma się przyjaciół? Zauważyłem, że jest tu kilku hazardzistów dużego kalibru. Postępuj z nimi delikatnie, Laro. Niektórzy z nich sporo przegrają, a ty musisz się postarać, żeby czuli się jak zwycięzcy. Podaruj im nowy samochód lub załatw dziewczynki, zrób cokolwiek, co sprawi, że poczują się ważni.

– Zapamiętam to – odparła.

– Dobrze znów trzymać cię w ramionach – szepnął Paul.

– Paul...

– Wiem. Pamiętasz, jak mówiłem twojemu mężowi, żeby odpowiednio się tobą opiekował?

– Tak.

– Nie wydaje mi się, by wziął sobie moją prośbę do serca.

– Philip bardzo chciał ze mną przyjechać – broniła go Lara.

Czy rzeczywiście? – zapytała samą siebie.

Zadzwonił do niej późno w nocy. Słysząc jego głos, poczuła się jeszcze bardziej samotna.

– Laro, najdroższa, myślałem o tobie cały dzień. Jak się udała uroczystość otwarcia hotelu i kasyna?

– Wspaniale. Szkoda, że cię nie było, Philipie.

– Ja też żałuję. Tęsknię za tobą jak szalony.

W takim razie dlaczego nie jesteś tu razem ze mną? – chciała zapytać.

– Ja też za tobą tęsknię. Wracaj prędko – odparła.

Howard Keller wszedł do gabinetu Lary trzymając grubą brązową kopertę.

– Nie spodoba ci się to – powiedział.

– Co tam masz?

Keller położył kopertę na biurku.

– To kopia rękopisu Gertrudy Meeks. Nie pytaj, w jaki sposób ją zdobyłem. Oboje moglibyśmy za to trafić do więzienia.

– Przeczytałeś go?

Skinął głową.

– Tak.

– No i...?

– Lepiej sama zobacz. Pisze także o wydarzeniach, które miały miejsce, nim zaczęła tu pracować. Musiała nieźle ryć.

– Dziękuję, Howardzie.

Lara poczekała, aż Keller opuści jej gabinet, a potem nacisnęła guzik interkomu.

– Nie łącz żadnych rozmów.

Otworzyła rękopis i zaczęła czytać.

Meeks nie zostawiła na niej suchej nitki. Opisywała jej napady złego humoru i władcze postępowanie w stosunku do personelu. Był to przetykany złośliwymi anegdotkami portret intrygantki, kobiety despotycznej i małodusznej, która po trupach pięła się na szczyt.

Ani słowem nie wspominano w nim o niezależności i odwadze Lary, o jej talencie, wyobraźni i hojności.

„...Jedną ze sztuczek Żelaznego Motyla było umawianie się na spotkania z delegacjami z zagranicy we wczesnych godzinach porannych pierwszego dnia ich pobytu w Stanach. Goście byli zmęczeni podróżą, tymczasem panna Cameron – świeża i wypoczęta.

...Podczas rozmów z Japończykami podano gościom herbatę z valium, podczas gdy Lara Cameron piła kawę z ritalinem, środkiem pobudzającym, przyspieszającym procesy myślowe.

...Kiedy prowadziła negocjacje w sprawie nieruchomości w Queens i rada osiedla odrzuciła jej ofertę, spowodowała zmianę ich decyzji, wymyślając historyjkę o małej córeczce, która miała rzekomo zamieszkać w jednym z projektowanych budynków...

...Gdy lokatorzy odmówili opuszczenia swych mieszkań, Lara Cameron sprowadziła do domu włóczęgów..."

Niczego nie pominięto. Kiedy skończyła czytać, przez dłuższą chwilę siedziała nieruchomo za biurkiem, a potem posłała po Howarda Kellera.

– Chcę, żebyś uzyskał opinię bankową o wydawnictwie Candlelight Press należącym do Henry'ego Seinfelda.

– Dobrze.

Wrócił po kwadransie.

– Seinfeld ma kategorię D-C.

– Co to znaczy?

– To kategoria najniższa z możliwych. Już zdolność kredytowa określana jako „czwartorzędna" jest marna, a on plasuje się cztery stopnie niżej. Wystarczy większy podmuch wiatru, by go przewrócić. Żyje od książki do książki. Jeżeli raz powinie mu się noga, wypadnie z interesu.

– Dziękuję, Howardzie. – Zadzwoniła do Terry'ego Hilla, swojego radcy prawnego.

– Terry, nie chciałbyś zostać wydawcą książek?

– Co masz na myśli?

– Chcę, byś kupił na swoje nazwisko Candlelight Press. Należy do Henry'ego Seinfelda.

– Nie powinno być z tym żadnego problemu. Ile jesteś gotowa zapłacić?

– Spróbuj je kupić za pięćset tysięcy. Jeśli trzeba będzie, możesz dojść do miliona. Upewnij się, że kontrakt będzie obejmował wszystkie prawa wydawnicze, jakie posiada firma. Nie wymieniaj mojego nazwiska.

Biuro Candlelight Press znajdowało się w centrum, w starym budynku przy Trzydziestej Czwartej ulicy. Składało się z małego sekretariatu i nieco większego gabinetu Henry'ego Seinfelda.

– Panie Seinfeld, niejaki pan Hill chce się z panem zobaczyć oznajmiła sekretarka.

– Niech wejdzie.

Terry Hill zadzwonił rano i umówił się na spotkanie.

– Czym mogę panu służyć, panie Hill?

– Reprezentuję niemiecką firmę wydawniczą, która jest zainteresowana nabyciem pańskiego przedsiębiorstwa.

Seinfeld, by zyskać na czasie, zapalił cygaro.

– Moja firma nie jest na sprzedaż – oświadczył.

– Och, to wielka szkoda. Chcemy wejść na amerykański rynek i podoba nam się pański styl działania.

– Utworzyłem tę firmę z niczego – powiedział Seinfeld. – Jest jak moje dziecko. Ciężko byłoby mi się z nią rozstać.

– Rozumiem pańskie uczucia – odezwał się prawnik. – Jesteśmy gotowi dać panu za nią pięćset tysięcy dolarów.

Seinfeld niemal się zakrztusił dymem cygara.

– Pięćset tysięcy? Właśnie przygotowuję do druku książkę, która warta będzie milion dolarów. Nie, proszę pana. Pańska oferta jest obraźliwa.

– Moja oferta to prezent. Nie ma pan ani centa i ponad sto tysięcy dolarów długu. Sprawdziłem to.

Powiem panu, co zrobię. Podniosę ofertę do sześciuset tysięcy. To moje ostatnie słowo.

– Nigdy bym sobie nie darował, gdybym się na to zgodził. Gdyby podniósł pan cenę do siedmiuset...

Terry Hill wstał.

– Do widzenia, panie Seinfeld. Znajdę sobie inną firmę.

Skierował się w stronę drzwi.

– Chwileczkę – zatrzymał go Seinfeld. – Nie ma się co tak śpieszyć. Mówiąc szczerze, żona już od jakiegoś czasu namawia mnie, bym odszedł na emeryturę. Może to będzie odpowiedni moment.

Terry Hill podszedł do biurka i wyciągnął z kieszeni umowę.

– Mam tu czek na sześćset tysięcy dolarów. Proszę tylko podpisać w miejscu, gdzie jest krzyżyk.

Lara posłała po Kellera.

– Właśnie kupiliśmy Candlelight Press.

– Wspaniale. I co chcesz teraz zrobić?

– Przede wszystkim utrącić książkę Gertrudy Meeks. Dopilnuj, by nie została opublikowana. Jest mnóstwo sposobów gry na zwłokę. Jeśli nas zaskarży, by odzyskać swoje prawa, będziemy ją całe lata ciągać po sądach.

– Czy chcesz zamknąć firmę?

– A skądże. Zaangażuj kogoś do jej prowadzenia. Zatrzymam ją, by móc sobie potrącać podatki.

– Chcę ci podyktować list – powiedział Howard Keller sekretarce, wróciwszy do swego gabinetu.

– Jack Hellman, Hellman Realty.

„Drogi Jack, omawiałem twoją ofertę z panną Cameron i oboje doszliśmy do wniosku, że byłoby nierozsądnie angażować się obecnie w twoje przedsięwzięcie. Jednakże informujemy cię, że w przyszłości możemy powrócić do tej sprawy..."

Sekretarka przestała notować.

Podniósł wzrok.

– Zapisałaś już?

Patrzyła na niego.

– Panie Keller...

– Słucham?

– Podyktował mi pan ten list wczoraj.

Keller przełknął ślinę.

– Jak to?

– Został już nawet wysłany.

Próbował się uśmiechnąć.

– Zdaje się, że jestem przepracowany.

O czwartej po południu Kellera zbadał doktor Seymour Bennett.

– Wygląda na to, że jest pan w świetnej kondycji – oświadczył doktor. – Pod względem fizycznym nie stwierdzam żadnych nieprawidłowości.

– A co z tymi zanikami pamięci?

– Kiedy ostatni raz był pan na urlopie, Howardzie?

Keller zastanawiał się przez dłuższą chwilę.

– Zdaje się, że kilka lat temu – odparł. – Mieliśmy sporo roboty.

– No właśnie. Jest pan przepracowany. To bardziej powszechne, niż się panu wydaje. Proszę wyjechać na tydzień czy dwa gdzieś, gdzie będzie pan mógł wypocząć. Proszę przestać myśleć o pracy. Kiedy pan wróci, będzie się pan czuł jak nowo narodzony.

Keller wstał uspokojony.

Poszedł prosto do gabinetu Lary.

– Czy możesz się beze mnie obyć przez tydzień?

– Równie łatwo, jak bez prawej ręki. Co masz na myśli?

– Lekarz uważa, że powinienem wyjechać na krótki urlop. Mówiąc szczerze, mam problemy z pamięcią.

Przyglądała mu się zaniepokojona.

– Czy to coś poważnego?

– Nie, skądże. Jedynie irytujące. Pomyślałem, że może polecę na kilka dni na Hawaje.

– Weź odrzutowiec.

– Nie, nie, bardziej będzie potrzebny tobie. Polecę samolotem rejsowym.

– Bierz rachunki na firmę.

– Dziękuję. Będę dzwonił...

– Nie ma mowy. Zapomnij o pracy. Tylko uważaj na siebie. Nie chcę, by ci się coś stało.

Mam nadzieję, że to nic poważnego, pomyślała Lara. To nie może być nic poważnego.

Następnego dnia zadzwonił Philip. Telefon odebrała Marian Bell.

– Dzwoni pan Adler, z Tajpej – powiedziała.

Lara pośpiesznie podniosła słuchawkę.

– Philip...?

– Cześć, kochanie. Strajkowali pracownicy łączności. Próbowałem się do ciebie dodzwonić przez kilka godzin. Jak się czujesz?

Jestem bardzo samotna, pomyślała.

– Cudownie. Jak twoje tournée?

– Jak zwykle. Tęsknię za tobą.

Larę dobiegły odgłosy muzyki i gwar rozmów.

– Gdzie jesteś?

– Och, wydają małe przyjęcie na moją cześć. Wiesz, jak to jest.

Lara usłyszała kobiecy śmiech.

– Tak, wiem jak to jest.

– Będę w domu w środę.

– Philipie...

– Tak?

– Nic, kochanie. Śpiesz się do domu.

– Oczywiście. Do widzenia.

Odłożyła słuchawkę. Co będzie robił po przyjęciu? Kim była ta kobieta? Przepełniało ją uczucie zazdrości tak silne, że ją niemal dusiło. Nigdy w życiu nie była o nikogo zazdrosna.

Wszystko układało się idealnie, pomyślała. Nie chcę go stracić. Nie mogę go stracić.

Zupełnie wybiła się ze snu, leżała, myśląc o Philipie i o tym, co jej mąż teraz robi.

Howard Keller wylegiwał się na plaży Kona na największej z hawajskich wysp. Pogoda była wprost wymarzona. Opalił się, codziennie pływał, grywał w golfa i poddawał się masażom. Wspaniale wypoczął. Nigdy nie czuł się lepiej.

Doktor Bennett miał rację, pomyślał. Przepracowanie. Kiedy wrócę, muszę nieco zwolnić tempo.

Prawdę mówiąc, przypadki utraty pamięci przeraziły go bardziej, niż miał odwagę się przyznać.

W końcu nadeszła pora powrotu do Nowego Jorku. Poleciał rejsem o północy i na Manhattanie był o czwartej po południu. Pojechał prosto do biura. Zastał uśmiechniętą sekretarkę.

– Witamy z powrotem, panie Keller. Wygląda pan wspaniale.

– Dziękuję... – Urwał, a z twarzy odpłynęła mu cała krew. Nie mógł sobie przypomnieć jej imienia.

Rozdział 28

Philip wracał w środę po południu. Lara wyjechała po niego na lotnisko. Kiedy ukazał się w drzwiach samolotu, odniosła wrażenie, że znów widzi swojego wyimaginowanego Lochinvara.

Mój Boże, jaki on przystojny! – pomyślała. Rzuciła mu się w ramiona.

– Tęskniłam za tobą – powiedziała, obejmując go.

– Ja za tobą też, najdroższa.

– Jak bardzo?

Rozwarł kciuk i palec wskazujący na odległość centymetra.

– Tyle.

– Ty potworze! – krzyknęła. – Gdzie twój bagaż?

– Zaraz będzie.

Do domu dotarli godzinę później. Drzwi otworzyła im Marian Bell.

– Witamy w domu, panie Adler.

– Dzień dobry, Marian. – Rozejrzał się wkoło. – Czuję się tak, jakby mnie tu nie było co najmniej przez rok.

– Dwa lata – sprostowała Lara. Chciała dodać: „Nigdy więcej nie zostawiaj mnie samej", ale ugryzła się w język.

– Czy będzie mnie pani jeszcze dziś potrzebowała, pani Adler? – spytała Marian.

– Nie, Marian. Możesz już iść do domu. Rano podyktuję ci parę listów. Dziś już nie pójdę do biura.

– Dobrze. Do widzenia – powiedziała Marian i wyszła.

– Bardzo miła z niej dziewczyna – zauważył Philip.

– Tak. – Lara wtuliła się w ramiona Philipa. – A teraz pokaż mi, jak bardzo za mną tęskniłeś.

Przez następne trzy dni nie zajrzała do biura. Chciała być z Philipem, rozmawiać z nim, dotykać go, upewniać się, że istnieje naprawdę. Rano jedli razem śniadanie, potem Lara dyktowała Marian listy, a Philip ćwiczył na pianinie.

Trzeciego dnia po powrocie Philipa opowiedziała mu podczas lunchu o otwarciu kasyna.

– Żałuję, że nie mogłeś w nim uczestniczyć, najdroższy. Było wspaniale.

– Tak mi przykro, że ominęła mnie ta uroczystość. „Pojechał sobie gdzieś brzdąkać".

– Cóż, w przyszłym miesiącu masz szansę się zrehabilitować. Burmistrz wręczy mi klucze miasta.

– Kochanie, obawiam się, że tym razem też nie będę mógł ci towarzyszyć – odparł zasmucony.

Lara znieruchomiała.

– Jak to?

– Ellerbee zorganizował kolejne tournée. Za trzy tygodnie wylatuję do Niemiec.

– Nie możesz! – wykrzyknęła.

– Podpisałem kontrakt i nic się już nie da zrobić.

– Przecież dopiero co wróciłeś. Jak możesz znów wyjeżdżać?

– To ważne tournée, kochanie.

– A nasze małżeństwo nie jest ważne?

– Laro...

– Nie musisz wyjeżdżać – upierała się ze złością Lara. – Chcę mieć męża, ale nie na ćwierć etatu...

Do pokoju weszła Marian z jakimiś papierami.

– Och, przepraszam. Nie chciałam przeszkadzać. Te listy są już gotowe do podpisu.

– Dziękuję – powiedziała cierpkim tonem Lara. – Zadzwonię, kiedy będę cię potrzebowała.

– Tak, panno Cameron.

Odczekali, aż Marian wycofała się do swojego pokoju.

– Wiem, że musisz dawać koncerty – powiedziała Lara – ale chyba nie ma konieczności, byś robił to tak często. Przecież nie jesteś jakimś tam wędrownym grajkiem.

– No właśnie – odparł chłodno.

– Dlaczego nie zostaniesz na tę uroczystość i nie pojedziesz na tournée trochę później?

– Laro, wiem, że to dla ciebie ważne, ale musisz zrozumieć, że dla mnie równie ważne są moje koncerty. Jestem bardzo dumny z ciebie i z tego, co robisz, ale chcę, żebyś ty też mogła być dumna ze mnie.

– Jestem – rzekła zrezygnowana Lara. – Wybacz mi, Philipie, po prostu... – Całą siłą woli starała się pohamować łzy.

– Wiem, kochanie. – Wziął ją w ramiona. – Jakoś się to ułoży. Kiedy wrócę, wyjedziemy razem na długie wakacje.

Wakacje są teraz wykluczone, pomyślała. Realizuję zbyt wiele projektów naraz.

– Gdzie będziesz grał tym razem?

– W Niemczech, Norwegii, Danii, Anglii, a potem wracam do domu.

Lara wzięła głęboki oddech.

– Rozumiem.

– Żałuję, że nie możesz jechać ze mną, Laro. Bez ciebie czuję się bardzo samotny.

Pomyślała o śmiejącej się kobiecie.

– Czyżby? – Otrząsnęła się ze swojego nastroju i nawet zdobyła się na uśmiech. – Słuchaj, a może weźmiesz odrzutowiec? Będzie ci znacznie wygodniej.

– Czy na pewno nie będziesz...?

– Na pewno. Jakoś sobie bez niego poradzę do twojego powrotu.

– Nie ma na świecie drugiej takiej osoby jak ty – powiedział Philip.

Lara wolno przesunęła palcem wzdłuż jego policzka.

– Pamiętaj o tym.

Tournée Philipa zakończyło się wielkim sukcesem. W Berlinie publiczność szalała, a recenzenci prześcigali się w pochwałach.

Po koncertach kuluary były zawsze pełne gorących wielbicieli, w większości kobiet.

– Przejechałam pięćset kilometrów, by posłuchać pana gry...

– Mam niedaleko stąd nieduży zameczek. Pomyślałam sobie, czy przypadkiem...

– Przygotowałam kolację tylko dla nas dwojga...

Były to na ogół kobiety bogate i piękne, większość chętnie poszłaby z nim do łóżka. Ale Philip był zakochany. Zadzwonił do Lary z Danii.

– Brakuje mi ciebie.

– Mnie ciebie też, Philipie. Jak tam koncert?

– Cóż, podczas mojego występu nikt nie opuścił sali.

– To dobry znak – uśmiechnęła się Lara. – Kochanie, właśnie mam spotkanie. Zadzwonię do ciebie za godzinę do hotelu.

– Laro, nie wracam teraz do hotelu – powiedział Philip. – Dyrektor sali koncertowej wydaje obiad na moją cześć i...

– Och? Naprawdę? Czy ma może śliczną córkę? – Pożałowała swoich słów, gdy tylko je wypowiedziała.

– Słucham?

– Nie, nic. Muszę już kończyć. Porozmawiamy później.

Odłożyła słuchawkę i odwróciła się do zebranych w gabinecie mężczyzn. Keller przyglądał się jej uważnie.

– Wszystko w porządku?

– Tak – odparła lekko Lara. Ale trudno jej było skoncentrować się na omawianych podczas spotkania zagadnieniach. Wyobrażała sobie Philipa na przyjęciu i piękne kobiety wsuwające mu klucze do swoich pokoi hotelowych. Pożerała ją zazdrość i czuła z tego powodu wstręt do samej siebie.

Na uroczystość wręczenia Larze kluczy do miasta dziennikarze stawili się w komplecie.

– Czy moglibyśmy zrobić zdjęcie pani z mężem?

– Bardzo pragnął dzisiaj być ze mną... – usprawiedliwiała go Lara.

Przyszedł za to Paul Martin.

– Znowu wyjechał, co?

– Philip naprawdę bardzo żałował, że nie może uczestniczyć w dzisiejszej uroczystości.

– Gówno! To dla ciebie wielki dzień. Powinien być u twojego boku. Cóż z niego, do cholery, za mąż? Ktoś musi z nim poważnie porozmawiać!

Tej nocy długo leżała w łóżku, nie mogąc usnąć. Philipa dzieliło od niej piętnaście tysięcy kilometrów. W uszach wciąż dźwięczały jej słowa Paula Martina.

„Cóż z niego, do cholery, za mąż? Ktoś musi z nim poważnie porozmawiać!"

Kiedy Philip wrócił z Europy, sprawiał wrażenie szczęśliwego, że znów jest w domu. Przywiózł Larze mnóstwo prezentów. Rozkoszną porcelanową figurkę z Danii, śliczną lalkę z Niemiec, jedwabne bluzki i brokatową torebkę z Anglii, a w niej bransoletkę z brylantów.

– Jest prześliczna – ucieszyła się Lara. – Dziękuję ci, najdroższy.

Nazajutrz rano powiedziała do Marian Bell:

– Będę dziś cały dzień pracowała w domu.

Siedziała w swoim gabinecie, dyktując Marian listy, a z salonu dobiegały ją dźwięki muzyki. Philip grał na fortepianie.

Moglibyśmy być tacy szczęśliwi, pomyślała. Dlaczego Philip chce wszystko zepsuć?

Do Philipa zadzwonił William Ellerbee.

– Gratuluję – powiedział. – Słyszałem, że tournée przebiegło wspaniale.

– To prawda. Europejczycy to wyjątkowa publiczność.

– Miałem telefon z Carnegie Hall. Siedemnastego, w przyszły piątek, wypadło im niespodziewanie okienko. Chcieliby, żebyś dał recital. Interesuje cię to?

– Nawet bardzo.

– Świetnie. Przygotuję umowę. À propos – powiedział Ellerbee – czy myślisz o ograniczeniu liczby dawanych koncertów?

Philip był wyraźnie zaskoczony.

– O ograniczeniu? Nie. Dlaczego pytasz?

– Mówiłem z Larą i napomknęła, że chciałbyś jeździć z koncertami jedynie po Stanach. Może powinieneś z nią porozmawiać i…

– Porozmawiam. Dziękuję – odparł Philip.

Odłożył słuchawkę i wszedł do gabinetu Lary. Właśnie dyktowała coś Marian.

– Czy mogłabyś nas zostawić samych? – poprosił Philip.

– Oczywiście – powiedziała Marian i opuściła pokój.

– Właśnie miałem telefon od Williama Ellerbee – zwrócił się do Lary. – Czy rozmawiałaś z nim na temat ograniczenia liczby moich koncertów za granicą?

– Mogłam napomknąć coś takiego, Philipie. Pomyślałam, że byłoby lepiej dla nas obojga, gdybyś…

- Proszę, nigdy więcej tego nie rób! – zażądał Philip. – Wiesz, jak bardzo cię kocham. Ale oprócz naszego wspólnego życia ty masz swoją pracę, a ja swoją. Ustalmy następującą zasadę. Ja nie będę się wtrącał do twoich spraw zawodowych, a ty do moich.
- Zgadzam się, Philipie – powiedziała Lara. – Przepraszam. Po prostu tak mi ciebie strasznie brak, kiedy nie ma cię przy mnie. – Przytuliła się do niego. – Wybaczysz mi?
- Już wybaczyłem i zapomniałem.

Howard Keller przyszedł do apartamentu Lary i przyniósł do podpisania kontrakty.
- Jak leci?
- Wspaniale – odparła Lara.
- Wędrowny grajek w domu?
- Tak.
- Czyli muzyka jest teraz twoim życiem, co?
- Moim życiem jest muzyk. Nie masz pojęcia, jaki on jest cudowny, Howardzie.
- Kiedy pokażesz się w biurze? Jesteś nam potrzebna.
- Za kilka dni.
Keller skinął głową.
- Dobra.
Zaczęli przeglądać dokumenty, które przyniósł.

Następnego ranka zadzwonił Terry Hill.
- Laro, właśnie miałem telefon od komisji gier hazardowych z Reno – oświadczył. – Zamierzają przeprowadzić przesłuchanie w sprawie twojej licencji na prowadzenie kasyna.
- Dlaczego? – spytała Lara.
- Wpłynęły skargi, że podczas przetargu były jakieś nieprawidłowości. Chcą, żebyś siedemnastego przyjechała i złożyła zeznania.
- Czy to coś poważnego? – zaniepokoiła się.
Prawnik zawahał się chwilę.

– Czy wiadomo ci o jakichś nieprawidłowościach podczas przetargu?

– Nie, oczywiście, że nie.

– Więc nie masz się czego obawiać. Polecę do Reno razem z tobą.

– A co by było, gdybym nie pojechała?

– Wezwą cię do stawiennictwa. Lepiej będzie wyglądało, jeśli pojedziesz z własnej woli.

– Dobrze.

Lara zadzwoniła do Paula Martina. Natychmiast podniósł słuchawkę.

– Lara?

– Tak, Paul.

– Dawno nie korzystałaś z tego numeru.

– Dzwonię w sprawie Reno...

– Wiem o niej.

– Czy to coś poważnego?

– Nie. Przegrani są niezadowoleni, że ich pokonałaś – roześmiał się Paul.

– Jesteś pewien, że wszystko jest w porządku? – spytała. – Znaliśmy oferty konkurentów – dodała.

– Wierz mi, że zawsze się tak robi. Poza tym nic nie mogą udowodnić. Nie martw się tym.

– Dobrze.

Odłożyła słuchawkę, ale rozmowa z Paulem wcale jej nie uspokoiła.

– Zaproponowano mi koncert w Carnegie Hall. Zgodziłem się – oświadczył Philip podczas lunchu.

– Cudownie – ucieszyła się Lara. – Kupię sobie nową sukienkę. Kiedy masz recital?

– Siedemnastego.

Uśmiech zniknął z jej twarzy.

– Och!

– O co chodzi?

– Niestety, nie będę mogła pójść na twój koncert, kochanie. Muszę lecieć do Reno. Tak mi przykro.

Philip położył rękę na jej dłoni.

– Wygląda na to, że nie możemy zgrać naszych terminów. No cóż, trudno. Będzie jeszcze mnóstwo okazji.

Rano zadzwonił do Lary Howard Keller.
– Powinnaś przyjść do biura – zażądał. – Mamy parę problemów.
– Będę za godzinę.
W gabinecie Lary w Cameron Center właśnie trwało spotkanie.
– Coś się nam ostatnio nie wiedzie – powiedział Keller. – Zbankrutowała agencja ubezpieczeniowa, która miała się wprowadzić do naszego budynku w Houston. Byli naszym jedynym najemcą.
– Znajdziemy sobie kogoś innego – uspokajała go Lara.
– Obawiam się, że to nie będzie takie proste. Ustawa o reformie podatków mocno w nas bije. Co mówię, bije we wszystkich. Kongres zlikwidował ulgi podatkowe dla korporacji i skreślił większość odliczeń. Zdaje się, że nadchodzi recesja. Kasy oszczędnościowo-pożyczkowe, z którymi współpracujemy, mają kłopoty. Drexel Burnham Lambert może wypaść z rynku. Tandetne obligacje zaczynają przypominać miny. Mamy problemy z kilkoma naszymi budynkami. Dwa z nich wybudowane są dopiero w połowie i nie mamy źródeł finansowania.
Lara zamyśliła się głęboko.
– Poradzimy sobie. Sprzedaj wszystkie nieruchomości, jakie mamy, by spłacić nasze kredyty hipoteczne.
– Jedyną jasną stroną obecnej sytuacji – kontynuował Keller – jest stały dopływ gotówki z Reno. Przypuszczalnie uzyskamy stamtąd jakieś pięćdziesiąt milionów rocznie.
Lara nic na to nie powiedziała.

W piątek, siedemnastego, Lara odleciała do Reno. Philip pojechał z nią na lotnisko. Terry Hill czekał już w samolocie.
– Kiedy wrócisz? – spytał Philip.

– Prawdopodobnie jutro. Nie powinno mi to zająć dużo czasu.

– Będę za tobą tęsknił – powiedział Philip.

– Ja za tobą też, najdroższy.

Stał, obserwując start samolotu.

Będzie mi jej brakowało, pomyślał. To najwspanialsza kobieta na świecie.

W biurze komisji gier hazardowych stanu Nevada Lara spotkała się z tymi samymi ludźmi, z którymi miała do czynienia, gdy ubiegała się o licencję na kasyno. Jednak tym razem nie byli już tacy mili.

Została zaprzysiężona i protokolant sądowy przygotował się do spisywania jej zeznań.

– Panno Cameron, wysunięto niepokojące zarzuty dotyczące licencji na pani kasyno – oświadczył przewodniczący komisji.

– Jakiego rodzaju zarzuty? – spytał Terry Hill.

– Wrócimy do tego w odpowiednim czasie. – Przewodniczący znów zwrócił się do Lary: – Rozumiemy, że pierwszy raz uczestniczyła pani w przetargu na kasyno.

– Tak. Mówiłam o tym podczas naszej poprzedniej rozmowy.

– W jaki sposób skalkulowała pani cenę, którą pani zaoferowała? Chodzi mi o to… w jaki sposób doszła pani do tej konkretnej kwoty?

– Jaki jest cel pańskiego pytania? – wtrącił się Terry Hill.

– Chwileczkę, panie Hill. Czy pozwoli pan odpowiedzieć swojej klientce na to pytanie?

Terry Hill spojrzał na Larę i skinął głową.

– Poprosiłam, by mój główny księgowy podał mi w przybliżeniu, ile możemy zaoferować, zakładając mały zysk, i taką kwotę zaproponowałam – odparła.

Przewodniczący spojrzał na leżącą przed nim kartkę.

– Zaproponowała pani pięć milionów dolarów więcej niż inni.

– Naprawdę?

– Nie wiedziała pani o tym w chwili składania swojej oferty?

– Nie. Oczywiście, że nie.

– Panno Cameron, czy zna pani Paula Martina?

– Nie widzę związku tego pytania ze sprawą – przerwał mu Terry Hill.

– Za chwilę do tego dojdziemy. A na razie chciałbym, by panna Cameron odpowiedziała jednak na moje pytanie.

– Nie mam nic przeciwko temu – odparła Lara. – Tak. Znam Paula Martina.

– Czy kiedykolwiek prowadziła pani z nim jakieś interesy?

Lara zawahała się przez moment.

– Nie. Jest tylko przyjacielem.

– Panno Cameron, czy zdaje sobie pani sprawę z tego, że Paul Martin jest podobno związany z mafią, że...

– Sprzeciw. To jedynie niczym nieudokumentowane pogłoski.

– Dobrze, panie Hill. Wycofuję swoje pytanie. Panno Cameron, kiedy po raz ostatni widziała się pani lub rozmawiała z Paulem Martinem?

Lara znów się zawahała.

– Nie jestem pewna. Jeśli mam być zupełnie szczera, odkąd wyszłam za mąż, bardzo rzadko widuję się z panem Martinem. Od czasu do czasu spotykamy się przypadkowo na przyjęciach i to wszystko.

– I nie ma pani w zwyczaju rozmawiać z nim regularnie przez telefon?

– Nie, odkąd wyszłam za mąż.

– Czy kiedykolwiek rozmawiała pani z Paulem Martinem na temat zakupu kasyna?

Lara spojrzała na Terry'ego Hilla. Skinął głową.

– Owszem, jeśli się nie mylę zadzwonił do mnie po tym, jak wygrałam przetarg, by mi pogratulować. A później drugi raz, kiedy otrzymałam licencję na prowadzenie kasyna.

– Ale poza tym nie rozmawiała pani z nim?

– Nie.

– Panno Cameron, przypominam, że zeznaje pani pod przysięgą.

– Tak, wiem.

– Czy zdaje sobie pani sprawę z kary, jaka grozi za krzywoprzysięstwo?

– Tak.

Uniósł w górę kartkę papieru.

– Mam tutaj spis piętnastu rozmów telefonicznych między panią a Paulem Martinem przeprowadzonych w okresie, kiedy składano oferty na zakup kasyna.

Rozdział 29

Większość solistów czuje się przytłoczona olbrzymią widownią Carnegie Hall, liczącą dwa tysiące osiemset miejsc. Niewielu jest muzyków, którzy potrafią sprawić, by ta wyjątkowa sala wypełniona została po brzegi, ale w piątkowy wieczór wszystkie miejsca była zajęte. Philip Adler wyszedł na przestronną estradę, witany huraganowymi oklaskami publiczności. Zasiadł do fortepianu, odczekał chwilę i zaczął grać.

Philip przez lata występów nauczył się koncentrować wyłącznie na muzyce. Ale tego wieczoru jego umysł zaprzątały myśli o Larze i ich wspólnych problemach. Na ułamek sekundy jego palce straciły swą precyzję i Philip oblał się zimnym potem. Trwało to tak krótko, że słuchacze niczego nie zauważyli.

Pod koniec pierwszej części recitalu zerwała się burza oklasków. Podczas antraktu pianista udał się do swojej garderoby. Kierownik sceny szedł za nim i mówił:

– Cudownie. Zahipnotyzowałeś wszystkich. Czy ci coś przynieść?

– Nie, dziękuję. – Philip zamknął drzwi. Chciał mieć już ten recital za sobą. Niepokoiły go rozdźwięki w ich małżeństwie. Bardzo kochał Larę, wiedział, że ona go też kocha, ale wyglądało na to, że w ich stosunkach coś się popsuło. Przed jej odlotem do Reno oboje byli spięci.

Muszę coś z tym zrobić, pomyślał Philip. Ale co? Czy możliwy jest jakiś kompromis?

Wciąż nad tym myślał, kiedy rozległo się pukanie do drzwi:

– Panie Adler, zostało pięć minut – oznajmił kierownik sceny.

– Dziękuję.

Drugą część programu wypełniała sonata nr 29 op. 106 Beethovena *Hammerklavier*. Był to utwór wzruszający do głębi i kiedy w olbrzymiej sali przebrzmiały jego ostatnie dźwięki, publiczność zerwała się z miejsc i zaczęła klaskać jak oszalała. Philip stał na estradzie i kłaniał się, ale myślami był gdzie indziej.

Muszę iść do domu i porozmawiać z Larą, postanowił. Nagle przypomniał sobie, że wyjechała. Trzeba znaleźć jakieś rozwiązanie. Tak dłużej być nie może.

Oklaski nie ustawały. Publiczność krzyczała: Brawo! i *Encore!* Bis! Zazwyczaj w takiej sytuacji grał coś na bis, ale tego wieczoru był zbyt podenerwowany. Wrócił do garderoby i przebrał się szybko. Zza okna dobiegł go odgłos dalekiego grzmotu. W gazetach zapowiadano deszcz, ale to nie powstrzymało melomanów od przyjścia na koncert. Kuluary wypełniły się wiernymi sympatykami Philipa. Słuchanie pochwał wielbicieli sprawiało mu zawsze przyjemność, ale dziś wieczorem nie był w odpowiednim nastroju. Został w garderobie, póki nie nabrał pewności, że wszyscy się rozeszli. Kiedy opuszczał gmach, była prawie północ. Przeszedł pustymi korytarzami do wyjścia dla artystów. Limuzyny nie było.

Złapię taksówkę, postanowił.

Ruszył chodnikiem w strugach ulewnego deszczu. Wiał zimny wiatr i Pięćdziesiąta Siódma pogrążona była w mroku. Kiedy skierował się w stronę Szóstej Alei, z cienia wynurzył się potężny mężczyzna w płaszczu przeciwdeszczowym.

– Przepraszam – spytał – jak się mogę dostać do Carnegie Hall?

Philipowi przypomniał się stary dowcip, który opowiadał Larze, i bardzo go korciło, żeby powiedzieć „Trzeba ćwiczyć", ale wskazał majaczący za nim gmach.

– To tutaj.

W tym momencie nieznajomy popchnął go z całej siły na ścianę budynku. W ręku trzymał groźnie wyglądający nóż sprężynowy.

– Dawaj portfel.

Serce Philipa waliło jak młotem. Rozejrzał się za jakąś pomocą. Skąpana w strugach deszczu ulica była pusta.

– Dobrze – zgodził się. – Tylko spokojnie. Zaraz go dostaniesz.

Na gardle czuł ostrze noża.

– Słuchaj no, nie ma potrzeby…

– Zamknij się! Dawaj forsę.

Philip sięgnął do kieszeni i wyciągnął portfel. Mężczyzna wziął go wolną ręką i schował. Zauważył zegarek. Sięgnął po niego. Kiedy go ściągnął, chwycił lewą rękę pianisty, przytrzymał ją mocno i przejechał mu ostrym jak brzytwa nożem po przegubie dłoni, przecinając ciało do samej kości. Philip krzyknął z bólu. Trysnęła krew. Nieznajomy rzucił się do ucieczki.

Philip stał zaszokowany, obserwując krew mieszającą się z deszczem i kapiącą na chodnik.

Zemdlał.

Część IV

Rozdział 30

Lara dowiedziała się o napadzie na Philipa od Marian Bell, która zadzwoniła do niej do Reno bliska histerii.

– Czy został poważnie raniony? – spytała Lara.

– Nie znamy jeszcze żadnych szczegółów. Jest w izbie przyjęć szpitala Roosevelta.

– Natychmiast wracam do Nowego Jorku.

Kiedy sześć godzin później Lara pojawiła się w szpitalu, czekał tam już na nią Howard Keller. Sprawiał wrażenie wstrząśniętego.

– Co się stało? – spytała Lara.

– Wszystko wskazuje na to, że Philip został napadnięty po wyjściu z Carnegie Hall. Znaleziono go na ulicy nieprzytomnego.

– W jakim jest teraz stanie?

– Zraniono go w rękę. Jest przytomny, choć znajduje się pod wpływem silnej dawki środków uspokajających.

Weszli do sali. Philip leżał na łóżku pod kroplówką.

– Philipie… Philipie. – Gdzieś z oddali dobiegał go głos Lary. Otworzył oczy. Zobaczył Larę i Howarda Kellera. Widział ich podwójnie. W ustach czuł suchość i był otępiały.

– Co się stało? – wymamrotał Philip.

– Ktoś cię ranił podczas napadu – wyjaśniła Lara. – Ale wyzdrowiejesz.

Philip zauważył, że nadgarstek lewej ręki ma grubo obandażowany. Odzyskał pamięć.

– Ktoś mnie... Czy to bardzo poważne?

– Nie wiem, kochanie – powiedziała Lara. – Ale jestem pewna, że wszystko będzie dobrze.

– W dzisiejszych czasach lekarze potrafią działać cuda – oświadczył uspokajająco Keller.

Philipa znów ogarnęła senność.

– Powiedziałem mu, żeby wziął wszystko, co chce. Nie powinien nic mi zrobić – wymamrotał. – Nie powinien nic mi zrobić...

Dwie godziny później do pokoju wszedł doktor Dennis Stanton. Gdy tylko Philip ujrzał wyraz jego twarzy, wiedział, co od niego usłyszy.

Zaczerpnął głęboko powietrza.

– Proszę mi wszystko powiedzieć.

Doktor Stanton westchnął.

– Panie Adler, niestety, nie mam dla pana dobrych wieści.

– Czy to bardzo poważne?

– Zostały przecięte ścięgna mięśni zginaczy, co oznacza utratę władzy w ręku i chroniczną drętwotę. Oprócz tego uszkodzeniu uległy nerwy promieniowy i pośrodkowy. – Pokazał to na swojej dłoni. – Nerw pośrodkowy zawiaduje ruchami kciuka i trzech palców. Nerw promieniowy dociera do wszystkich palców.

Philip zacisnął mocno powieki. Ogarnęła go nagła fala rozpaczy.

– Czy to znaczy, że... że nigdy nie odzyskam władzy w lewej dłoni? – zapytał.

– Tak. Mówiąc szczerze, ma pan szczęście, że pan przeżył. Sprawca uszkodził tętnicę. To cud, że się pan nie wykrwawił na śmierć. Założyliśmy panu szesnaście szwów na ranę.

– Mój Boże, czy naprawdę nic nie można zrobić?

– Owszem. Możemy dokonać implantacji w lewej ręce. Będzie pan mógł wtedy nią poruszać, ale w bardzo ograniczonym zakresie.

Równie dobrze mógł mnie zabić, pomyślał zdesperowany Philip.

– Kiedy rana zacznie się goić, będzie pan odczuwał duży ból. Przepiszę panu leki uśmierzające i mogę pana zapewnić, że z czasem ból minie.

Ale nie ten prawdziwy, pomyślał. Nie ten prawdziwy. Dosięgnął go jakiś koszmar, od którego nie było ucieczki.

Jeszcze w szpitalu odwiedził Philipa oficer dochodzeniowy. Był to sześćdziesięcioletni mężczyzna o zmęczonej twarzy. Należał do starej gwardii. Stał przy łóżku z miną człowieka, który już wszystko widział.

– Jestem porucznik Mancini. Przykro mi z powodu tego, co pana spotkało, panie Adler – oświadczył. – Szkoda, że nie złamali panu raczej nogi. To znaczy… jeśli już w ogóle musiało się to panu przytrafić.

– Wiem, co pan ma na myśli – odparł cierpko.

Do pokoju wszedł Howard Keller.

– Szukamy Lary. – Dostrzegł nieznajomego. – Och, przepraszam.

– Kręci się tu gdzieś – powiedział Philip. – A to porucznik Mancini. Howard Keller.

Mancini przyjrzał mu się uważnie.

– Pana twarz wydaje mi się znajoma. Czy my się kiedyś nie spotkaliśmy?

– Nie przypominam sobie.

Twarz Manciniego rozpromieniła się nagle.

– Keller! Mój Boże, grał pan kiedyś w bejsbol.

– Zgadza się. Skąd pan…?

– Przez jeden sezon byłem selekcjonerem drużyny Cubs. Wciąż pamiętam pańskie wślizgi i zwody. Mógł pan zrobić wielką karierę.

– Tak. Cóż, proszę mi wybaczyć… – spojrzał na Philipa. – Poczekam na Larę na zewnątrz. – Wyszedł.

Mancini zwrócił się do Philipa.

– Czy przyjrzał się pan napastnikowi?

– Biały, potężny facet, jakieś metr dziewięćdziesiąt wzrostu. Koło pięćdziesiątki.

– Czy poznałby go pan, gdyby go pan jeszcze raz zobaczył?

– Tak. – Tej twarzy nie zapomni nigdy.

– Panie Adler, mógłbym pana poprosić o przejrzenie zdjęć w naszej kartotece policyjnej, ale mówiąc szczerze, uważam, że byłaby to strata czasu. Chciałem powiedzieć, że nie był to jakiś szczególnie oryginalny napad. W mieście grasują setki przestępców tego typu. O ile nie przyłapie się ich na gorącym uczynku, zazwyczaj udaje im się ujść bezkarnie. – Wyciągnął swój notes. – Co panu zabrano?

– Portfel i zegarek.

– Jaki to był zegarek?

– Piaget.

– Czy wyróżniał się czymś szczególnym? Na przykład miał wygrawerowany jakiś napis?

Ten zegarek podarowała mu Lara.

– Tak. Na kopercie było wygrawerowane: „Dla Philipa od kochającej Lary".

Mancini zapisał to sobie.

– Panie Adler... muszę panu zadać to pytanie. Czy kiedykolwiek spotkał pan już tego człowieka?

Philip spojrzał na niego zdumiony.

– Czy go wcześniej spotkałem? Nie. A dlaczego pan pyta?

– Nie, nic, tak sobie tylko pomyślałem. – Mancini odłożył notes. – Cóż, zobaczymy, co się da zrobić. Ma pan szczęście, panie Adler.

– Naprawdę? – W głosie Philipa brzmiała gorycz.

– Tak. W tym mieście rocznie ma miejsce tysiące napadów i nie możemy im poświęcać zbyt dużo czasu, ale tak się akurat składa, że nasz kapitan jest pana wielbicielem. Ma wszystkie pana płyty. Chce zrobić, co tylko będzie możliwe, by złapać tego sukinsyna, który na pana napadł. Roześlemy opis pańskiego zegarka do lombardów w całym kraju.

– Nawet jeśli go złapiecie, czy będzie mi mógł zwrócić władzę w ręku? – spytał zrezygnowany Philip.

– Słucham?

– Nie, nic.

– Będę z panem w kontakcie. Życzę miłego dnia.

Lara i Keller czekali na oficera dochodzeniowego na korytarzu.

– Czy chciał się pan ze mną widzieć? – spytała Lara.

– Tak. Chciałem pani zadać kilka pytań – powiedział porucznik Mancini. – Pani Adler, czy pani mąż ma jakichś wrogów?

Lara zmarszczyła brwi.

– Wrogów? Nie. A dlaczego pan pyta?

– Nikogo, kto by mu zazdrościł? Może jakiś inny muzyk? Ktoś, kto chciałby go okaleczyć?

– Do czego pan zmierza? Przecież to był zwykły napad rabunkowy, prawda?

– Jeśli mam być szczery, nie tak wygląda typowy napad. Sprawca zranił pani męża po zabraniu mu portfela i zegarka.

– Nie widzę, jaka to różnica...

– To zupełnie pozbawione sensu, jeśli nie zostało zrobione rozmyślnie. Pani mąż nie stawiał oporu. Wprawdzie sprawcą mógł być jakiś gówniarz działający pod wpływem narkotyków, ale... Wzruszył ramionami. – Będę w kontakcie.

Obserwowali, jak się oddalał.

– Jezu! – zdumiał się Keller. – Podejrzewa, że to było ukartowane.

Lara zbladła.

Keller spojrzał na nią i powiedział wolno:

– Mój Boże! Jeden z gangsterów Paula Martina! Ale dlaczego miałby to robić?

Nagle Lara poczuła, że ma trudności z mówieniem.

– Może... może myślał, że robi to dla mnie. Philip... Philip często wyjeżdżał i Paul powtarzał, że... to nie w porządku z jego strony... że ktoś powinien z nim porozmawiać. Och, Howardzie! – Przytuliła twarz do jego ramienia, powstrzymując łzy.

– A to sukinsyn! Ostrzegałem cię, byś trzymała się od niego z daleka.

Nabrała głęboko powietrza.

– Philip wyzdrowieje. Musi wyzdrowieć.

Trzy dni później przywiozła Philipa ze szpitala do domu. Był blady i osłabiony. W drzwiach powitała ich Marian Bell. Kiedy Philip był w szpitalu, odwiedzała go codziennie i przynosiła mu pocztę. Wyrazy współczucia napływały z całego świata – zrozpaczeni wielbiciele przysyłali kartki i listy, dzwonili. Gazety szeroko rozpisywały się o sprawie, piętnując przemoc panoszącą się na ulicach Nowego Jorku.

Kiedy zadzwonił telefon, Lara była akurat w bibliotece.

– To do pani – powiedziała Marian Bell. – Jakiś pan Paul Martin.

– Nie mogę... nie mogę z nim rozmawiać – odparła Lara. Stała, próbując opanować drżenie.

Rozdział 31

Z dnia na dzień ich wspólne życie uległo całkowitej zmianie.

– Odtąd będę pracowała w domu – oświadczyła Lara Kellerowi. – Jestem potrzebna Philipowi.

– Jasne. Rozumiem.

Wciąż napływały kartki z życzeniami powrotu do zdrowia i Marian Bell okazała się prawdziwym skarbem. Była jak zawsze skromna i usuwała się w cień.

– Proszę sobie tym nie zaprzątać głowy, pani Adler. Zajmę się wszystkim, jeśli pani sobie życzy.

– Dziękuję, Marian.

Kilkakrotnie dzwonił William Ellerbee, ale Philip nie chciał podejść do telefonu.

– Nie chcę z nikim rozmawiać – uprzedził Larę.

Doktor Stanton miał rację. Ból był nie do zniesienia. Philip próbował ograniczać zażywanie tabletek przeciwbólowych i brał je, kiedy już naprawdę nie mógł wytrzymać.

Lara nie odstępowała go ani na krok.

– Kochanie, sprowadzimy ci najlepszych specjalistów z całego świata. Musi istnieć ktoś, kto przywróci ci władzę w ręku. Słyszałam o pewnym lekarzu ze Szwajcarii...

Pokręcił głową.

– To na nic. – Spojrzał na zabandażowaną rękę. – Jestem kaleką.

– Nie mów tak – zaprotestowała gwałtownie Lara. – Istnieją tysiące rzeczy, które możesz robić. To moja wina. Gdybym tamtego dnia nie poleciała do Reno, gdybym była z tobą na koncercie, nie doszłoby do tego. Gdybym...

Philip uśmiechnął się ironicznie.

– Chciałaś, żebym więcej czasu spędzał w domu. Cóż, teraz nie mam po co wychodzić.

– Ktoś kiedyś powiedział: „Uważaj, czego pragniesz, bo jeszcze twoje życzenia się spełnią". Chciałam, byś więcej czasu spędzał w domu, ale nie tak, jak teraz... – powiedziała Lara zachrypniętym głosem. – Nie mogę patrzeć, jak cierpisz.

– Nie przejmuj się mną – uspokajał ją. – Muszę po prostu przemyśleć parę spraw. To wszystko stało się tak nagle. Sądzę... sądzę, że jeszcze nie w pełni zdaję sobie sprawę z tego, co zaszło.

Howard Keller przyszedł do Lary z kilkoma kontraktami.

– Witaj, Philipie. Jak się czujesz?

– Wspaniale – mruknął Philip. – Po prostu cudownie.

– Przepraszam, to było głupie pytanie.

– Nie zwracaj na mnie uwagi – zmitygował się Philip. – Ostatnio jestem nieswój. – Walnął prawą ręką w krzesło. – Niechby ten drań uszkodził mi prawą dłoń. Jest kilka koncertów na lewą rękę i mógłbym dalej grać.

Keller przypomniał sobie rozmowę podczas przyjęcia.

„Kilku kompozytorów napisało koncerty na lewą rękę. Między innymi Demuth, Franz Schmidt, Korngold. No i jest przepiękny koncert Ravela".

A Paul Martin był tam i to słyszał.

Doktor Stanton przyszedł zbadać swego pacjenta. Ostrożnie odwinął bandaż. Pod nim ukazała się długa, świeża szrama.

– Czy może pan poruszyć dłonią?

Philip spróbował. Okazało się to niewykonalne.

– Bardzo boli? – spytał doktor Stanton.

– Tak, ale nie chcę więcej tych cholernych tabletek przeciwbólowych.

– Na wszelki wypadek wypiszę receptę. Proszę mi wierzyć, że za kilka tygodni ból ustanie. – Skierował się do wyjścia. – Naprawdę bardzo mi przykro. Byłem pana zagorzałym wielbicielem.

– Proszę sobie kupić moje płyty – poradził cierpkim tonem Philip.

– Miss Cameron, a może pomogą panu Adlerowi zajęcia rehabilitacyjne? – zaproponowała Marian Bell.

– Możemy spróbować. Zobaczymy, co to da – zdecydowała po namyśle Lara.

Kiedy powiedziała o tym Philipowi, pokręcił lekko głową.

– Nie. Po co? Lekarz powiedział, że...

– Lekarze mogą się mylić – stwierdziła zdecydowanym tonem. – Musimy próbować wszystkiego.

Nazajutrz przyszedł młody rehabilitant. Lara zaprowadziła go do Philipa.

– Przedstawiam ci pana Rossmana. Pracuje w szpitalu Columbia. Spróbuje ci pomóc, Philipie.

– Życzę powodzenia – powiedział gorzko Philip.

– Proszę mi pokazać swoją rękę, panie Adler.

Philip wyciągnął dłoń. Rossman zbadał ją dokładnie.

– Wygląda na poważne uszkodzenie mięśnia, ale zobaczymy, co się da zrobić. Czy może pan poruszać palcami?

Philip spróbował.

– Niezbyt to nam wychodzi, prawda? Spróbujmy trochę poćwiczyć.

Ćwiczyli pół godziny. Okazało się to niewiarygodnie bolesne.

– Przyjdę do pana jutro – powiedział Rossman pod koniec sesji.

– Nie – zaprotestował Philip. – Proszę sobie nie zawracać głowy.

Do pokoju weszła Lara.

– Philipie, nie chcesz spróbować?

– Próbowałem – warknął. – Nie rozumiesz? Moja ręka jest martwa. Nic nie przywróci jej życia.

– Philipie... – Do oczu napłynęły jej łzy.

– Przepraszam – szepnął. – Po prostu... Daj mi trochę czasu.

Tej nocy Larę obudziły dźwięki fortepianu. Wstała z łóżka i na palcach podeszła do drzwi wiodących do salonu. Philip siedział w szlafroku, cicho uderzając prawą ręką w klawisze. Na widok Lary podniósł głowę.

– Przepraszam, jeśli cię obudziłem.

Podeszła do niego.

– Najdroższy...

– Dobre sobie, co? Poślubiłaś sławnego pianistę, a teraz masz męża kalekę.

Otoczyła go ramionami i przytuliła się.

– Nie jesteś kaleką. Jest tyle rzeczy, które możesz robić.

- Przestań zachowywać się jak niepoprawna optymistka!
- Przepraszam. Chciałam tylko...
- Wiem. Wybacz mi, po prostu... – uniósł swą bezwładną dłoń – ...po prostu nie mogę się do tego przyzwyczaić.
- Wracajmy do łóżka.
- Nie. Połóż się sama. Nic mi nie będzie.
Siedział całą noc, myśląc o przyszłości.
O jakiej przyszłości? – pytał sam siebie ze złością.

Codziennie jedli razem kolację, a potem czytali coś lub oglądali telewizję i w końcu szli spać.
- Laro, wiem, że nie masz teraz ze mnie jako mężczyzny zbytniej pociechy – powiedział Philip przepraszająco. – Po prostu... po prostu nie jestem w nastroju do miłości. Wierz mi, że nie ma to nic wspólnego z twoją osobą.
Lara usiadła na łóżku, głos jej drżał.
- Nie poślubiłam ciebie dla twojego ciała. Poślubiłam cię, bo byłam bez pamięci w tobie zakochana. I wciąż jestem. Możemy już nigdy w życiu nie spać ze sobą, nie ma to dla mnie żadnego znaczenia. Pragnę tylko, byś nigdy nie przestał mnie kochać.
- Kocham cię – powiedział Philip.
Bez przerwy przychodziły zaproszenia na obiady i przyjęcia dobroczynne, ale Philip stale odmawiał. Nie chciał wychodzić z domu.
- Idź sama – mawiał do Lary. – Musisz się udzielać towarzysko z uwagi na swoją pracę.
- Nic nie jest dla mnie ważniejsze niż ty. Zjemy w domu.
Dbała o to, by kucharz przygotowywał ulubione potrawy Philipa, choć ten zupełnie stracił apetyt. Starała się wszystkie sprawy służbowe załatwiać w domu. Kiedy musiała gdzieś wyjść w ciągu dnia, mówiła do Marian:
- Nie będzie mnie kilka godzin. Pilnuj pana Adlera.
- Dobrze – obiecywała Marian.

– Kochanie, nie chciałabym cię zostawiać samego, ale muszę na jeden dzień jechać do Cleveland. Poradzisz sobie beze mnie? – zapytała Lara pewnego dnia.

– Oczywiście – odparł. – Przecież nie jestem małym dzieckiem. Proszę, jedź i nie martw się o mnie.

Marian przyniosła odpowiedź na kilka listów, które napisała w imieniu Philipa.

– Panie Adler, czy zechciałby je pan podpisać?

– Oczywiście – zgodził się. – Dobrze, że nie jestem mańkutem, prawda? – W jego głosie przebijała nutka goryczy. Spojrzał na Marian i dodał: – Przepraszam. Nie chciałem się na tobie wyżywać.

– Wiem o tym, panie Adler – odparła spokojnie Marian. – Nie sądzi pan, że powinien się pan spotkać z przyjaciółmi?

– Wszyscy moi przyjaciele pracują – burknął. – To muzycy. Są zajęci dawaniem koncertów. Jak możesz mówić takie bzdury?

Wybiegł z pokoju.

Marian stała, patrząc za nim.

Godzinę później Philip wszedł do gabinetu. Marian siedziała przy maszynie do pisania.

– Marian?

Uniosła wzrok.

– Tak, panie Adler?

– Proszę, wybacz mi. Zachowuję się, jakbym nie był sobą. Nie chciałem być niegrzeczny.

– Rozumiem – powiedziała cicho.

Usiadł naprzeciwko niej.

– Główną przyczyną, dla której nie wychodzę z domu – stwierdził Philip – jest to, że czuję się jak odmieniec. Jestem pewien, że wszyscy będą się gapili na moją rękę. A ja nie potrzebuję niczyjej litości.

Przyglądała mu się w milczeniu.

– Jesteś bardzo dobra i doceniam to, naprawdę. Ale nikt nie może mi pomóc. Znasz powiedzenie: „Im się ktoś wyżej wdrapał, tym później dotkliwiej odczuwa upadek"? Cóż, Marian, wdrapałem się wysoko, naprawdę wysoko. Wszyscy przychodzili słuchać mojej gry... królowie, królowe i... – urwał. – Ludzie na całym świecie przychodzili na moje koncerty. Dawałem recitale w Chinach i w Rosji, w Indiach i w Niemczech. – Głos mu się załamał i po policzkach zaczęły płynąć łzy. – Zauważyłaś, że ostatnio często płaczę? – spytał. Starał się zapanować nad sobą.

– Proszę nie płakać – uspokajała go Marian. – Wszystko będzie dobrze.

– Nie! Nic nie będzie dobrze. Nic! Jestem cholernym kaleką.

– Proszę tak nie mówić. Wie pan, że pani Adler ma rację, istnieją setki rzeczy, które może pan robić. Kiedy ból minie, znajdzie pan sobie jakieś zajęcie.

Philip wyciągnął chusteczkę i otarł oczy.

– Jezu, ale się ze mnie zrobiła beksa.

– Jeśli to panu pomaga – powiedziała Marian – proszę płakać.

Uniósł wzrok i uśmiechnął się.

– Ile masz lat?

– Dwadzieścia sześć.

– Wiesz, że jak na swój wiek jesteś bardzo mądra?

– Nie. Wiem tylko, co pan przeżywa, i oddałabym wszystko, żeby się to nigdy nie stało. Jestem jednak pewna, że znajdzie pan jakiś sposób na poradzenie sobie ze swoimi problemami.

– Marnujesz tu czas – zawyrokował Philip. – Powinnaś być psychologiem.

– Czy przygotować panu coś do picia?

– Nie, dziękuję. Nie chciałabyś zagrać w tryktraka? – spytał Philip.

– Z największą przyjemnością, panie Adler.

– Jeśli masz zostać moim partnerem w tryktraka, lepiej zacznij do mnie mówić po imieniu.

– Dobrze, Philipie.

Od tego czasu codziennie grali w tryktraka.

Lara odebrała telefon. Dzwonił Terry Hill.

– Mam, niestety, złe wieści.

– O co chodzi?

– Komisja gier hazardowych stanu Nevada prze-
głosowała zawieszenie ci licencji na prowadzenie kasyna do czasu ukończenia szczegółowego dochodzenia.
Możesz zostać oskarżona o popełnienie przestępstwa.

To był prawdziwy szok. Przypomniała sobie słowa Paula Martina: „Nie martw się. Niczego nie mogą
dowieść".

– Czy możemy coś zrobić w tej sprawie, Terry?

– Na razie nie. Jedynie nie dać im się na niczym
złapać. Pracuję nad tym.

Kiedy Lara opowiedziała wszystko Kellerowi, wykrzyknął:

– Mój Boże! Gotówką z kasyna mieliśmy spłacić
kredyty hipoteczne zaciągnięte na trzy budynki. Czy
przywrócą ci licencję?

– Nie wiem.

Keller zamyślił się głęboko.

– Słuchaj, sprzedamy hotel w Chicago i wykorzy-
stamy zdobyte środki na spłacenie długu hipoteczne-
go, obciążającego nieruchomość w Houston. Rynek
nieruchomości załamał się ostatnio. Sporo banków
i kas oszczędnościowo-pożyczkowych ma poważne
kłopoty. Drexel Burnham Lambert splajtował. Skoń-
czyły się dobre czasy.

– Jeszcze się wszystko odmieni – pocieszała go
Lara.

– Lepiej, żeby nastąpiło to szybko. Zaczynam
otrzymywać telefony od banków w sprawie spłat naszych kredytów.

– Nie martw się – powiedziała Lara pewnym siebie
głosem. – Jeśli jesteś winny bankowi milion dolarów,
mają cię w garści. Jeśli jesteś mu winny sto milionów
dolarów, ty masz ich w garści. Nie mogą sobie pozwolić
na to, by coś mi się stało.

Nazajutrz w „Business Week" ukazał się artykuł
zatytułowany: *Świat Lary Cameron chwieje się – Pannie
Cameron grozi postawienie przed sądem w Reno. Czy
Żelazny Motyl zdoła ocalić swoje imperium?*

Lara walnęła pięścią w gazetę.

– Jak mogą coś takiego drukować? Zaskarżę ich.

– Nie wiem, czy to najlepszy pomysł – powiedział Keller.

– Howardzie, Cameron Towers jest prawie w całości wydzierżawione, prawda? – spytała.

– Jak dotąd w siedemdziesięciu procentach, ale procent ten rośnie. Southern Insurance wzięło dwadzieścia pięter, a International Investment Banking – dziesięć.

– Kiedy budynek zostanie oddany do użytku, uzyskamy dosyć pieniędzy, by rozwiązać wszystkie nasze problemy. Ile czasu zostało do ukończenia robót?

– Sześć miesięcy.

W głosie Lary słychać było podekscytowanie.

– Posłuchaj tylko: staniemy się wtedy właścicielami najwyższego drapacza chmur na świecie! Będzie piękny.

Odwróciła się do oprawionego w ramki rysunku wiszącego nad biurkiem. Przedstawiał oszkloną wieżę, w jej fasadzie odbijały się okoliczne budynki. Wokół ciągnął się pasaż, a na niższych piętrach pomieszczono ekskluzywne sklepy. Wyżej znajdowały się mieszkania i biuro Lary.

– Musimy przeprowadzić wielką akcję reklamową – powiedziała.

– Dobry pomysł.

Zmarszczył brwi.

– O co chodzi?

– Nie, nic. Pomyślałem tylko o Stevie Murchinsonie. Bardzo mu zależało na tej lokalizacji.

– Cóż, pokonaliśmy go, czyż nie?

– Tak – zgodził się Keller. – Pokonaliśmy go.

Lara posłała po Jerry'ego Townsenda.

– Jerry, chcę na otwarcie Cameron Towers przygotować coś wyjątkowego. Masz jakiś pomysł?

– Wydaje mi się, że tak. Otwarcie będzie dziesiątego września?

– Tak.

– Czy nic ci to nie mówi?

– Cóż, to moje urodziny...

– Właśnie. – Twarz Jerry'ego Townsenda rozjaśnił uśmiech. – Może wydamy wielkie przyjęcie urodzinowe, połączone z oddaniem do użytku drapacza chmur?

Zastanowiła się przez moment.

– Podoba mi się to. To wspaniały pomysł. Zaprosimy wszystkich! Narobimy tyle szumu, że usłyszy o nas cały świat. Jerry, chcę, byś sporządził listę gości. Dwieście osób. Zajmij się tym osobiście.

– W porządku. Przedstawię ci listę gości do akceptacji.

Lara znów uderzyła pięścią w gazetę.

– Pokażemy im.

– Przepraszam, pani Adler – powiedziała Marian. – Na trójce sekretarka Krajowego Stowarzyszenia Przedsiębiorstw Budowlanych. Nie odpowiedziała pani na ich zaproszenie na organizowany przez nich w piątek obiad.

– Powiedz, że nie mogę przyjść – odparła Lara. – Przeproś ich w moim imieniu.

– Tak, proszę pani. – Marian wyszła z pokoju.

– Laro, nie możesz przeze mnie zamieniać się w pustelnika – rzekł Philip. – Udział w tego typu imprezach jest dla ciebie bardzo ważny.

– Nic nie jest ważniejsze, niż być tu razem z tobą. Ten mały, śmieszny facet, który w Paryżu udzielał nam ślubu, powiedział: „Na dobre i złe". – Zmarszczyła brwi. – Przynajmniej mam wrażenie, że to mówił. Nie znam francuskiego.

– Chcę, żebyś wiedziała, jak bardzo doceniam to, co dla mnie robisz. Wydaje mi się, że przeżywasz ze mną piekło.

Lara przysunęła się do niego.

– Pomyliłeś słowa – odparła. – Powinieneś powiedzieć: „niebo".

Philip ubierał się, a Lara pomagała mu zapiąć guziki przy koszuli. Przejrzał się w lustrze.

– Wyglądam jak hipis – spostrzegł. – Muszę się ostrzyc.

– Chcesz, żebym poprosiła Marian, by umówiła cię z twoim fryzjerem?

Pokręcił głową.

– Nie. Przepraszam, Laro. Jeszcze nie jestem gotów, by wyjść z domu.

Następnego ranka w mieszkaniu zjawili się fryzjer i manikiurzystka Philipa. Philip był zaskoczony.

– Co to wszystko znaczy?

– Jeśli Mahomet nie chce przyjść do góry, góra musi przyjść do Mahometa. Będą przychodzili co tydzień.

– Jesteś cudowna – powiedział Philip.

– To dopiero początek – uśmiechnęła się Lara.

Nazajutrz pojawił się krawiec z próbkami materiałów na garnitury i koszule.

– Co się tu dzieje? – spytał Philip.

– Jesteś jedynym znanym mi mężczyzną, który ma sześć fraków, cztery smokingi i tylko dwa garnitury – poinformowała go Lara. – Uważam, że pora, byśmy sprawili ci właściwą garderobę.

– Po co? – zaprotestował Philip. – Przecież i tak nigdzie nie będę chodził.

Ale pozwolił wziąć miarę na garnitur i koszule.

Kilka dni później zjawił się szewc.

– Co teraz? – spytał Philip.

– Czas, byś sobie sprawił kilka par butów.

– Powiedziałem ci, że nigdzie nie będę chodził.

– Wiem, skarbie. Ale kiedy zmienisz zdanie, w szafie będą czekały odpowiednie buty.

Philip przytulił żonę.

– Nie zasługuję na ciebie.

– Cały czas ci to powtarzam.

W biurze właśnie odbywało się spotkanie.

– Tracimy centrum handlowe w Los Angeles – mówił Howard Keller. – Banki zażądały spłaty kredytu.

– Nie mogą tego zrobić.

– Robią to – oświadczył Keller.

– Możemy spłacić kredyt, zaciągając pożyczkę na hipotekę jakiejś innej nieruchomości.

– Laro, wykorzystałaś już wszystkie możliwości zaciągnięcia kredytu – cierpliwie wyjaśniał Keller. – Zbliża się termin płatności sześćdziesięciu milionów dolarów za wieżowiec.

– Wiem, ale skończymy go budować już za cztery miesiące. Możemy trochę przesunąć spłatę. Prace przebiegają zgodnie z harmonogramem, prawda?

– Tak. – Keller przyglądał się jej badawczo. Rok temu nie zadałaby takiego pytania. Wtedy dokładnie wiedziała, co się dzieje na placach budów. – Myślę, że byłoby lepiej, gdybyś więcej czasu spędzała w biurze – powiedział. – Zbyt wiele spraw pozostaje niezałatwionych. Są decyzje, które możesz podjąć tylko ty.

Lara skinęła głową.

– Dobrze – odparła niechętnie. – Przyjdę jutro rano.

– Dzwoni do ciebie William Ellerbee – oznajmiła Marian.

– Powiedz mu, że nie mogę z nim rozmawiać. – Philip obserwował, jak podeszła z powrotem do aparatu.

– Przykro mi, panie Ellerbee. Pan Adler nie może w tej chwili rozmawiać. Czy chce pan zostawić wiadomość dla niego? – Słuchała przez chwilę. – Powtórzę mu. Dziękuję. – Odłożyła słuchawkę i spojrzała na Philipa. – Naprawdę bardzo mu zależy na spotkaniu z tobą.

– Prawdopodobnie, żeby porozmawiać o prowizji, której już nie otrzymuje.

– Chyba masz rację – zgodziła się Marian. – Jestem pewna, że nienawidzi cię za to, że zostałeś ofiarą napadu.

– Przepraszam – powiedział cicho Philip. – Czy tak to zabrzmiało?

– Tak.

– Jak ty ze mną wytrzymujesz?

– Nie jest to aż takie trudne – odparła z uśmiechem.

Następnego dnia William Ellerbee znów zadzwonił. Philipa nie było w pokoju. Marian rozmawiała przez kilka minut z Ellerbeem, a potem poszła odszukać Philipa.

– Telefonował pan Ellerbee – poinformowała go.

– Następnym razem poproś, by przestał do mnie wydzwaniać.

– Może powinieneś mu to powiedzieć sam – oświadczyła Marian. – W czwartek o pierwszej jesz z nim lunch.

– Co takiego?

– Zaproponował Le Cirque, ale pomyślałam, że lepszy będzie jakiś spokojniejszy lokal. – Zerknęła do notatnika. – Spotka się z tobą w chińskiej restauracji o pierwszej. Poproszę Maksa, by cię zawiózł.

Philip spojrzał na nią, nie kryjąc oburzenia.

– Umówiłaś mnie na lunch, nie pytając mnie o zgodę?

– Gdybym cię spytała, nie poszedłbyś – powiedziała spokojnie. – Jeśli chcesz, możesz mnie zwolnić.

Patrzył na nią dłuższą chwilę wzrokiem pełnym wściekłości, a potem się uśmiechnął.

– Wiesz co? Dawno już nie jadłem chińskich potraw.

– W czwartek wybieram się na lunch z Ellerbeem – oznajmił Philip, gdy Lara wróciła z biura.

– To cudownie, że wreszcie się na to zdecydowałeś!

– Właściwie to Marian zadecydowała za mnie. Pomyślała, że byłoby dobrze, gdybym wreszcie ruszył się z domu.

– Naprawdę? – Ale kiedy ja cię namawiałam, nie chciałeś nigdzie pójść, pomyślała.

– To bardzo ładnie z jej strony.

– Tak. To niezwykła kobieta.

Ależ jestem głupia, uświadomiła sobie Lara. Nie powinnam zostawiać ich razem sam na sam. Philip jest teraz taki bezbronny.

Od tej chwili wiedziała, że musi się pozbyć Marian.

Kiedy następnego dnia wróciła z pracy do domu, Philip i Marian grali w tryktraka.

W naszą grę, oburzyła się Lara.

– Jak mogę cię pobić, kiedy ciągle rzucasz duble? – mówił Philip ze śmiechem.

Lara stała w progu i przyglądała się im. Dawno już nie słyszała, jak Philip się śmieje.

Marian uniosła głowę i spostrzegła Larę.

– Dobry wieczór, pani Adler.

Philip zerwał się na nogi.

– Cześć, kochanie. – Pocałował ją. – Pobiła mnie z kretesem.

– Pani Adler, czy będzie mnie pani jeszcze dziś potrzebowała?

– Nie, Marian. Możesz już iść. Zobaczymy się rano.

– Dziękuję. Dobranoc.

– Dobranoc, Marian.

Patrzyli, jak wychodzi.

– Dobrze się czuję w jej towarzystwie – skonstatował Philip.

Lara pogładziła go po policzku.

– Cieszę się, najdroższy.

– Jak tam w biurze?

– Świetnie. – Nie zamierzała martwić Philipa swoimi problemami. Będzie musiała polecieć do Reno na rozmowę z komisją gier hazardowych. Jeśli zostanie zmuszona, znajdzie sposób przetrwania i bez kasyna, ale byłoby jej znacznie łatwiej, gdyby udało się nakłonić ich do zmiany decyzji.

– Philipie, niestety muszę zacząć więcej czasu spędzać w biurze. Howard nie może sam podejmować wszystkich decyzji.

– Nie ma sprawy. Dam sobie radę.

– Za dzień, dwa wybieram się do Reno. Może poleciałbyś ze mną? – zaproponowała Lara.

Philip pokręcił głową.

– Nie jestem jeszcze gotów. – Spojrzał na swoją bezwładną rękę. – Jeszcze nie.

– W porządku, kochanie. Spędzę tam nie więcej niż dwa, trzy dni.

Kiedy następnego ranka Marian Bell stawiła się w pracy, Lara już na nią czekała. Philip jeszcze spał.

– Marian... znasz tę brylantową bransoletkę, którą dostałam od pana Adlera na urodziny?

– Tak, pani Adler.

– Kiedy ją widziałaś po raz ostatni?

Zastanowiła się.

– Była na toaletce w pani sypialni.

– A więc widziałaś ją?

– Tak. Czy coś się stało?

– Obawiam się, że tak. Bransoletka zniknęła.

Marian patrzyła na nią.

– Zniknęła? Kto mógł ją...?

– Pytałam służbę. Nic nie wiedzą.

– Czy mam zadzwonić na policję i...?

– To nie będzie konieczne. Nie chciałabym cię stawiać w niezręcznej sytuacji.

– Nie rozumiem.

– Czyżby? Myślę, że dla twojego dobra najlepiej będzie zostawić całą tę sprawę tak, jak jest.

Marian patrzyła na Larę, nie wierząc własnym uszom.

– Pani Adler, wie pani, że nie wzięłam tej bransoletki.

– Niby skąd mam mieć taką pewność? Musisz odejść. – Czuła do siebie obrzydzenie za to, co robiła.

Ale nikt nie zabierze mi Philipa. Nikt, pomyślała.

– Muszę zatrudnić nową sekretarkę do pracy w domu oznajmiła Lara, gdy Philip zszedł na śniadanie.

Spojrzał na nią zaskoczony.

– A co z Marian?

– Odeszła. Zaproponowano jej pracę w... w San Francisco.

– Ach, tak. Szkoda. Myślałem, że jej się tu podobało.

- Jestem pewna, że tak, ale przecież nie możemy jej przeszkadzać w karierze zawodowej, prawda? – powiedziała.

Wybacz mi, dodała w myślach.

- Nie, oczywiście, że nie – odparł Philip. – Chciałbym życzyć jej powodzenia. Czy jest...?

- Nie, już wyszła.

- Cóż, będę sobie musiał znaleźć nowego partnera do tryktraka – oświadczył Philip.

- Kiedy moje sprawy zawodowe nieco się ułożą, ja będę do twojej dyspozycji.

Philip i William Ellerbee zajęli miejsca przy stoliku w rogu sali.

- Jak dobrze znów cię widzieć, Philipie – ucieszył się Ellerbee. – Dzwoniłem do ciebie, ale...

- Wiem, przepraszam. Nie byłem w nastroju, by z kimkolwiek rozmawiać.

- Mam nadzieję, że złapią tego łobuza, który to zrobił.

- Policja była na tyle dobra, że wyjaśniła mi, iż poszukiwania sprawców takich napadów nie są przez nich traktowane priorytetowo. W hierarchii ważności spraw plasują się tuż obok przypadków zaginięcia kotów. Wątpię, by go kiedykolwiek ujęli.

- Rozumiem, że już nigdy nie będziesz mógł grać? – zapytał Ellerbee z wahaniem.

- Dobrze rozumiesz. – Philip uniósł bezwładną dłoń. – Jest martwa.

Ellerbee pochylił się i powiedział z mocą:

- Ale przecież ty nie umarłeś, Philipie. Przed tobą jeszcze całe życie.

- I co mam według ciebie robić?

- Uczyć.

Philip uśmiechnął się gorzko.

- Czyż to nie ironia losu? Kiedyś myślałem sobie, że gdy przestanę już jeździć z koncertami, zajmę się pracą pedagogiczną.

– I ten dzień nadszedł – zauważył Ellerbee. – Pozwoliłem sobie przeprowadzić rozmowę z dyrektorem szkoły muzycznej Eastmana w Rochester. Zrobią wszystko, byś u nich uczył.

Philip zmarszczył brwi.

– To oznaczałoby konieczność przeniesienia się do Rochester. Firma Lary mieści się w Nowym Jorku. – Potrząsnął głową. – Nie mogę jej tego zrobić, Bill. Nawet sobie nie wyobrażasz, jaka była dla mnie wspaniała.

– Nie mam co do tego wątpliwości.

– Właściwie przestała się zajmować swoją firmą, by opiekować się mną. To najbardziej czuła, troskliwa kobieta, jaką kiedykolwiek znałem. Kocham ją do szaleństwa.

– Philipie, czy przynajmniej rozważysz ofertę z Rochester?

– Powiedz, że bardzo im dziękuję, ale, niestety, muszę odmówić.

– Jeśli zmienisz zdanie, dasz mi znać?

Philip skinął głową.

– Dowiesz się pierwszy.

Kiedy Philip wrócił do domu, Lary nie było. Chodził po mieszkaniu, nie mogąc sobie znaleźć miejsca. Myślał o rozmowie z Ellerbeem.

Bardzo chciałbym uczyć, ale nie mogę prosić Lary, byśmy się przenieśli do Rochester, a sam tam nie wyjadę – postanowił.

Usłyszał odgłos otwieranych drzwi frontowych.

– Lara?

Weszła Marian.

– Och, przepraszam, Philipie. Nie wiedziałem, że ktoś jest w domu. Przyszłam oddać klucz.

– Myślałem, że jesteś już w San Francisco.

Spojrzała na niego zaskoczona.

– W San Francisco? Dlaczego właśnie tam?

– Czy to nie w San Francisco zaproponowano ci nową pracę?

– Nie mam nowej pracy.

- Jak to? Lara powiedziała, że...

Nagle Marian doznała olśnienia.

- Rozumiem. Nie wyjaśniła ci, dlaczego mnie wylała?

- Wylała cię? Mówiła, że sama odeszłaś... że otrzymałaś propozycję lepszej pracy.

- To nieprawda.

- Usiądź, proszę – powiedział wolno.

Zajęli miejsca naprzeciwko siebie.

- Co się tutaj dzieje? – spytał.

Marian zaczerpnęła głęboko powietrza.

- Zdaje mi się, że twoja żona myśli, iż... iż mam względem ciebie jakieś zamiary.

- O czym ty mówisz?

- Oskarżyła mnie o kradzież brylantowej bransoletki, żeby mieć pretekst do zwolnienia mnie. Jestem pewna, że sama ją gdzieś schowała.

- Nie wierzę – oświadczył z mocą Philip. – Lara nigdy nie zrobiłaby czegoś takiego.

- Zrobiłaby wszystko, by cię zatrzymać przy sobie.

Przyglądał się jej oszołomiony.

- Nie wiem... co powiedzieć. Pozwól mi porozmawiać z Larą i...

- Nie, proszę, nie rób tego. Lepiej będzie, jeśli jej wcale nie powiesz, że tu byłam. – Wstała.

- Co teraz zrobisz?

- Nie martw się, znajdę sobie nową pracę.

- Marian, jeśli mógłbym ci jakoś pomóc...

- Nie możesz mi pomóc.

- Na pewno?

- Na pewno. Uważaj na siebie, Philipie – dodała i skierowała się w stronę drzwi.

Philip nie mógł uwierzyć, by Lara była zdolna do takiej podłości. Zastanawiał się, dlaczego nie powiedziała mu o wszystkim.

Może, pomyślał, Marian naprawdę ukradła bransoletkę, a Lara nie chciała go denerwować. Tak, to na pewno Marian kłamała.

Rozdział 32

Lombard był na South State Street, w samym sercu Chicago. Kiedy Jesse Shaw wszedł do środka, starszy mężczyzna siedzący za kontuarem uniósł głowę.

– Dzień dobry. Czym mogę panu służyć?

Shaw położył na ladzie zegarek.

– Ile mi pan za niego da?

Właściciel lombardu wziął zegarek do ręki i przyjrzał mu się uważnie.

– O, piaget. Ładne cacko.

– Tak. Cholernie ciężko mi się z nim rozstawać, ale chwilowo popadłem w tarapaty. Rozumie mnie pan?

Właściciel lombardu wzruszył ramionami.

– To część mojej pracy. Nie uwierzyłby pan, jakich dramatycznych historii o ludzkich nieszczęściach codziennie tu wysłuchuję.

– Wykupię go za kilka dni. W poniedziałek zaczynam nową robotę. Do tego czasu muszę zdobyć jak najwięcej gotówki.

Właściciel lombardu uważniej przyjrzał się zegarkowi. Na kopercie ktoś próbował zatrzeć jakiś napis. Spojrzał na klienta.

– Jeśli pan pozwoli, spojrzę na mechanizm. Czasami te zegarki produkowane są w Bangkoku, a tam zapominają cokolwiek wsadzić do środka.

Wyszedł z zegarkiem na zaplecze. Przyłożył lupę do oka i przyjrzał się resztkom napisu. Zdołał z trudem odcyfrować „D Phi pa o ko j ej L ry". Otworzył szufladę i wyjął policyjny komunikat. Zawierał opis zegarka z wygrawerowanym na kopercie napisem: „Dla Philipa od kochającej Lary". Sięgnął po telefon, kiedy dobiegł go podniesiony głos klienta.

– Ej, śpieszy mi się. Bierze pan zegarek czy nie?

– Już idę – powiedział właściciel lombardu i wrócił za ladę.

– Mogę go przyjąć za pięćset dolarów.

– Pięćset dolarów? Ten zegarek wart jest...

– Albo się pan decyduje, albo do widzenia.

– Dobra – zgodził się z ociąganiem Shaw. – Biorę.

– Musi pan wypełnić ten druczek – oświadczył właściciel lombardu.

– Jasne. – Napisał: „John Jones, ulica Hunt 21". O ile się orientował, w Chicago nie było takiej ulicy, a już na pewno on nie nazywał się John Jones. Wsunął pieniądze do kieszeni.

– Jestem wielce zobowiązany. Za kilka dni przyjdę, by go wykupić.

– Dobrze.

Właściciel lombardu sięgnął po telefon i wykręcił numer.

Dwadzieścia minut później w lombardzie zjawił się oficer dochodzeniowy.

– Dlaczego nie zadzwonił pan do nas, kiedy jeszcze u pana był? – spytał ostrym tonem.

– Próbowałem. Bardzo się śpieszył i był wyraźnie podenerwowany.

Funkcjonariusz przyjrzał się uważnie wypełnionemu przez klienta formularzowi.

– Nie na wiele się to panu zda – powiedział właściciel lombardu. – To prawdopodobnie zmyślone nazwisko i adres.

Oficer dochodzeniowy odchrząknął.

– Zapewne tak. Czy sam to wypełnił?

– Tak.

– W takim razie złapiemy go.

Policyjny komputer w niespełna trzy minuty zidentyfikował odcisk kciuka pozostawiony na formularzu. Należał do Jessego Shawa.

Do salonu wszedł lokaj.

– Przepraszam, panie Adler, telefon do pana. Jakiś porucznik Mancini. Czy mam...?

– Odbiorę. – Philip podniósł słuchawkę. – Halo?

– Philip Adler?

– Tak.

– Tu porucznik Mancini. Odwiedziłem pana w szpitalu.

– Pamiętam.

– Chciałem pana poinformować o postępie naszych prac w sprawie napadu na pana. Poszczęściło się nam. Mówiłem panu, że nasz szef zamierzał rozesłać do lombardów opis pańskiego zegarka?

– Tak.

– No więc zegarek się odnalazł. Został zastawiony w Chicago. Próbują teraz odszukać człowieka, który go zastawił. O ile dobrze pamiętam, powiedział pan, że rozpoznałby pan sprawcę napadu?

– Zgadza się.

– Dobrze. Będę z panem w kontakcie.

Jerry Townsend wszedł do gabinetu Lary. Był wyraźnie podekscytowany.

– Zgodnie z twoją prośbą sporządziłem listę gości na przyjęcie urodzinowe. Im dłużej nad tym myślę, tym bardziej mi się podoba. Uczcimy twoje czterdzieste urodziny w dniu, w którym zostanie oddany do użytku najwyższy na świecie drapacz chmur. – Wręczył jej spis. – Uwzględniłem też wiceprezydenta. Jest twoim zagorzałym wielbicielem.

Lara przejrzała listę. Przypominała wykaz najwybitniejszych osobistości Waszyngtonu, Hollywood, Nowego Jorku i Londynu. Byli na niej funkcjonariusze państwowi, sławy ze świata filmu, gwiazdy rocka... Sprawiała duże wrażenie.

– Świetnie – powiedziała Lara. – Akceptuję ją.

– Każę wydrukować zaproszenia i je rozesłać. Zadzwoniłem już do Carlosa i poleciłem, by zarezerwował wielką salę balową oraz przygotował twoje ulubione menu. Wydamy przyjęcie na dwieście osób. W razie potrzeby zawsze będzie można dokonać jeszcze drobnej korekty. A czy wiadomo coś nowego w sprawie Reno?

Tego ranka Lara rozmawiała z Terrym Hillem.

– Laro, wielka ława przysięgłych prowadzi dochodzenie. Trzeba się liczyć z tym, że przedstawią ci akt oskarżenia.

– Jak mogą to zrobić? Fakt, że kilka razy rozmawiałam z Paulem Martinem, niczego jeszcze nie dowodzi. Mogliśmy rozmawiać o sytuacji na świecie albo o jego wrzodach, albo o tysiącu innych spraw.

– Laro, nie miej pretensji do mnie. Jestem po twojej stronie.

– Więc zrób coś. Jesteś w końcu moim adwokatem. Wyciągnij mnie z tego, do cholery.

– Nie. Wszystko będzie w porządku – powiedziała Lara Townsendowi.

– To dobrze. Rozumiem, że razem z Philipem idziecie w sobotę na obiad do burmistrza.

– Tak. – Początkowo chciała zrezygnować z zaproszenia, ale Philip nalegał:

– Ci ludzie są ci potrzebni. Nie stać cię na to, by ich lekceważyć. Chcę, byś poszła.

– Bez ciebie nie pójdę, kochanie.

Wziął głęboki oddech.

– Dobrze. Pójdę z tobą. Myślę, że czas przestać żyć jak pustelnik.

W sobotę wieczorem Lara pomogła się Philipowi ubrać. Zapięła mu spinki u kołnierzyka i u mankietów koszuli, zawiązała krawat. Stał bez słowa, przeklinając w duchu swoją nieporadność.

– Zupełnie jak Ken i Barbie, co?

– Słucham?

– Nie, nic.

– No, gotowe, kochanie. Będziesz najprzystojniejszym mężczyzną na przyjęciu.

– Dziękuję.

– Pójdę się ubrać – powiedziała. – Burmistrz nie lubi spóźnialskich.

– Zaczekam w bibliotece – odparł.

Pół godziny później Lara weszła do biblioteki. Wyglądała zachwycająco. Miała na sobie piękną, białą suknię od Oscara de la Renty. Na przegubie dłoni połyskiwała brylantowa bransoletka, którą podarował jej Philip.

W nocy Philip nie mógł zasnąć. Spoglądał na Larę i zastanawiał się, jak mogła tak obłudnie oskarżyć Marian o kradzież bransoletki. Wiedział, że musi doprowadzić do konfrontacji obu kobiet, ale najpierw chciał porozmawiać z Marian.

W niedzielę z samego rana, kiedy Lara jeszcze spała, cicho się ubrał i wyszedł z domu. Pojechał taksówką do mieszkania Marian. Nacisnął guzik dzwonka i czekał.

– Kto tam? – rozległ się zaspany głos.

– Philip. Muszę z tobą porozmawiać.

Drzwi otworzyły się i w progu stanęła Marian.

– Philip? Czy coś się stało?

– Musimy porozmawiać.

– Wejdź, proszę.

– Przepraszam, jeśli cię obudziłem – powiedział – ale to bardzo ważne.

– Co się stało?

Wziął głęboki oddech.

– Miałaś rację. Wczoraj wieczorem Lara włożyła brylantową bransoletkę. Chciałem cię przeprosić. Myślałem, że... że może ty... Chciałem cię przeprosić.

– To zupełnie zrozumiałe, że uwierzyłeś jej – odezwała się cicho Marian. – Jest przecież twoją żoną.

– Zamierzam dziś rano przeprowadzić konfrontację, ale najpierw chciałem porozmawiać z tobą.

Marian odwróciła się do niego.

– Cieszę się, że przyszedłeś do mnie. Nie chcę, żebyś rozmawiał z nią o tej sprawie.

– Dlaczego? – spytał Philip. – Nie pojmuję, dlaczego tak postąpiła.

– Nie domyślasz się, prawda?

– Mówiąc szczerze, nie. To nie miało żadnego sensu.

– Cóż, wydaje mi się, że rozumiem ją lepiej od ciebie. Lara jest w tobie zakochana do szaleństwa. Zrobi wszystko, by cię zatrzymać przy sobie. Jesteś prawdopodobnie jedyną osobą, którą pokochała. Potrzebuje ciebie. I odnoszę wrażenie, że ty potrzebujesz jej. Bardzo ją kochasz, prawda, Philipie?

– Tak.

– W takim razie zapomnijmy o całej tej historii. Jeśli poruszysz z nią ten temat, nic dobrego z tego nie wyniknie, a może jedynie pogorszyć panujące między wami stosunki. Bez trudu znajdę sobie nową pracę.

– Ale to niesprawiedliwe wobec ciebie, Marian.

Zmusiła się do uśmiechu.

– Życie nie zawsze jest sprawiedliwe.

W przeciwnym razie to ja byłabym panią Adler, dodała w myślach.

– Nie martw się. Poradzę sobie.

– Przynajmniej pozwól mi coś dla ciebie zrobić. Pozwól sobie wręczyć trochę pieniędzy, by wynagrodzić ci...

– Dziękuję, ale nie.

Miała mu tyle do powiedzenia, ale wiedziała, że to nie miałoby sensu. Był zakochany.

– Wracaj do niej, Philipie.

Plac budowy znajdował się przy chicagowskiej Wabash Avenue, na południe od Loop. Prace przy dwudziestoczteropiętrowym biurowcu, na poły ukończonym, były w pełnym toku. Z nieoznakowanego wozu policyjnego, który zatrzymał się na rogu, wysiedli dwaj mężczyźni. Weszli na plac budowy i zaczepili jednego z przechodzących robotników.

– Gdzie kierownik?

Wskazał potężnego, tęgiego mężczyznę wymyślającego jakiemuś robotnikowi.

– Tam.

Nieznajomi zbliżyli się do niego.

– Czy to pan jest tu kierownikiem?

Odwrócił się i powiedział zniecierpliwionym tonem:

– Tak, jestem kierownikiem i do tego bardzo zajętym. Czego chcecie?

– Czy w pana ekipie pracuje niejaki Jesse Shaw?

– Shaw? No pewnie. Jest tam. – Wskazał mężczyznę stojącego na stalowym rusztowaniu, kilkanaście pięter nad ziemią.

– Czy mógłby go pan poprosić, by zszedł na dół?

– Nie, do cholery. Ma robotę i…

Jeden z funkcjonariuszy wyciągnął odznakę.

– Każ mu tu przyjść.

– O co chodzi? Czy Jesse napytał sobie jakiejś biedy?

– Nie, chcemy z nim tylko zamienić parę słów.

– Dobra. – Kierownik zwrócił się do jednego z pracujących w pobliżu robotników: – Idź na górę i powiedz Jessemu, by tu zszedł.

– Już się robi.

Kilka minut później Jesse Shaw zbliżył się do dwóch agentów śledczych.

– Ci panowie chcą z tobą porozmawiać – oznajmił kierownik i odszedł.

Jesse uśmiechnął się do nieznajomych.

– Dziękuję. Przyda mi się chwila przerwy. Czym mogę panom służyć?

Jeden z mężczyzn wyciągnął zegarek.

– Czy to pana zegarek?

Uśmiech zniknął z twarzy Shawa.

– Nie.

– Na pewno?

– Na pewno. – Wskazał na swoją rękę. – Mam seiko.

– Ale to pan zastawił ten zegarek.

Shaw zawahał się przez chwilę.

– Ach, tak. Ten drań dał mi tylko pięćset dolarów. Jest wart co najmniej…

– Powiedział pan, że to nie pański zegarek.

– Zgadza się, nie należy do mnie.

– W takim razie, skąd go pan miał?

– Znalazłem go.

– Naprawdę? Gdzie?

– W pobliżu domu. – Zapalił się do swojej historyjki. – Leżał w trawie. Zobaczyłem go, kiedy wysiadałem z samochodu. Promienie słońca padły akurat na bransoletkę. Dzięki temu go zauważyłem.

– Miał pan szczęście, że nie było pochmurno.

– Tak.

– Panie Shaw, lubi pan podróżować?

– Nie.

– Szkoda, bo pojedzie pan do Nowego Jorku. Pomożemy się panu spakować.

Kiedy znaleźli się w mieszkaniu Shawa, zaczęli się po nim rozglądać.

– Wolnego! – zaprotestował Shaw. – Macie nakaz rewizji?

– Nie jest nam potrzebny. Pomagamy się panu jedynie spakować.

Jeden z mężczyzn zajrzał do garderoby. Wysoko na półce stało pudełko po butach. Zdjął je i zajrzał do środka.

– Jezu! – krzyknął. – Spójrz tylko, co tu zostawił święty Mikołaj.

Lara była w swoim gabinecie, kiedy w interkomie rozległ się głos Kathy.

– Panno Cameron, na czwórce pan Tilly.

Tilly odpowiadał za budowę Cameron Towers.

Lara podniosła słuchawkę.

– Halo?

– Panno Cameron, mieliśmy rano mały problem.

– To znaczy?

– Wybuchł pożar. Już go ugasiliśmy.

– Jak to się stało?

– W pomieszczeniu z klimatyzatorami przepalił się transformator. Nastąpiło krótkie spięcie. Wygląda na to, jakby go ktoś źle nawinął.

– Jakie są następstwa pożaru?

– Cóż, zdaje się, że stracimy dzień lub dwa, żeby wszystko uprzątnąć i przewinąć transformator.

– Przypilnuj, by to zrobiono. Informuj mnie na bieżąco.

Lara wróciła do domu późno, zupełnie wykończona.

– Martwię się o ciebie – powiedział jej Philip. – Czy mogę coś zrobić, żeby ci jakoś pomóc?

– Nie, najdroższy. – Zmusiła się do uśmiechu. – Po prostu mam trochę problemów w pracy.

Wziął ją w ramiona.

– Czy powiedziałem ci kiedyś, że za tobą szaleję?

Spojrzała na niego z uśmiechem.

– Powtórz to jeszcze raz.

– Szaleję za tobą.

Przytuliła się do niego.

Właśnie tego pragnę. Właśnie tego chcę, pomyślała.

– Najdroższy, kiedy skończą się moje kłopoty, wyjedźmy gdzieś. Tylko we dwoje.

– Umowa stoi.

Kiedyś, postanowiła Lara, muszę mu powiedzieć, jak postąpiłam wobec Marian. Wiem, że to było podłe. Ale umarłabym, gdybym go straciła.

Nazajutrz Tilly znów zadzwonił.

– Czy kazała pani anulować zamówienie na marmur do wyłożenia posadzek w holu?

– Dlaczego miałabym kazać to zrobić? – wolno powiedziała Lara.

– Nie wiem. Ale ktoś to zrobił. Marmur miał być przywieziony dzisiaj. Kiedy zadzwoniłem do dostawcy, powiedziano mi, że dwa miesiące temu na pani polecenie zamówienie zostało anulowane.

Lara siedziała wściekła.

– Rozumiem. Jakie spowoduje to opóźnienie?

– Jeszcze nie wiem.

– Zażądaj, by potraktowali sprawę priorytetowo.

Do gabinetu wszedł Keller.

– Laro, obawiam się, że bankierzy zaczynają się denerwować. Nie wiem, jak długo jeszcze uda mi się ich zwodzić.

– Tylko do ukończenia Cameron Towers, Howardzie. Do zakończenia prac pozostały trzy miesiące. Ani się obejrzymy, kiedy nadejdzie ten dzień.

– Powiedziałem im to. – Westchnął. – Dobrze. Porozmawiam z nimi jeszcze raz.

W interkomie rozległ się głos Kathy.

– Na jedynce pan Tilly.

Lara spojrzała na Kellera.

– Nie wychodź.

Podniosła słuchawkę.

– Tak? – powiedziała.

– Panno Cameron, mamy kolejny problem.

– Co się stało tym razem? – spytała.

– Chodzi o windy. Programatory są niezsynchronizowane i wszystkie przyciski źle działają. Kiedy naciska się guzik, by zjechać na dół, winda jedzie do góry. Naciska się osiemnaste piętro, a winda zjeżdża na parter. Jeszcze nigdy nie widziałem czegoś podobnego.

– Sądzi pan, że zostało to zrobione rozmyślnie?

– Trudno powiedzieć. Może to zwykłe niedbalstwo.

– Ile czasu pochłonie naprawienie wind?

– Poleciłem już kilku robotnikom, by się tym zajęli.

– Zadzwoń jeszcze. – Odłożyła słuchawkę.

– Wszystko w porządku? – spytał Keller.

Lara uchyliła się od odpowiedzi.

– Howardzie, czy słyszałeś ostatnio coś o Stevie Murchinsonie?

Spojrzał na nią wyraźnie zaskoczony.

– Nie. A dlaczego pytasz?

– Po prostu jestem ciekawa.

Konsorcjum banków finansujących Cameron Enterprises miało podstawy do obaw. Nie tylko Cameron Enterprises znalazło się w opałach; większość obsługiwanych przez nich dużych korporacji borykała się z poważnymi problemami. Spadek wartości tandetnych obligacji stanowił poważny cios dla wszystkich firm, które na nich polegały.

Howard miał właśnie spotkanie z sześcioma przedstawicielami banków. Nastrój był ponury.

– Zalegają państwo z płatnościami na prawie sto milionów dolarów – powiedział rzecznik bankowców. – Obawiam się, że nie możemy dłużej finansować Cameron Enterprises.

– Zapominają panowie o kilku faktach – zwrócił im uwagę Keller. – Po pierwsze, lada dzień spodziewamy się odzyskać licencję na prowadzenie kasyna w Reno. Dopływ gotówki z tego źródła wyrówna z nawiązką wszelkie niedobory. Po drugie, realizacja Cameron Towers przebiega zgodnie z harmonogramem. Budowa zostanie ukończona za dziewięćdziesiąt dni. Siedemdziesiąt procent powierzchni jest już wynajęte i mogę panów zapewnić, że w dniu ukończenia prac ludzie będą się bić o lokale w tym budynku. Panowie, wasze pieniądze nie mogą być lepiej zabezpieczone, niż są obecnie. Mają państwo do czynienia z działającą cuda Larą Cameron.

Mężczyźni popatrzyli po sobie.

– Pozwoli pan, że przedyskutujemy to we własnym gronie. Skontaktujemy się z panem ponownie – oznajmił rzecznik.

– Świetnie. Poinformuję o tym panno Cameron.

Keller zdał raport Larze.

– Myślę, że się nie wycofają – powiedział – ale na razie, by jakoś przetrwać, musimy sprzedać jeszcze kilka nieruchomości.

– Dobrze.

Lara przychodziła do biura wcześnie rano i wychodziła późnym wieczorem, rozpaczliwie walcząc o uratowanie swojego imperium. Rzadko widywała się z Philipem. Nie chciała, żeby się dowiedział, z jak poważnymi kłopotami boryka się w firmie.

Ma dosyć własnych problemów, pomyślała. Nie mogę go obarczać jeszcze swoimi.

W poniedziałek o szóstej rano zadzwonił Tilly.

– Panno Cameron, uważam, że powinna pani przyjechać na budowę.

Lara poczuła niepokój.

– Co się stało?

– Wolę, żeby sama pani to zobaczyła.

– Już jadę.

Zadzwoniła do Kellera.

– Howardzie, znów jakiś problem z Cameron Towers. Wpadnę po ciebie w drodze na budowę.

Pół godziny później już tam jechali.

– Czy Tilly powiedział, co się stało? – spytał Keller.

– Nie, ale przestałam wierzyć w przypadki. Zastanawiałam się nad twoimi słowami. Steve'owi Murchinsonowi bardzo zależało na tej nieruchomości. Sprzątnęłam mu ją sprzed nosa.

Kiedy pojawili się na placu budowy, ujrzeli leżące na ziemi olbrzymie tafle barwionego szkła. Ciężarówki zwoziły następne partie. Tilly pospieszył w stronę Lary i Kellera.

– Cieszę się, że państwo przyszli.

– Jaki znów problem?

– To nie jest szkło, które zamawialiśmy. Nie ten kolor i wielkość. W żaden sposób nie będzie się nadawało do wyłożenia ścian budynku.

Lara i Keller spojrzeli po sobie.

– Czy można je na miejscu przyciąć do właściwych rozmiarów? – spytał Keller.

Tilly pokręcił głową.

– Wykluczone. Zostalibyśmy z górą potłuczonego szkła.

– U kogo złożyliśmy zamówienie? – spytała Lara.

– W New Jersey Panel and Glass Company.

– Zadzwonię do nich – oświadczyła. – Kiedy najpóźniej musimy mieć szkło?

Tilly obliczał coś w myślach.

– Jeśli dostarczą je za dwa tygodnie, możemy jeszcze nadrobić stracony czas. Nie będzie łatwo, ale damy radę.

– Chodźmy – powiedziała Lara do Kellera.

Dyrektorem New Jersey Panel and Glass Company był Otto Karp. Niemal natychmiast odebrał telefon.

– Tak, panno Cameron? Rozumiem, że ma pani jakiś problem.

– Nie – zaprzeczyła Lara. – To pan go ma. Dostarczył nam pan złe szkło. Jeśli w ciągu dwóch tygodni nie otrzymam towaru, zgodnego z zamówieniem, zaskarżę pańską firmę. Wstrzymuje pan inwestycję wartości trzystu milionów dolarów.

– Nie rozumiem, jak mogło do tego dojść. Czy może pani chwilkę zaczekać?

Nie było go pięć minut. Kiedy znów podszedł do aparatu, powiedział:

– Bardzo mi przykro, panno Cameron, państwa zamówienie zostało nieprawidłowo wprowadzone. Stało się to...

– Nie obchodzi mnie, jak to się stało – przerwała mu. – Chcę jedynie, by zrealizował pan nasze zamówienie i dostarczył towar.

– Zrobię to z największą przyjemnością.

Lara poczuła ulgę.

– Kiedy otrzymamy szyby?

– Za dwa, trzy miesiące.

– Za dwa, trzy miesiące! To wykluczone! Potrzebne nam są teraz.

– Z radością bym je pani dostarczył – powiedział Karp – ale niestety jesteśmy opóźnieni z realizacją zamówień i...

– Nie rozumie mnie pan – przerwała mu. – To bardzo pilne.

– Świetnie panią rozumiem. Zrobimy wszystko, co będzie w naszej mocy. Będzie pani miała szyby za dwa, trzy miesiące. Przykro mi, że nie jesteśmy w stanie wcześniej...

Lara rzuciła słuchawkę.

– Nie wierzę w to – stwierdziła. Spojrzała na Tilly'ego. – Czy jest jakaś inna firma, do której możemy się zwrócić?

Tilly potarł ręką czoło.

– Teraz już za późno. Jeśli zamówimy szyby u kogoś innego, będą zaczynali wszystko od początku, a ich stali klienci znajdą się daleko przed nami.

– Laro, czy mogę zamienić z tobą parę słów? – zapytał Keller. Odeszli na bok. – Proponując ci to, mam mieszane uczucia, ale może...

– Mów.

– ...może twój przyjaciel Paul Martin ma tam jakieś wpływy? Albo może zna kogoś, kto zna kogoś?

Lara skinęła głową.

– Dobry pomysł, Howardzie. Dowiem się tego.

Dwie godziny później siedziała w gabinecie Paula Martina.

– Nie wiesz, jaki jestem szczęśliwy, że zadzwoniłaś – powiedział prawnik. – Za długo się nie widzieliśmy. Wyglądasz ślicznie, Laro.

– Dziękuję, Paul.

– Co mogę dla ciebie zrobić?

– Wygląda na to, że przychodzę do ciebie zawsze, kiedy mam kłopoty – powiedziała Lara z wahaniem.

– Zawsze mogłaś na mnie liczyć, prawda?

– Tak. Dobry z ciebie przyjaciel. – Westchnęła. – A właśnie teraz potrzebuję dobrego przyjaciela.

– Jaki masz problem? Kolejny strajk?

– Nie. Chodzi o Cameron Towers.

Zmarszczył brwi.

– Słyszałem, że wszystko idzie zgodnie z harmonogramem.

– Szło. Myślę, że Steve Murchinson próbuje sabotować nasze inwestycje. Mści się na mnie. Nagle na budowie zaczęły się problemy. Dotychczas jakoś je rozwiązywaliśmy. Teraz... teraz mamy naprawdę poważny kłopot. Grozi nam, że nie skończymy prac w terminie. Wówczas wycofają się dwie firmy, które wydzierżawiły największą powierzchnię. Nie mogę do tego dopuścić.

Zaczerpnęła głęboko powietrza, starając się zapanować nad gniewem.

– Sześć miesięcy temu zamówiliśmy szyby w New Jersey Panel and Glass Company. Dziś dostarczono towar. Tylko że nie ten, który zamówiliśmy.

– Zadzwoniłaś do nich?

– Tak, ale obiecują właściwy za dwa, trzy miesiące. Potrzebny mi jest w ciągu czterech tygodni. Dopóki go nie będzie, ludzie nie mają nic do roboty. Przestali pracować. Jeśli ten budynek nie zostanie ukończony w terminie, stracę wszystko, co mam.

Paul Martin spojrzał na nią.

– Nie stracisz. Zobaczę, co będę mógł zrobić – obiecał.

Larę ogarnęło uczucie ulgi.

– Paul, jestem... – Trudno było jej to wyrazić w słowach. – Dziękuję.

Ujął jej dłoń i uśmiechnął się zagadkowo.

– Dinozaur jeszcze nie umarł – powiedział. – Jutro powinienem już coś wiedzieć.

Nazajutrz rano po raz pierwszy od wielu miesięcy zadzwonił stojący na biurku Lary telefon bezpośredni. Szybko podniosła słuchawkę.

– Paul?

– Cześć, Laro. Porozmawiałem sobie z jednym z moich przyjaciół. Nie będzie to łatwe, ale da się zrobić. Obiecali dostawę za tydzień, licząc od poniedziałku.

W dniu, kiedy miała nastąpić dostawa szkła, Lara ponownie zadzwoniła do Paula Martina.

– Paul, szyb jeszcze nie przywieziono – powiedziała.

– Tak? – Zapadła cisza. – Zainteresuję się tym. – Jego głos stał się delikatniejszy. – Wiesz, jedyną dobrą stroną tego wszystkiego jest to, moja mała, że znów z tobą rozmawiam.

– Tak. Ja... Paul... jeśli te szyby nie przyjdą na czas...

– Będziesz je miała. Nie poddawaj się tak łatwo.

Pod koniec tygodnia wciąż nie było żadnych wiadomości o dostawie.

Do gabinetu Lary wszedł Keller.

– Właśnie rozmawiałem z Tillym. Ostateczny termin to piątek. Jeśli przywiozą szyby do tego czasu, wszystko się nam uda. W przeciwnym razie będzie po nas.

Do czwartku nic się nie zmieniło.

Lara pojechała na budowę Cameron Towers. Na placu nie było robotników. Drapacz chmur wznosił się majestatycznie ku niebu, przyćmiewając wszystko wokół. To będzie piękny budynek. Jej pomnik.

Nie pozwolę, by ta inwestycja padła, pomyślała.

Ponownie zatelefonowała do Paula Martina.

– Przykro mi – odezwała się sekretarka – ale pana Martina nie ma w biurze. Czy zostawi pani jakąś wiadomość?

– Proszę mu powtórzyć, by do mnie zadzwonił – poleciła. Odwróciła się do Kellera. – Mam pewne przeczucie. Proszę cię, byś coś sprawdził. Dowiedz się, czy właścicielem tej wytwórni szyb nie jest przypadkiem Steve Murchinson.

Trzydzieści minut później Keller wrócił do gabinetu Lary. Był blady.

– No i co? Dowiedziałeś się, do kogo należą te zakłady?

– Tak – powiedział wolno. – Zarejestrowane są w Delaware. Należą do Etna Enterprises.

– Etna Enterprises?

– Zgadza się. Kupili je rok temu. Etna Enterprises to Paul Martin.

Rozdział 33

Cameron Enterprises wciąż miało złą prasę. Dziennikarze, którzy poprzednio tak ochoczo wychwalali Larę
Cameron, zwrócili się teraz przeciwko niej.

– Martwię się – powiedział Jerry Townsend do
Kellera.

– Czym?

– Czytałeś gazety?

– Tak. Urządzili sobie polowanie na Larę.

– Martwię się o przyjęcie urodzinowe, Howardzie.
Rozesłałem zaproszenia, ale od czasu tej nagonki na
Larę otrzymuję same odmowy. Ci dranie boją się, żeby
nie spadło na nich przypadkiem jakieś odium. Zapowiada się klapa.

– Co proponujesz?

– Odwołać przyjęcie. Wymyślę jakiś pretekst.

– Sądzę, że masz rację. Nie chcę, by Lara czuła
się upokorzona.

– Dobrze. W takim razie odwołam wszystko. Powiesz jej o tym?

– Tak.

Zadzwonił Terry Hill.

– Właśnie otrzymałem zawiadomienie, że zostaniesz
wezwana do stawienia się pojutrze przed wielką ławą przysięgłych w Reno w celu złożenia zeznań. Pojadę z tobą.

Stenogram przesłuchania Jessiego Shawa przez
porucznika Sala Manciniego:

„Pytanie: Dzień dobry, panie Shaw. Jestem porucznik Mancini. Wie pan, że nasza rozmowa jest
protokołowana?

Odpowiedź: No pewnie.

P.: I zrezygnował pan z adwokata?

O.: Niepotrzebny mi żaden adwokat. Na rany bo-
skie, znalazłem ten zegarek, a oni zaciągnęli mnie tutaj
jak jakieś zwierzę.

P.: Panie Shaw, czy zna pan Philipa Adlera?

O.: Nie. A powinienem?

P.: Nikt panu nie zapłacił za dokonanie napadu na niego?

O.: Powiedziałem już, że nigdy o nim nie słyszałem.

P.: Policja z Chicago znalazła w pana mieszkaniu pięćdziesiąt tysięcy dolarów w gotówce. Skąd ma pan te pieniądze?

O.: (Brak odpowiedzi na pytanie)

P.: Panie Shaw...?

O.: Wygrałem.

P.: Gdzie?

O.: Na wyścigach... w totka... wiadomo.

P.: Nieźle się panu poszczęściło, co?

O.: Tak. Myślę, że tak.

P.: Teraz pracuje pan w Chicago, prawda?

O.: Tak.

P.: Czy kiedykolwiek pracował pan w Nowym Jorku?

O.: Tak, raz.

P.: Mam przed sobą raport policji, z którego wynika, że był pan operatorem dźwigu na budowie w Queens. To pan spowodował śmierć kierownika budowy, niejakiego Billa Whitmana, prawda?

O.: Tak. Ale to był wypadek.

P.: Jak długo pracował pan na tej budowie?

O.: Nie pamiętam.

P.: Proszę mi pozwolić odświeżyć pańską pamięć. Był pan tam zatrudniony siedemdziesiąt dwie godziny. Przyleciał pan do Nowego Jorku dzień przed wypadkiem, a wrócił pan do Chicago dwa dni później. Zgadza się?

O.: Chyba tak.

P.: Według danych American Airlines dwa dni przed napadem na Philipa Adlera przyleciał pan z Chicago do Nowego Jorku i wrócił pan do Chicago następnego dnia. Jaki był cel tak krótkiej wizyty?

O.: Chciałem obejrzeć kilka przedstawień.

P.: Czy pamięta pan ich tytuły?

O.: Nie. Od tamtej pory upłynęło już nieco czasu.

363

P.: Kto był pana pracodawcą, kiedy wydarzył się ten wypadek z dźwigiem?

O.: Cameron Enterprises.

P.: A gdzie jest pan teraz zatrudniony?

O.: W Cameron Enterprises".

Howard Keller od godziny rozmawiał z Larą o sposobach przeciwdziałania nagonce prasowej na firmę. Spotkanie miało się ku końcowi.

– Masz jeszcze coś? – spytała Lara.

Howard zmarszczył brwi. Ktoś prosił go, by jej coś powtórzył, ale nie mógł sobie przypomnieć, co to takiego było.

Cóż, prawdopodobnie to nic ważnego, pomyślał.

– Panie Adler, telefon do pana – powiedział Simms. – Jakiś porucznik Mancini.

Philip podniósł słuchawkę.

– Tak, poruczniku? Co mogę dla pana zrobić?

– Mam dla pana nowe wiadomości, panie Adler.

– Czy może znaleźliście tego człowieka?

– Wolę przyjść i porozmawiać o tym z panem osobiście. Czy nie ma pan nic przeciwko temu?

– Oczywiście, że nie.

– Będę za pół godziny.

Philip odłożył słuchawkę, zastanawiając się, cóż takiego ma mu do powiedzenia Mancini, że nie chciał o tym mówić przez telefon.

Kiedy policjant przyszedł do mieszkania Adlerów, Simms zaprowadził go do biblioteki.

– Dzień dobry, panie Adler.

– Dzień dobry. O co chodzi?

– Złapaliśmy mężczyznę, który na pana napadł.

– Naprawdę? Jestem szczerze zdumiony – odparł Philip. – Wydawało mi się, że powiedział pan, iż to niemożliwe.

– To nie jest zwykły bandzior.

Philip zmarszczył brwi.

– Nie rozumiem.

– To robotnik budowlany. Pracuje w Chicago i Nowym Jorku. Był notowany przez policję za kradzież z włamaniem. Dzięki temu, że oddał pański zegarek do lombardu, zdobyliśmy jego odciski palców. – Mancini wyciągnął zegarek. – To pański zegarek, prawda?

Philip patrzył na piageta, bojąc się go dotknąć. Jego widok przypomniał mu tę straszną chwilę, kiedy nieznajomy chwycił go za rękę i przejechał po niej nożem. Niechętnie wziął zegarek. Spojrzał na kopertę, z której próbowano zdrapać napis.

– Tak.

Porucznik Mancini odebrał mu zegarek.

– Zatrzymamy go na razie jako dowód rzeczowy. Chciałbym, aby jutro rano przyszedł pan do nas w celu zidentyfikowania sprawcy.

Na myśl, że znów stanie twarzą w twarz z tym człowiekiem, Philipa ogarnęła fala gniewu.

– Dobrze.

– Identyfikacja odbędzie się przy Police Plaza 1 w pokoju 212. Odpowiada panu godzina dziesiąta?

– Oczywiście. – Zmarszczył brwi. – Co miał pan na myśli, mówiąc, że to nie jest zwykły bandzior?

Porucznik Mancini zawahał się.

– Zapłacono mu za dokonanie napadu na pana.

Philip patrzył na niego z niedowierzaniem.

– Co takiego?

– To, co pana spotkało, to nie był wypadek. Za napad na pana zapłacono mu pięćdziesiąt tysięcy dolarów.

– Nie wierzę – powiedział wolno Philip. – Kto zapłaciłby komuś pięćdziesiąt tysięcy dolarów za okaleczenie mnie?

– Został wynajęty przez pańską żonę.

Rozdział 34

Został wynajęty przez pańską żonę!

Philip był oszołomiony. Lara? Czyżby była zdolna do czegoś takiego? Jaki miałaby powód?

„Nie rozumiem, dlaczego codziennie ćwiczysz. Przecież nie przygotowujesz się teraz do żadnego koncertu..."

„Nie musisz wyjeżdżać. Nie chcę mieć męża na ćwierć etatu... Przecież nie jesteś jakimś tam wędrownym grajkiem..."

„Oskarżyła mnie o kradzież brylantowej bransoletki... Zrobiłaby wszystko, by cię zatrzymać..."

I jeszcze słowa Ellerbee'ego: „Czy myślisz o ograniczeniu liczby koncertów...? Rozmawiałem z Larą..."

Lara.

Przy Police Plaza nr 1 odbywało się spotkanie z udziałem prokuratora okręgowego, komisarza policji i porucznika Manciniego.

– Nie mamy tu do czynienia z jakąś zwykłą kobietą – mówił prokurator okręgowy. – To wielce wpływowa osoba. Jak mocne dowody ma pan, poruczniku Mancini?

– Rozmawiałem z pracownikami Cameron Enterprises – powiedział Mancini. – Jesse Shaw został zatrudniony na polecenie Lary Cameron. Spytałem ich, czy kiedykolwiek osobiście zatrudniała pracowników budowlanych. Odpowiedź brzmiała „nie".

– Co jeszcze?

– Krążyły plotki, że szef budowy, niejaki Bill Whitman, chełpił się przed swoimi kumplami, iż wie coś o Larze Cameron, dzięki czemu stanie się człowiekiem bardzo bogatym. Wkrótce potem zginął w wypadku spowodowanym przez dźwig, którego operatorem był Jesse Shaw. Shaw został przeniesiony z budowy w Chicago do Nowego Jorku. Bezpośrednio po wypadku wrócił do Chicago. Nie ma wątpliwości, że było to ukartowane. Nawiasem mówiąc, za jego bilet lotniczy zapłaciło Cameron Enterprises.

– A co z napadem na Adlera?

– Ten sam modus operandi. Shaw przyleciał z Chicago dwa dni przed napadem i opuścił miasto nazajutrz po jego dokonaniu. Gdyby nie połakomił się na kilka dolarów więcej i nie zaniósł zegarka do lombardu, zamiast go gdzieś wyrzucić, nigdy byśmy go nie złapali.

– A co z motywem? – spytał komisarz policji. – Dlaczego miałaby pragnąć okaleczenia swego męża?

– Rozmawiałem ze służbą. Lara Cameron szaleje za swoim mężem. Jedyna rzecz, o którą się kiedykolwiek sprzeczali, to jego wyjazdy na tournées koncertowe. Chciała, by więcej czasu spędzał w domu.

– No to teraz ma, czego chciała.

– Właśnie.

– A co ona na to? – spytał prokurator okręgowy. – Czy zaprzeczyła?

– Jeszcze z nią nie rozmawialiśmy. Najpierw chcieliśmy spotkać się z panem.

– Mówicie, że Philip Adler może zidentyfikować Shawa?

– Tak.

– Dobrze.

– Dlaczego nie pośle pan jednego ze swych ludzi do Lary Cameron? Zobaczymy, co ma do powiedzenia.

Lara rozmawiała z Howardem Kellerem, kiedy zabrzęczał interkom.

– Chce się z panią widzieć jakiś porucznik Mancini.

Lara zmarszczyła brwi.

– W jakiej sprawie?

– Nie powiedział.

– Wpuść go.

Porucznik Mancini wkraczał na niepewny grunt. Nie dysponował bezpośrednimi dowodami i wiedział, że trudno będzie cokolwiek wyciągnąć z Lary Cameron.

Ale muszę spróbować, pomyślał.

Nie spodziewał się zastać u niej Howarda Kellera.

– Dzień dobry, poruczniku.

– Dzień dobry.

– Zna pan Howarda Kellera?

– Oczywiście. Najlepszy rzucający w Chicago.

– W czym mogę panu pomóc? – spytała Lara.

Była to delikatna sprawa.

Najpierw trzeba ustalić, czy znała Jessiego Shawa, i z tego punktu ciągnąć dalej – pomyślał.

– Aresztowaliśmy mężczyznę, który dokonał napadu na pani męża. – Obserwował jej twarz.

– Tak?! No i kto...?

– Jak wpadliście na jego ślad? – przerwał jej Howard Keller.

– Oddał do lombardu zegarek, który Miss Cameron podarowała swojemu mężowi. – Mancini znów spojrzał na Larę. – Ten człowiek nazywa się Jesse Shaw.

Wyraz jej twarzy nie uległ najmniejszej zmianie. Niezła jest, pomyślał Mancini. Naprawdę niezła.

– Zna go pani?

Lara zmarszczyła brwi.

– Nie. A któż to taki!?

To jej pierwsze potknięcie, pomyślał Mancini. Mam ją.

– Pracuje na jednej z pani budów w Chicago. Był również zatrudniony na budowie w Queens. To on obsługiwał dźwig, który zabił człowieka. – Udał, że sprawdza coś w notesie. – Niejakiego Billa Whitmana. W wyniku dochodzenia uznano to za wypadek.

Lara przełknęła ślinę.

– Tak...

Zanim zdołała powiedzieć coś więcej, odezwał się Keller.

– Panie poruczniku, w tej firmie pracują setki ludzi. Chyba nie myśli pan, że ich wszystkich znamy.

– Pan nie zna Jessiego Shawa?

– Nie. I jestem pewien, że Miss Cameron...

– Jeśli pan pozwoli, wolałbym to usłyszeć z jej ust.
– Nigdy nie słyszałam o tym człowieku – powiedziała Lara Cameron.
– Za napad na pani męża zapłacono mu pięćdziesiąt tysięcy dolarów.
– Nie... nie wierzę! – Nagle z twarzy odpłynęła jej cała krew.

Teraz się do niej dobiorę, pomyślał Mancini.
– Nic pani o tym nie wiedziała?

Spojrzała na niego błyszczącymi z gniewu oczami.
– Czy sugeruje pan...? Jak pan śmie! Jeśli ktoś go do tego skłonił, chcę wiedzieć, co to za jeden!
– Podobnie jak pani mąż, panno Cameron.
– Rozmawiał pan o tym z Philipem?
– Tak. Jestem...

W chwilę później Lara wybiegła z biura.

Kiedy dotarła do domu, Philip był w sypialni i się pakował. Z powodu bezwładnej ręki szło mu to dość niezdarnie.
– Philipie... co robisz?

Odwrócił się do niej i odniósł wrażenie, że widzi ją po raz pierwszy w życiu.
– Odchodzę.
– Dlaczego? Nie uwierzyłeś chyba w tę... w tę niesamowitą historię?
– Dosyć kłamstw, Laro.
– Nie kłamię. Musisz mnie wysłuchać. Nie mam nic wspólnego z tym, co cię spotkało. Za nic w świecie bym cię nie skrzywdziła. Kocham cię, Philipie.

Spojrzał jej prosto w oczy.
– Policja mówi, że ten człowiek pracował u ciebie. Że zapłacono mu pięćdziesiąt tysięcy dolarów za... za to, co mi zrobił.

Pokręciła głową.
– Nic o tym nie wiedziałam. Wiem jedynie, że nie mam z tym nic wspólnego. Wierzysz mi?

Patrzył na nią bez słowa.

Lara stała przez dłuższą chwilę, potem odwróciła się i wyszła z pokoju.

Philip spędził bezsenną noc w hotelu w centrum miasta. W myślach wciąż widział Larę.

„Chciałabym dowiedzieć się czegoś więcej o tej fundacji. Może moglibyśmy się spotkać, by o niej pomówić…"

„Jesteś żonaty?… opowiedz mi coś o sobie…"

„Kiedy słucham twojej interpretacji Scarlattiego, odnoszę wrażenie, że jestem w Neapolu…"

„Kreuję w myślach marzenie ze szkła, betonu i stali, które później staje się rzeczywistością…"

„Przyjechałam do Amsterdamu, by zobaczyć się z tobą…"

„Czy chcesz, żebym pojechała z tobą do Mediolanu…?"

„Rozpuszcza mnie pani, moja droga…"

„Robię to z rozmysłem".

Jej miłość, współczucie i oddanie. Czy możliwe, żebym się aż tak co do niej pomylił? – dumał.

Kiedy pojawił się na komendzie policji, porucznik Mancini już na niego czekał. Zaprowadził Philipa do małej salki z niskim podwyższeniem na jednym końcu.

– Jedyne, czego od pana chcemy, to żeby go pan zidentyfikował.

Żeby go mogli powiązać z Larą, pomyślał Philip.

Wprowadzono sześciu mężczyzn. Wszyscy byli mniej więcej tej samej budowy ciała i w tym samym wieku. Jesse Shaw stał w środku. Na jego widok Philip poczuł przyspieszone bicie serca. Znów usłyszał jego głos: „Dawaj portfel". Znów poczuł okropny ból, jak wtedy, kiedy napastnik przejechał mu nożem po nadgarstku.

Czy Lara byłaby zdolna do czegoś takiego? – myślał gorączkowo.

„Jesteś jedynym mężczyzną, jakiego kiedykolwiek kochałam".

– Proszę się uważnie przyjrzeć, panie Adler – powiedział porucznik Mancini.

„Odtąd będę pracowała w domu. Jestem potrzebna Philipowi..."

– Panie Adler...

„Sprowadzimy ci najlepszych specjalistów z całego świata..."

Była przy nim bez przerwy, pielęgnując go, opiekując się nim.

„Jeśli Mahomet nie chce przyjść do góry..."

– Czy może mi go pan wskazać?

„Poślubiłam cię, bo byłam bez pamięci w tobie zakochana. I wciąż jestem. Możemy już nigdy w życiu nie spać ze sobą, nie ma to dla mnie żadnego znaczenia. Pragnę tylko, byś nigdy nie przestał mnie kochać..."

Ona naprawdę tak myślała...

I ich ostatnie spotkanie w domu...

„Nie mam nic wspólnego z tym, co cię spotkało. Za nic w świecie bym cię nie skrzywdziła..."

– Panie Adler...

Policja musiała popełnić jakiś błąd, pomyślał. Na Boga, wierzę jej. Nie mogła tego zrobić!

– Który to z nich? – ponownie spytał Mancini.

Philip odwrócił się do niego i powiedział:

– Nie wiem.

– Słucham?

– Nie widzę go tu.

– Powiedział nam pan, że dobrze mu się pan przyjrzał.

– Tak.

– W takim razie proszę nam wskazać, który to z nich.

– Nie mogę – odparł. – Nie ma go tu.

Porucznik Mancini spoważniał.

– Jest pan tego pewien?

Philip wstał.

– Całkowicie.

– Cóż, w takim razie to wszystko, panie Adler. Bardzo dziękuję panu za pomoc.

Muszę odszukać Larę, postanowił Philip. Muszę odszukać Larę.

Siedziała przy swoim biurku, wyglądając przez okno. Philip jej nie uwierzył. Było to strasznie bolesne. I jeszcze Paul Martin. Bo oczywiście to on stał za tym wszystkim. Ale dlaczego to zrobił?

„Pamiętasz, jak mówiłem twojemu mężowi, by odpowiednio się tobą opiekował? Nie wydaje mi się, by wziął sobie moją prośbę zbytnio do serca. Ktoś musi z nim poważnie porozmawiać!"

Czy zrobił to, bo ją kochał? Czy też był to akt zemsty, bo jej nienawidził?

Wszedł Howard Keller. Twarz miał bladą i ściągniętą.

– Jestem po rozmowie z naszymi kontrahentami. Laro, straciliśmy Cameron Towers. Zarówno Southern Insurance, jak i Mutual Overseas Investment wycofują się, bo nie możemy dotrzymać terminu oddania budynku do użytku. Nie ma mowy, byśmy uporali się ze spłatami kredytów hipotecznych. A prawie nam się udało, prawda? Najwyższy drapacz chmur na świecie. Przykro mi. Wiem, ile dla ciebie znaczył.

Lara odwróciła się do niego i Kellera przeraził jej wygląd. Twarz miała bladą, a pod oczami czarne cienie. Wydawała się być oszołomiona i jakby pozbawiona całej energii.

– Laro… słyszałaś, co powiedziałem? Straciliśmy Cameron Towers.

Przemówiła nienaturalnie spokojnym głosem.

– Słyszałam cię. Nie martw się, Howardzie. Pożyczymy pieniądze pod zastaw nieruchomości i wszystko spłacimy.

Jej słowa wprawiły go w osłupienie.

– Laro, nie mamy już skąd pożyczać. Musisz ogłosić bankructwo i…

– Howardzie...

– Tak?

– Czy kobieta może za bardzo pokochać mężczyznę?

– Słucham?

– Philip odszedł – powiedziała martwym głosem. To wiele wyjaśniało.

– Bardzo mi przykro, Laro.

Na jej twarzy pojawił się dziwny uśmiech.

– To zabawne, prawda? Straciłam wszystko naraz. Najpierw Philipa, teraz nieruchomości. Wiesz, Howardzie, co to jest? To przeznaczenie. Los mi nie sprzyja. A przecież nie można walczyć z przeznaczeniem, prawda?

Nigdy nie widział jej tak cierpiącej. Rozdzierało mu to serce.

– Laro...

– Ale jeszcze ze mną nie skończyli. Dziś po południu muszę lecieć do Reno na przesłuchanie przez wielką ławę przysięgłych. Jeśli...

Rozległ się dźwięk interkomu.

– Przyszedł porucznik Mancini.

– Wpuść go.

Howard Keller spojrzał dziwnie na Larę.

– Mancini? A czego on tu chce?

Lara zaczerpnęła głęboko powietrza.

– Przyszedł, żeby mnie aresztować, Howardzie.

– Aresztować cię? O czym ty mówisz?

– Sądzą, że to ja ukartowałam ten napad na Philipa – dodała cicho.

– Przecież to śmieszne! Nie mogą...

Otworzyły się drzwi i wszedł porucznik Mancini. Przystanął, spoglądając przez moment na nich oboje, a potem zbliżył się wolno.

– Mam nakaz aresztowania.

Howard Keller pobladł. Zasłonił Larę swoim ciałem i powiedział zachrypniętym głosem:

– Nie może pan tego zrobić. Ona jest niewinna.

– Zgadza się, panie Keller. Nie przyszedłem aresztować panny Cameron, tylko pana.

Rozdział 35

Stenogram przesłuchania Howarda Kellera przez porucznika Sala Manciniego.

„Pytanie: Czy zapoznał się pan z przysługującymi panu prawami, panie Keller?

Odpowiedź: Tak.

P.: I rezygnuje pan z adwokata?

O.: Niepotrzebny mi adwokat. I tak zamierzałem się zgłosić na policję. Nie mogłem dopuścić do tego, by Larze coś się stało.

P.: Zapłacił pan Jessiemu Shawowi pięćdziesiąt tysięcy dolarów, żeby napadł na Philipa Adlera?

O.: Tak.

P.: Dlaczego?

O.: Unieszczęśliwiał ją. Błagała go, by więcej czasu spędzał z nią w domu, a on ciągle wyjeżdżał.

P.: A więc postanowił go pan okaleczyć.

O.: To nie było tak. Nie chciałem, by Jesse posunął się aż tak daleko. Poniosło go.

P.: Proszę mi opowiedzieć o Billu Whitmanie.

O.: To był łobuz. Próbował szantażować Larę. Nie mogłem mu na to pozwolić. Mógłby ją zniszczyć.

P.: A więc kazał go pan zabić?

O.: Tak, dla dobra Lary.

P.: Czy wiedziała o tym?

O.: Ależ skądże! Nigdy by na to nie pozwoliła. Nigdy. Widzi pan, moim obowiązkiem było ją chronić. Cokolwiek robiłem, robiłem z myślą o niej. Gotów byłem dla niej umrzeć.

P.: Lub zabić.

O.: Czy mogę pana o coś spytać? Jak się pan domyślił, że to ja za tym stałem?"

Koniec przesłuchania.

– No właśnie, jak wpadłeś na to, że to właśnie on? – zwrócił się do Manciniego kapitan Bronson.

– Zostawił trop, którym podążyłem. Prawie go przeoczyłem. W naszych kartotekach jest informacja, że Jesse Shaw jako siedemnastolatek ukradł jakiś sprzęt bejsbolowy należący do drużyny mniejszej ligi Chicago Cubs. Sprawdziłem to i okazało się, że grali w jednym zespole. I właśnie tu Keller popełnił błąd. Kiedy go spytałem, powiedział, że nigdy nie słyszał o Jessiem Shawie. Zadzwoniłem do znajomego, który kiedyś był dziennikarzem sportowym w chicagowskim „Sun Times". Pamiętał ich obu. Byli kumplami. Pomyślałem sobie, że to Keller załatwił Jessiemu robotę w Cameron Enterprises. Lara Cameron zatrudniła Shawa, bo poprosił ją o to Howard Keller. Prawdopodobnie nawet nigdy nie widziała Shawa.

– Dobra robota, Sal.

Mancini potrząsnął głową.

– Wiesz co? Właściwie to wszystko i tak nie ma znaczenia. Gdybym nie wpadł na jego ślad i gdybyśmy aresztowali Larę Cameron, Howard Keller sam by się do nas zgłosił i do wszystkiego się przyznał.

Cały jej świat się walił. Lara nie mogła uwierzyć, że Howard Keller, właśnie Howard, może być odpowiedzialny za te wszystkie okropne wypadki, które miały miejsce.

Robił to dla mnie, pomyślała. Muszę mu jakoś pomóc.

W interkomie rozległ się głos Kathy:

– Panno Cameron, samochód już czeka. Jest pani gotowa?

– Tak. – Pora jechać do Reno, by złożyć zeznania przed wielka ławą przysięgłych.

Pięć minut po wyjściu Lary z biura zadzwonił Philip.

– Przykro mi, panie Adler. Dopiero co wyszła. Jest w drodze do Reno.

Poczuł ostre ukłucie rozczarowania. Rozpaczliwie pragnął się z nią spotkać, błagać ją o przebaczenie.

– Gdyby miała pani z nią kontakt, proszę jej powtórzyć, że będę na nią czekał.

– Dobrze.

Wykręcił drugi numer, rozmawiał przez dziesięć minut, a potem zadzwonił do Williama Ellerbee.

– Bill... zamierzam pozostać w Nowym Jorku. Będę uczył w szkole Juilliarda.

– Co mogą mi zrobić? – spytała Lara.

– To zależy – powiedział Terry Hill. – Wysłuchają twoich zeznań i albo dojdą do wniosku, że jesteś niewinna – wówczas odzyskasz kasyno – albo uznają, że istnieją wystarczające dowody przeciwko tobie, by cię formalnie oskarżyć. Wtedy zostaniesz postawiona przed sądem i będzie ci groziło więzienie.

Lara szepnęła coś.

– Słucham?

– Ojciec miał rację. To przeznaczenie.

Przesłuchanie przez wielką ławę przysięgłych trwało cztery godziny. Larę wypytywano, jakie były okoliczności kupna hotelu Cameron Palace i kasyna. Kiedy opuścili salę przesłuchań, Terry Hill ścisnął rękę Lary.

– Świetnie się spisałaś. Myślę, że wywarłaś na nich duże wrażenie. Nie mają przeciwko tobie konkretnych dowodów, więc istnieje poważna szansa na to, że... – Urwał niespodziewanie. Lara się odwróciła. Do poczekalni wszedł Paul Martin. Ubrany był w niemodny, dwurzędowy garnitur z kamizelką, a siwe włosy uczesane miał tak samo, jak wtedy, kiedy spotkała go po raz pierwszy.

– O Boże! – wykrzyknął Terry Hill. – A więc też będzie zeznawał. – Odwrócił się do Lary. – Jak bardzo cię nienawidzi?

– Co chcesz przez to powiedzieć?

– Laro, jeśli mu zaproponowali, że potraktują go ulgowo, jeżeli będzie zeznawał przeciwko tobie, to wszystko przepadło. Pójdziesz do więzienia.

Lara popatrzyła na stojącego w drugim końcu sali Paula Martina.

– Ale… ale wtedy zniszczyłby również siebie.

– Dlatego spytałem cię, jak bardzo cię nienawidzi. Czy gotów jest zniszczyć samego siebie, byleby tylko pognębić ciebie?

– Nie wiem – odparła głucho.

Paul Martin szedł w ich stronę.

– Witaj, Laro. Słyszałem, że ostatnio twoje sprawy nie najlepiej stoją. – Jego oczy nie zdradzały niczego. – Tak mi przykro.

Lara przypomniała sobie słowa Howarda Kellera.

„To Sycylijczyk. Oni nie przebaczają i nie zapominają".

Cały czas nosił w sobie tę palącą żądzę zemsty, a ona nie miała o tym pojęcia.

Paul Martin zaczął się oddalać.

– Paul…

Zatrzymał się.

– Tak?

– Muszę z tobą porozmawiać.

Zawahał się przez chwilę.

– Dobrze.

Wskazał pusty pokój w końcu korytarza.

– Możemy porozmawiać tam.

Terry Hill obserwował, jak obydwoje weszli do pokoju i zamknęli za sobą drzwi. Dałby wszystko, by usłyszeć ich rozmowę.

Nie wiedziała, jak zacząć.

– Czego chcesz, Laro?

Okazało się to znacznie trudniejsze, niż przypuszczała.

– Chcę, byś mi pozwolił odejść – odezwała się zachrypniętym głosem.

Uniósł ze zdziwieniem brwi.

– Jak mogę to zrobić? Przecież nie należysz do mnie. – Drażnił się z nią.

Lara oddychała z trudem.

– Nie sądzisz, że już wystarczająco mnie ukarałeś?

Paul Martin stał nieporuszony, z nieprzeniknionym wyrazem twarzy.

– Paul, chwile spędzone z tobą były cudowne. Znaczyłeś dla mnie więcej niż ktokolwiek w moim życiu, nie licząc Philipa. Winna ci jestem więcej, niż kiedykolwiek zdołam spłacić. Nigdy nie chciałam ci sprawić bólu. Musisz mi uwierzyć.

Miała trudności z mówieniem.

– Możesz mnie zniszczyć. Czy naprawdę tego chcesz? Czy będziesz szczęśliwy, kiedy wyślesz mnie za kratki? – Z całych sił starała się powstrzymać łzy. – Błagam cię, Paul. Oddaj mi moje życie. Proszę, przestań traktować mnie jak wroga…

Paul Martin stał bez ruchu, jego czarne oczy nie zdradzały niczego.

– Proszę cię o przebaczenie. Jestem… jestem zbyt zmęczona, by dłużej walczyć. Wygrałeś… – Głos jej się załamał.

Rozległo się pukanie do drzwi i do pokoju zajrzał woźny sądowy.

– Panie Martin, wielka ława przysięgłych czeka na pana.

Stał, patrząc przez dłuższą chwilę na Larę, po czym odwrócił się i wyszedł bez słowa.

Wszystko skończone, pomyślała. To już koniec.

Do pokoju wszedł pośpiesznie Terry Hill.

– Bardzo bym chciał wiedzieć, jak będzie zeznawał. Teraz nie zostało nam już nic, prócz czekania.

Czekali. Kiedy w końcu z sali przesłuchań wyłonił się Paul Martin, wyglądał na zmęczonego.

Postarzał się, pomyślała Lara. Winą za to obarcza mnie.

Spojrzał na nią, zawahał się przez moment, a potem podszedł do niej.

– Nigdy ci nie przebaczę. Zrobiłaś ze mnie głupca. Ale byłaś czymś najlepszym, co mnie spotkało w życiu. Myślę, że jestem ci za to coś winien. Nic im nie powiedziałem, Laro.

Do oczu napłynęły jej łzy.

– Och, Paul. Nie wiem, jak...

– Możesz to potraktować jako mój prezent urodzinowy. Wszystkiego najlepszego z okazji urodzin, mała.

Obserwowała go, jak się oddalał. Nagle dotarło do niej to, co powiedział. Dziś są jej urodziny! Spadło na nią naraz tyle spraw, że zupełnie zapomniała. I o przyjęciu. W Manhattan Cameron Plaza będzie na nią czekało dwustu gości!

Odwróciła się do Terry'ego Hilla.

– Muszę dziś wieczorem być w Nowym Jorku. Przygotowano dla mnie wielkie przyjęcie. Czy pozwolą mi wyjechać?

– Chwileczkę – powiedział Terry Hill. Zniknął w sali przesłuchań. Pięć minut później pojawił się ponownie.

– Pozwolili ci lecieć do Nowego Jorku. Wielka ława przysięgłych ogłosi swój werdykt rano, ale teraz to już tylko zwykła formalność. Możesz tu wrócić wieczorem – oznajmił. – Twój przyjaciel nie kłamał – dodał. – Nic im nie powiedział.

Trzydzieści minut później Lara była już w drodze do Nowego Jorku.

– Dobrze się czujesz? – spytał Terry Hill.

Spojrzała na niego i powiedziała:

– Naturalnie.

Dziś wieczorem na jej przyjęciu pojawią się setki ważnych osobistości. Wystąpi przed nimi z wysoko uniesioną głową. Jest przecież Larą Cameron...

Stała na środku pustej sali balowej i rozglądała się wkoło.

To moje dzieło. Stworzyłam pomniki wznoszące się ku niebu, które zmieniły życie tysięcy ludzi w całej Ameryce. A teraz wszystko to stanie się własnością anonimowych bankierów, myślała.

Nagle zupełnie wyraźnie usłyszała głos swojego ojca: „To przeznaczenie. Całe życie prześladuje mnie zły los".

Przypomniały jej się Glace Bay i mały pensjonat, w którym spędziła dzieciństwo i młodość. Pamiętała, jaka była przerażona, kiedy po raz pierwszy poszła do szkoły.

„Czy ktoś zna wyraz rozpoczynający się na literę G?"

Przypomniała sobie mieszkańców pensjonatu.

Billa Rogersa...

„Naczelną zasadą przy inwestowaniu jest PIL. Zapamiętaj sobie to dobrze".

I Charlesa Cohna.

„Jem tylko koszerne potrawy, a obawiam się, że w Glace Bay są one nieosiągalne...?

„Jeśli kupię tę działkę i wzniosę na niej budynek... wydzierżawicie go ode mnie na pięć lat?"

„Nie, Laro. Podpiszemy z tobą umowę na dziesięć lat..."

I Seana MacAllistera...

„Musiałbym mieć jakiś szczególny powód, by udzielić ci tej pożyczki!... Czy miałaś kiedyś chłopca...?"

I Howarda Kellera:

„...źle się pani do tego wszystkiego zabiera..."

„Chcę, byś pracował u mnie..."

A potem sukcesy. Wielkie, przyprawiające o zawrót głowy. I Philip. Jej Lochinvar. Mężczyzna, którego kochała. To była największa strata.

– Laro... – rozległ się czyjś głos.

Odwróciła się gwałtownie.

Lara odwróciła się do Jerry'ego Townsenda.

– Jerry, jak ty to…?

Pokręcił głową.

– To wszystko zorganizował Philip.

– Och, najdroższy!

Pojawili się kelnerzy, niosąc przekąski i napoje.

– Bez względu na to, co się stanie, jestem z ciebie dumny, Laro – rzekł Charles Cohn. – Powiedziałaś, że chcesz zmienić świat i zrobiłaś to.

– Zawdzięczam tej kobiecie życie – mówił ojciec Jerry'ego Townsenda.

– Ja też – uśmiechnęła się Kathy.

– Wznoszę toast! – wykrzyknął Jerry Townsend. – Za najlepszego szefa, jakiego kiedykolwiek miałem i będę miał!

Charles Cohn podniósł swój kieliszek.

– Za cudowną dziewczynę, która wyrosła na wspaniałą kobietę!

Wszyscy po kolei wygłaszali toasty i w końcu przyszła kolej na Philipa. Miał bardzo dużo do powiedzenia, ale ujął wszystko w czterech słowach:

– Za kobietę, którą kocham.

W oczach Lary błyszczały łzy.

– Tyle… tyle wam wszystkim zawdzięczam – zaczęła. – Nigdy nie będę w stanie się wam zrewanżować. Chciałam jedynie powiedzieć… – urwała, nie mogąc dalej mówić. – Dziękuję.

Odwróciła się do Philipa.

– Dziękuję ci, najdroższy. To najpiękniejsze urodziny w moim życiu. – Nagle przypomniała sobie. – Jeszcze dziś muszę wrócić do Reno!

Philip spojrzał na nią i uśmiechnął się wesoło.

– Jeszcze nigdy nie byłem w Reno…

Pół godziny później siedzieli już w limuzynie jadącej na lotnisko. Lara trzymała Philipa za rękę.

Nie pozbawiono mnie wszystkiego. Resztę swego życia spędzę, wynagradzając mu to, co stracił. Poza nim nic nie jest ważne. Jedyne, co się liczy, to być z nim i troszczyć się o niego. Nie potrzebuję niczego więcej, myślała.

– Laro…

Wyglądała przez okno.

– Max, zatrzymaj się!

Limuzyna zahamowała gwałtownie.

Philip spojrzał na nią zdumiony. Zatrzymali się przed pustym placem porośniętym chwastami. Lara wpatrywała się w przestrzeń.

– Laro…

– Spójrz, Philipie! Spójrz!

Odwrócił głowę.

– Na co?

– Nie widzisz?

– A co mam widzieć?

– Och, to coś pięknego! Tam, w najdalszym rogu, będzie centrum handlowe! W środku wzniesiemy luksusowe domy mieszkalne. Jest tu dosyć miejsca na cztery bloki. Widzisz to teraz, prawda?

Patrzył na Larę jak zahipnotyzowany.

Odwróciła się do niego, mówiąc podekscytowana:

– Posłuchaj tylko, jaki mam plan…

Podziękowanie

Winien jestem wdzięczność wszystkim, którzy nie szczędzili mi swego czasu i wiedzy:

Larry'emu Russo za to, że wiódł mnie krętymi ścieżkami, jakimi kroczą najwięksi hazardziści naszych czasów – przedsiębiorcy budowlani.

Znawcom muzyki – Monie Gollabeck, Johnowi Lillowi, Zubinowi Mehcie, Dubleyowi Moore'owi, André Previnowi i członkom Rady Powierniczej Leonard Bernstein Estate – za to, że wprowadzili mnie w swój zaczarowany świat.

Pragnę również podziękować mieszkańcom Glace Bay za ich niezwykłą gościnność. Mam nadzieję, że wybaczą mi kilka odstępstw od rzeczywistości, ale uważałem je za konieczne.

Całą wiedzę fachową przedstawioną w książce zawdzięczam wyżej wymienionym osobom. Za wszelkie błędy i nieścisłości winę ponoszę wyłącznie ja.